KB037852

향원익청·2

향원익청·2

화향花香, 정녕 돌아갈 그곳

곽병찬 지음

도서출판 길

향원익청·2
화향花香, 정녕 돌아갈 그곳

2018년 9월 10일 제1판 제1쇄 찍음
2018년 9월 15일 제1판 제1쇄 펴냄

지은이 | 곽병찬
펴낸이 | 박우정

기획 | 이승우
편집 | 이남숙
전산 | 한향림

펴낸곳 | 도서출판 길
주소 | 06032 서울 강남구 도산대로 25길 16 우리빌딩 201호
전화 | 02) 595-3153 팩스 | 02) 595-3165
등록 | 1997년 6월 17일 제113호

ⓒ 곽병찬, 2018. Printed in Seoul, Korea

ISBN 978-89-6445-161-8(세트)
978-89-6445-163-2 03800

차례

향원익청 2
화향花香, 정녕 돌아갈 그곳

제1부

제2부

제3부

제4부

차례

향원익청 1/인향人香, 아! 그리운 사람

제3부

제4부

제 1 부

가난한 생명의 별유천지

늪은 푸르고, 들은 황금빛이었다. 올벼 추수를 끝낸 논에선 농민들이 허리 한 번 펴지 않고 양파 모종을 심고 있었고, 호수에 담긴 파란 하늘 가장자리에선 텃새와 철새가 들며 나며 노닐고 있었다. 어느새 계절은 신록에서 녹음으로, 녹음에서 가을빛으로 저물었다. 늪가엔 생이가래 퇴적한 나이테가 하나 더 늘었고, 우포늪 사람들의 삶도 나이테만큼 깊어졌다.

어느덧 하루도 저물었다. 총총한 별빛을 이불 삼아 농부도 어부도 잠들고, 새들도 물고기도 잠들었다. 엊그제 시베리아에서 온 큰기러기 떼도, 터줏대감인 논병아리, 백로 무리도 이미 깃을 쳤는지 보이질 않는다. 늪은 1억 수천만 년 전 침묵으로 돌아갔다.

동쪽 화왕산 암릉이 여명으로 밝아올 때쯤 우포늪은 기지개를 켠다.

전날 따가운 햇살에 데워진 물이 밤새 차가워진 공기와 만나 물안개를 피워낸다. 향 연기처럼 한 올 두 올 오르던 것이 무더기로 군무를 추며 하늘로 오른다. 곧 서로 얽히고설켜 안개구름으로 자욱해진다. 물안개는 늪과 마을 산기슭, 그리고 산중턱을 차곡차곡 삼킨다. 해 뜰 무렵이면 우포늪 일대는 운해가 된다. 운해 속에서 산봉우리만 섬처럼 떠 있고, 가까운 늙은 왕버들 무성한 가지는 그림자처럼 뒤척이며 흔들리고, 쪽배의 실루엣이 미끄러져 가면 우포늪은 더 이상 인간 세상이 아니다. 어제 가을 햇살은 뜨겁고 밤공기는 차가웠다. 오늘 새벽 우포늪 운해는 더욱 심원하고 풍경은 더욱 묘연하리라.

우포늪은 토평천이 흘러드는 상부는 넓게 트였고, 하구는 호리병 목처럼 좁다. 물이 제대로 빠져나가지 못하다 보니 하천 유역이 물에 잠기고, 토사가 쌓여 늪이 됐다. 큰비만 오면 범람하던 낙동강 황토물이 토평천으로 역류하면서 계곡 구석구석까지 침수됐고, 한 번 들어온 물이 병목에 막혀 빠져나가지 못해 늪은 더욱 확장됐다. 우포늪의 네 벌(소벌, 나무벌, 모래벌, 쪽지벌)은 그렇게 자연이 조성했다. 가장 큰 늪은 우항산이 소처럼 목을 길게 늘이고 물을 마시는 곳에 있다 하여 소벌이란 이름을 얻었다. 큰물이 나면 무더기로 떠내려온 나무들이 켜켜이 쌓인다고 나무벌, 모래가 많고 가시연꽃이 군락을 이룬다고 모래벌, 늪 하구에 혹처럼 붙었다 하여 쪽지벌이다. 그러나 물안개 자욱하면 늪과 늪, 호수와 산, 산과 마을의 경계는 무의미해진다. 아침마다 늪과 마을 산은 태초와 가까운 어느 때처럼 하나가 된다.

물안개보다 먼저 늪을 깨우는 건 소목마을 어부들이다. 우항산 소의 목덜미 쪽(소목)에 터를 잡았으니 부쳐 먹을 땅이 없었다. 마을 사람들은 늪에서 곡식을 건져야 했다. 붕어·가물치·잉어를 잡고, 논우렁이

대칭이 말조개를 캐어, 식구를 먹이고 아이들을 키우는 건 그곳에 입향할 때부터 피할 수 없는 운명이었다. 우포늪 어부는 10명 안팎. 1998년 우포늪이 람사르 협약에 등록되고, 이듬해 늪과 주변이 습지보호구역으로 지정되면서 등록된 어부만 어로행위를 할 수 있다. 이 가운데 9명이 소목마을 사람이다. 이들은 물안개가 뒤척이며 몸을 풀 즈음 늪으로 나간다.

음력 10월 3일이면 마을 고사(낙망고사)를 지냈다. 마을 어부들이 일제히 고기잡이에 나서는 것을 알리는 행사였다. 그들이 새벽에 나서는 것은 전날 놓은 낮은 걸그물, 깊은 걸그물 혹은 길게 쳐놓은 삼각망에 든 고기들이 잠에서 깨어 빠져나가기 전에 걷어올리려는 것이다. 겨울로 접어들어 수온이 낮아지고 물고기 활동이 둔해지면, 위아래가 트인 고깔 형태의 가래로 물고기를 잡았다. 한겨울엔 늪 가장자리에 어른 키 깊이의 구덩이(오대)를 파 수온이 상대적으로 높은 그곳으로 몰려든 물고기를 건져올렸다. 최고의 살림 밑천이었다던 고디(고둥)며 대칭이, 말조개 캐는 것은 이 궁벽한 곳으로 시집온 며느리들 몫이었다. 4대강 사업으로 낙동강에 보가 생기기 전까지만 해도 바가지로 '퍼 묵을 만큼' 흔했던 게 고디였다.

며느리들은 파낸 고디를 삶아서 살을 발라내고 얼려놓았다가 대구 칠성시장 부산상회에 도매로 넘겼다. 이방면 면소재지에서 첫 차 타고 대구로 가서 시내버스 타고 칠성시장에 가는 동안 내내 이들은 많게는 10관(40킬로그램)이나 되는 고둥을 이고 다녀야 했다. 부산상회에 고디를 넘기고 호박죽 한 그릇 후딱 먹고는, 옷 가게 한 번 들르지 못하고, 기다리는 아이들을 위해 다시 소목으로 돌아왔다. 밭 매고, 고추 따고, 갈비(땔감) 끊는 일도 이들의 일이었다. 그래도 믿는 게 있었다. "남의 집에 돈 빌리로 갈래, 벌로 갈래?" "남의 집 가도 돈을 못 빌릴 수 있지만, 벌로 가면 일한 만큼 걷어온다"라는 것이다.

어부가 그물을 걷어 집으로 돌아갈 때쯤 새들이 비로소 푸드득 몸을 털고 끼룩끼룩 목도 푼다. 그제야 우포늪은 하루를 시작한다. 백로와 오리들이 나무벌에서 소벌로, 소벌에서 모래벌로 떼 지어 날고, 왜가리·해오라기는 저 혼자서 먹이 사냥할 곳을 찾아 나서고, 논병아리 가족도 물질을 시작한다. 참새·딱새·꿩·멧비둘기 등 산새들도 나뭇가지를 옮아 다니며 물안개 속 새 아침을 맞는다. 농부는 양파, 마늘 밭으로 나가고, 탐방객들은 제방으로 간다. 출사객은 사지포, 주매, 목포 제방에서 물안개를 담고, 쪽지벌 제방에서 일출을 담는다.

창녕은 경상남도에서 경작지가 가장 넓다는 곳. 그런 고을에서 굳이, 큰비만 오면 침수를 피해 가재도구 짊어지고 산 위로 도망가야 하는 이곳으로 찾아들게 된 사연은 들어보지 않고는 알 수 없다. 토평천이 쪽지벌을 지나 낙동강으로 빠져나가는 길목의 세진마을, 쪽지벌 뒤쪽의 잠어실마을, 나무벌 주변의 노동마을과 장재마을, 소벌 북쪽의 주매마을, 모래벌 뒤 사지마을과 신당마을 등 늪 주변에는 모두 열네 마을이 들어섰고, 사연은 저마다 다르다. 가난한 이들이야 부쳐 먹을 땅만 있으면 말뚝부터 박는다지만, 그곳은 대부분 산비탈과 늪 사이여서 전답이 비좁았다. 게다가 상습침수지역이었으니 거저 들어오라 해도 올 사람이 없었다. 하지만 몇몇은 알았다. 범람으로 떠밀려온 기름진 퇴적물 덕에 땅이 얼마나 비옥하고, 부자들이야 거들떠보지도 않던 늪엔 어패류가 얼마나 차고 넘쳤는지. 한 뼘 땅도 갖지 못한 이들에겐 낙토였다.

마을마다 나름 유서가 깊다는 건 그만큼 정주한 역사가 길다는 뜻일 게다. 주매마을엔 중국 산둥 지역에서 피신해 왔다는 장연 노씨가 집성촌을 이루고 있고, 장재마을엔 석씨, 세진마을엔 창녕 조씨가 집성촌을 이루고 있다. 신당마을은 창녕읍으로 이어진 넓은 들이어서 여러 성씨가 모여 살았다. 장재마을 소목 뒤쪽엔 창녕 성씨 재실이 있고, 주매마을엔 장연 노씨의 세거를 상징하는 관호정이 있으며, 신당마을엔 고려의 마지막 장수 조민수曺敏修 장군의 묘가 있다. 세진마을엔 조선 중기 퇴계 이황, 남명 조식 문하에서 수학한 한강寒岡 정구鄭逑가 지은 팔락정이 있다.

한낮의 우포늪은 밤보다 정적이 더 깊다. 물고기가 긴 시간의 낮잠에 빠져드니, 어부도 없고, 할 일 없는 새들도 쉰다. 게다가 늪을 태반이나 덮어버린 생이가래, 개구리밥, 가시연, 노랑어리연, 매화마름 등은 세상의 모든 소리를 빨아들인다. 해오라기, 왜가리가 선방 수좌처럼 꼼짝 않고 물속을 응시하지만 별 소득은 없다. 정신없이 분주한 건 농민뿐.

낙동강 제방이 높아지기 전까지만 해도 세진마을도 주변이 늪이었다(팔락늪). 큰비만 오면 주변의 들과 계곡은 물에 잠겼다. 정구는 산허리에 팔락정을 짓고, 은모래밭에 날아드는 기러기平沙落雁, 팔락늪의 홍련伏池紅蓮 등 여덟 가지 풍경을 즐겼다. 그중에 역수십리逆水十里란 게 있다. 범람하는 낙동강 물이 토평천을 따라 10리나 역류하는 풍경이다. 농부들에겐 애간장이 타는 노릇이겠지만, 그에게는 즐김의 대상이었다. 청백리 정구도 심간心肝 편한 양반네였다.

세진 둔터 다부터 등 계곡에 자리 잡은 세진의 세 마을은 범람했다 하면 대청 아래 섬돌까지 잠겼다. 주민들은 생필품만 챙겨 들고 산 위로 대피해야 했다. "해마다 물 담은(침수하는) 여기서 어찌 사노./ 시집온 첫해부터 뒷동산으로 물 피난 갔었네./ 서 말 무쇠솥을 물에 띄워 뒷산으로 물 피난 갔네." 세진마을 며느리들의 한탄이었다. "너무 힘이 들 때면/ 나는 보따리를 싸놓고 살았다네./ 언제든 나가려고/ …… 고추

말리는 연탄방에 일부러/ 들어가 앉아 있기도 했지." 세진살이는 그렇게 고달팠다.

시집온 지 40년이 지났지만, "시거리 물구디에서 자라/ 세진 물구디로 딸 시집보낸/ 속상한 친정엄마"만 생각하면 시거리댁은 아직도 눈물이 난다. 드묵댁이 기억하는 세진마을은 "미거지(메기)가 하품만 해도 물 담는 곳(물에 잠기는 곳)"으로 "귀신이 들어올 때 춤추고 왔다가, 물 때문에 울면서 나간다"라는 곳이었다.

옥천댁이 옥천리에서 둔터로 시집올 때 아버지와 함께 걸었던 사초군락지의 추억은 60년이 지났지만 여전히 눈물로 젖어 있다. 평소 우포의 하구언 노릇을 하다가 비만 오면 물에 잠기고 물이 빠지면 한쪽엔 갈대가 다른 편엔 물억새가 아득히 펼쳐지는 곳이었다. 저의 키보다 큰 갈대와 억새밭 사이로, 이제 가면 언제 돌아올지 모르는 새색시는 그 눈부신 갈꽃, 억새꽃이 서러워, 한걸음 떼고 눈물 훔치고, 또 한걸음 떼고 흐느꼈다. 옥천댁은 둔터로 시집온 뒤 한 번도 사초군락 건너 친정에 가지 못하고 세진마을에서 눈을 감았다.

곳곳에 제방이 생기면서 마을이 물에 잠기는 일은 없어졌다. 하지만 지천이던 고둥, 대칭이 등 살림 밑천은 사라졌다. 철새만 손님처럼 찾아들던 그곳에 요즘엔 탐방객들이 철새처럼 사시사철 범람한다. 세진, 신당, 주매, 장재 마을 주민들은 쪽배타기, 고기잡이, 짚풀공예, 양파 수확, 우포늪 생태관찰 등 생태체험 관광으로 손님들을 맞는다.

해는 사초군락을 넘어 옥천리 뒷산으로 기울고, 하늘과 구름과 갈꽃과 늪은 노을에 젖어든다. 대대제방 위로는 귀가하는 농부들의 그림자가 길다. 산도 하늘도 늪도 그리고 사람도 온통 금빛이다. 생이가래 등이 첩첩이 퇴적한 곳으로 백로들이 날아들고, 쇠오리·청둥오리·큰기러기들이 떼 지어 비상한다. 소목마을 어부의 쪽배가 놀 속으로 미끄러져 간다.

이제 다시 별은 뜨리라. 1억 4,000만 년 전 그랬듯이 하늘에 뜨고 늪에도 뜨고 시인의 가슴에도 총총히 뜨리라. “나는 지금 1억 년 전 사서를 읽고 있다”로 시작한 배한봉 시인의 시 「빗방울 화석」은 이렇게 이어진다. “……나는 지금 시의 문을 열고 뚜벅뚜벅 걸어오는/ 1억 년 전의 생명선 빗방울을 만난다/ 사서에 새겨진 원시적 우주의 별자리를 읽는다.” 모두가 별을 헤다 별이 되는 시간이다.

신당마을의 송미령 시인은 손님들에게 버들국수를 말아주며 이렇게 속삭인다. “사람도 자연의 일부가 되는/ 우포늪에 오실 땐 맨발로 오세요/ …… 지친 어깨 살며시 토닥여 주는/ 내 어머니 같은 가슴이 있습니다/ 우포에는 맨발로 오세요.” 토박이 노수열 씨(52·공무원)는 한걸음 더 나아가, 오려거든 한밤에 혼자서 조용조용 오시라고 권한다. 그러면 “1억 년도 더 된 늪의 숨소리를 들을 수 있지요. 새와 풀과 사람과 나무가 함께 쉬는 숨을.”

주매마을 이장 노창재 시인은 다만 한 가지 안타까움뿐이다. “마을은 언제부터/ 으앙 으앙 우렁찬 울음을 지웠는지/ 고갯마루 몰고가는 곡소리마저/ 어디로 산발하여 갔는지…….” 새도 물고기도 새끼를 잘도 치는데 사람만 새끼가 없다! 그곳에 살면 모두가 시인이 되고, 무엇이든 시가 되는데…….

막장의 눈물로 닦은 천상의 길

소년은 백운산 8구에서 태어나 운락초등학교를 다녔다. 1～2학년 때까지만 해도 별명이 코찔찔이었다. 까만 코가 들락날락하는 찔찔이……. 얼굴도 까맸지만, 코는 더 까맸다. 그런 코가 들락날락했으니 담박에 그렇게 불렸다.

학교까지는 10리. 그 시절 가도 가도 끝이 없는 길이었다. 그러나 가을이면 머루, 다래 따먹는 재미가 쏠쏠했다. 가다보면 뱀도 슬금슬금 기어다니고, 멧돼지도 어슬렁거리며 길을 건너가지만, 짝꿍을 떠올리며 단풍잎 주워 책갈피에 끼울 때는 공연히 볼이 상기됐다. 겨울이면 얼마나 춥던지 손과 발, 특히 볼이 꽁꽁 얼어붙었다. 겨울 오기 전 나무를 얇게 켜고, 거기에 탄광에서 쓰다 버린 장화를 못으로 박아 스키를 만들었다. 운탄길 가벼운 언덕 내리막을 쏜살같이 내달릴 때는, 세상

부러울 게 없었다. 스키가 없으면 비료포대로 대신했다. 활활 타는 교실의 장작난로와 친구들이 기다리고 있으니 힘들지 않았다.

그러나 바퀴가 열 개나 되는 제무시(GMC 사가 제작한 사륜구동 트럭) 행렬을 만나면 꼼짝없이 신작로 밖 풀숲에서 기다려야 했다. 제무시는 하루 삼교대로 캐낸 탄석을 함백역으로 실어 날랐다. 동쪽 만항재(해발 1,330미터)에서 올라와 정암산 · 백운산 · 두이봉 · 질운산 산허리를 따라 새비재(해발 1,000미터)에 이르러서야 고개 밑으로 제무시는 사라졌다. 물결치는 백두대간 위로 아득하게 이어지는 그 행렬은 좀체로 눈을 뗄 수 없는 풍경이었다. 저 끝은 어딜까? 그러나 바람 부는 날이면 탄재로 하늘과 땅은 온통 까맣고, 비가 오면 장화 없이는 다닐 수 없는 죽탄길이었다. 학교는 백운산과 두이봉 사이 화절령 밑에 있었다.

그 길이 아주 특별하다는 걸 안 건 산 아래 '도시' 사북읍(해발 500미터 안팎)에 가보고 나서였다. 저의 학교가 이 나라에서 가장 높은 곳에 있다(해발 960미터)는 것도 그제야 알았고, 저의 마을이 세상에서 가장 높은 곳(해발 1,200미터)에 있다는 것도, 그렇게 높은 곳에 있는 등하굣길(1,100~1,300미터)은 우리나라 어디에도 없다는 것을 그제야 알았다. 명절 때나 아버지와 함께 내려가는 사북읍이었지만, 언젠가부터 그곳에서 일 년의 반이 겨울인 백운산 꼭대기 마을을 생각만 해도 속이 울렁거렸다. 사북읍(해발 550미터)은 소년에게 꿈의 도시였다. 더 잘난 사람은 정선읍(400미터)에서 산다는데, 그보다 더 잘난 사람은 볼 기회가 없었다.

사북 아이들도 그림을 그릴 때 저처럼 산이며 개천이며 집이며 사람을 까맣게 그렸지만, 소년의 눈에 그 아이들은 말쑥하기만 했다. 사북에서 서커스단이라도 만나거나 극장 영화라도 한 편 볼 수 있다면 그야말로 운수대통이었다. 안경다리 맞은편 빵집의 찐빵은 얼마나 맛있던지, 빵집 앞에서 하릴없이 서성거리기도 했다. 안경다리를 지나 다시 화절령을 오를 때면 소년은 맥이 쑥 빠졌다. 앞장서 바삐 걷긴 하지만, 엄마 아빠도 그런 것 같았다. 소년은 공연히 부아가 났고, 그래서 지천에 깔린 꽃을 마구 꺾었다. 그래서 꽃꺾기고개花折嶺라고들 했나?

오르는 길 왼쪽 지장산엔 동양 최대의 수직갱이 있던 동원탄좌 사북광업소였다. 지장산은 버력더미, 아예 석탄산이었다. 중턱엔 650개 광부마을이 있고, 그곳 아이들은 근처 지장초등학교에 다녔다. 지금의 강원랜드 카지노와 호텔이 들어선 곳. 30분 정도 더 올라가면 해발 900미터의 백운산 6구 화절령마을이다. 다소 완만한 비탈에 一자형 연립주택 수십 동이 들어서 있었다. 한 동마다 다섯 가구가 살았고, 가구당 5~6평 공간에 방 2개, 부엌 1칸이 배당돼 있었다. 화장실은 대여섯 동이 함께 쓰는 공동화장실뿐이지만, 소년에겐 그곳에 사는 것마저 꿈이었다. 학교도 가깝고, 읍내도 가깝고……. 그러나 그곳은 1970년대 TV 반공드라마에 종종 등장하던 북한 아오지탄광을 재현하는 세트로 이용되곤 했다. 대한민국의 아오지.

20분 정도 더 올라가야 운락초등학교. 해발 960미터쯤 된다. 학생이 많을 땐 140명이나 됐다. 이 중 100명 정도가 화절령마을에서 살았다. 학교는 이제 기념석 하나만 남기고 흔적도 없다. "이곳은 운락초등학교가 소재했던 곳으로, 1967년 3월 1일 설립돼 22회 544명의 학생이 졸업했다. 폐광과 함께 주민들이 이주하면서 1992년 2월 28일 폐교되어 건물을 철거했다. 1994년 10월." 불과 25년 만이었다.

새카만 아이들이 검은 운동장에서 검은 신발을 신고 검은 공을 차고, 검은 고무줄놀이를 하던 검은 학교. 그러나 아이들은 맑고 밝았다. "처음 사북으로 이사 오던 날/ 나는 검정나라에 온/ 기분이었어요./ 물도

시커멓고/ 지붕도/ 건물도/ 아니, 아저씨들의 얼굴도/ 처음 사북에 이사 오던 날/ 나는 그만/ 빙그레 웃어버렸죠"(이아영 어린이, 「이사 오던 날」).

학교 다닐 때 소년은 겨울철 수시로 하는 용의검사가 가장 싫었다. 어느 학교든 다 하는 검사였지만, 운락초등학교 아이들에겐 가장 큰 고역 이었다. 선생님은 단박에 결정을 내린다. "두 손 내놔!" 그러나 회초리는 엄포용일 뿐이다.

해발 1,000미터 고지에 무슨 물이 있을까. 어딜 가나 석탄뿐인데, 맑은 물이 어디 있을까. 간혹 나오는 맑은 물은 식수로 아껴야 했다. 탄가루가 잔뜩 섞인 물로는 닦으나마나였다. 하늘은 눈부시게 파랬지만 산과 길과 집, 그리고 엄마 아버지 아이들은 항상 까맸다. 특히 손은 더 시커맸다. 검사받는 날은 벌 받는 날이었다. 그러나 벌이란 눈 녹인 물로 손과 발을 닦는 것이었으니, 그리고 친구들 모두가 받는 것이니 사실 벌도 아니었다.

화절령 마루는 초등학교에서 다시 20여 분 더 올라가야 한다. 고개 남쪽은 영월 중동면 직동이고, 동쪽으로는 만항재, 서쪽으로는 새비재로 이어지는 신작로다. 석탄을 운반하기 위해 닦은 길이라 하여 운탄길. 물결치는 고산준령을 발아래 깔고 있지만, "밤에는 밤이고 낮에도 밤인" 곳이었다.

그때 백운산·정암산·두이봉·질운산 등은 흔히 석탄이 절반이라고 했다. 특히 올라갈수록 겉으로 드러난 노두탄이어서 찾기도 쉽고 채굴도 쉬웠다. '착한' 광산업자 채기엽이 아들(채현국)과 함께 처음 갱도를 뚫기 시작한 갱(해발 1,177미터)도 그곳에 있었다. 그런 갱이 운탄길 따라 수십 개나 이어졌다. 1177항, 1070항 등 해발 높이가 갱의 고유명사가 되었다. 운탄길은 그 갱 옆을 따라 건설된 것이었다. 갱 옆의 사택촌에도 그 숫자가 붙었고 그것이 마을 이름이었다. 사람도 집도 길도 오로지 탄을 캐기 위해 존재하는 곳이었다. "뒤숭숭하다던 꿈자리 금세 잊으신 듯/ 만근하면 라면 한 상자 나온다며/ 자리 털고 일어나 출근하시던" 그 광부, "평생을/ 광부의 훈장인 양/ 진폐증을 달고/ 하늘 가신 아버지"(이명분, 「광부였던 울 아버지」)들이 삶을 캐던 막장이었다.

만항재에서 새비재까지는 35킬로미터. 고한에서 함백산 만항재, 새비재에서 함백역까지 길을 합치면 80킬로미터가 넘는다. 그 길을 닦은 건 5·16쿠데타 직후였다. 군사정권은 1962년 병역 미필자를 구제한다는 핑계로 조폭이나 부랑아들을 붙잡아들여 국토건설단이란 걸 조직했다. 군경은 할당된 숫자를 채우지 못하면 멀쩡한 사람들까지 잡아들이기도 했다. 국토건설단에 끌려가면 군대식 편제와 군대식 규율 아래 강제노역에 동원됐다. 예비역 하사관과 장교가 이들을 지휘하고, 헌병이 막사나 작업장을 지켰다. 새비재 아래 신동읍 예미엔 숙소가 일부 남아 있다. 작은 창문엔 예외 없이 철조망이 촘촘히 쳐져 있다. 많을 땐 하루에 무려 2,000여 명이 운탄길 닦기에 동원됐다.

길은 사람과 사람, 마을과 마을을 잇는다. 그곳으로 물자와 사람과 정보가 오가며, 그 길로 말미암아 사람과 마을은 다시 태어난다. 중국 윈난성, 쓰촨성 그리고 티베트 고원의 사람들은 차와 말과 소금 따위를 교역하기 위해 해발 4,000미터 산허리를 따라 수천 킬로미터나 되는 차마고도를 뚫었다. 요즘 소년이 다니던 그 길을 차마고도에 빗대 운탄고도라고도 하지만, 운탄길은 태생이 다르다. 오갈 데 없는 이들이 살아남기 위해 탄을 캐러 산정까지 올라왔고, 그들이 캔 탄을 실어나르기 위해 강제동원된 이들에 의해 개설됐다.

그렇게 세상으로 나간 석탄은 구공탄이 되어 가난한 이들을 살려주었다. 그들의 시린 등을 덥혀주고, 밥도 짓고 국도 끓이고 도루묵도 구워내는 착한 연료였다. 살인적인 저임금 속에서 그들이 살아갈 수 있었던 것은 농민에게 강요된 저곡가, 광부들이 목숨 걸고 캐낸, 싸디싼 석탄 때문이었다. "연탄재 발로 함부로 차지 마라./ 너는/ 누구에게 한 번이라도 뜨거운 사람이었느냐"(안도현, 「너에게 묻는다」). 첫 연을 '광부'로 읽어도 될 것이다. 그러면 그때 그 아버지 어머니에게 조금이라도 위로가 될까?

이제 만항재에서 새비재에 이르는 길에는 그때 그 막장의 흔적이 아무것도 없다. 그 시절 구름도 탄식하며 넘나드는 길이었다. 그러나 이제는 구름도 감탄하는 길이라고들 한다. 물결치는 백두대간 산록을 굽어보며 걷거나 달리는 길이니 그럴 만도 하다. 광부들이 한 삽 한 삽 삶을 파내던 곳은 골프장과 스키장이 되었고, 허파가 석고처럼 굳어가는데도 들어가야 했던 갱도 위에는 한 방에 인생역전을 노리는 이들이 득실대는 카지노가 들어섰다.

화절령에서 하이원리조트, 골프장에 이르는 6~7킬로미터 구간은 야생화 꽃길로 바뀌었다. 백운산 정상을 중심으로 밸리콘도 북쪽엔 바람꽃길, 동쪽 골프장 쪽으론 얼레지꽃길, 처녀치마길, 바람꽃길, 양지꽃길, 박새꽃길, 서쪽 스키장 정상부 주변엔 산철쭉길, 산죽길, 낙엽송길……. 제무시가 헉헉거리던 만항재에서 새비재까지 운탄길엔 원색의 라이더들이 달린다. 막장을 벗어버리고 천상을 달린다. 오, 아름다운 인생!

세상의 모든 길에는 인간의 삶이 다져져 있다. 개인과 가족과 공동체의 땀과 눈물과 피가 배어 있다. 그들의 희로애락과 절망과 희망을 씨줄과 날줄 삼아 짠 피륙이 길이다. 그래서 프랑스의 사회학자 다비드 르 브르통David Le Breton 같은 이는, 그런 길을 걷는다는 걸 '존재의 확인과정'이자 '자신을 해체하고 새롭게 창조하는 것'이라고 했을 것이다.

운탄길은 브르통의 말로도 그 기억을 담기 힘들다. 그곳엔 현대사의 저 어둡고 고통스런 밑바닥 삶이 있다. 그들의 피와 눈물은 산업화의 거름이 되었고, 땀은 이 땅의 에너지가 되었으며, 사북항쟁 등으로 터져나온 분노는 불의한 땅에 정의를 세우는 갱목이 되었다. 살아가는 것 자체가 더 나은 세상으로 나아가는 추동력이 된 이들의 삶 이야기다. 초등학교가 없어지고, 갱도가 폐쇄되고, 광부가 사라졌다고 잊힐 수 있는 게 아니다.

화절령 근처 해발 1,133미터 능선엔 지하갱도의 함몰로 땅이 꺼지면서 생겼다는 도롱이 연못이 있다. 파란 하늘이 고스란히 잠기도록 물은 맑다. 주변 훼손된 산지에 심었던 낙엽송은 벌써 우람한 숲을 이뤘다. 연못 앞에 서면 공연히 서글프다. 그런 이들의 흔적이 사라진 게 서럽다.

하지만 잠시 눈 감고 귀 기울여 보라. 두런두런 이야기 소리가 조금씩 들려온다. 연못은 아이를 낳고 가정을 지킨 아내들의 비원을 이야기하고, 바람은 학교에서 뛰놀던 그때 그 까만 아이들의 웃음을 들려준다. 그러고 보니 낙엽송들은 광부들의 고통을 기억하는 살아 있는 목비다. 그것이 벌써 저렇게 컸나?

정선선

아리랑 고개 넘어갔나,
그리운 사람들아

치매 걸린 할머니는 오늘도 고운 한복 차려입고 역으로 나간다. 대합실 나무의자에 앉아 쪽 찐 머리 매만지며, 할아버지가 타고 돌아오신다는 기차를 기다린다. 수많은 날을 그렇게 기다리지만 기차는 무표정하게 왔다가 무정하게 떠난다. 그럴수록 할머니의 할아버지에 대한 기억은 한산모시 적삼 오랜 옷고름처럼 아름다운 사랑의 순간만을 남긴 채 모두 바래버렸다. 그런데 사실 할아버지는 다른 여자와 눈이 맞아 할머니를 버리고 떠났다. 바로 그 역에서 그 기차를 타고.

영화 「봄날은 간다」에서 할머니가 기차 시간에 맞춰 찾아가 기다리던 역은 수색역. 그러나 정선선을 타보면 안다. 떠나간 사랑을 하염없이 고대하고 있을 법한 그 기다림의 역이란 모름지기 어떠해야 하는지를. 민둥산역을 출발한 기차는 곧 180도 에돌아 길고 긴 터널을 지난다. 가파른 산기슭을 따라 협곡을 통과하면 한 뼘 정도의 하늘이 드러나고, 역사 하나가 나타난다. 별어곡, '이별하는 계곡'이라는 이름의 마을이다. 지금은 기차가 서지도 않고 추억의 역사만 남았다.

오래지 않은 옛날 그곳은 수많은 이들이 떠나고, 또 떠나보내던 곳이었다. 오죽했으면 소설가 임철우가 그곳에서 영감을 받아 소설 『이별하는 골짜기』를 썼을까. 소설 속 일본군 위안부로 끌려갔다가 돌아온 할머니는, 밑도 끝도 없이 기차표를 달라고 역무원을 졸라댄다.

실제 영화 「봄날」은 별어곡 사람들이 기대어 사는 민둥산에서 촬영했다. 해발 1,119미터 민둥산 산정은 온통 억새밭. 그곳에서 상우는 바람에 수수대는 억새 소리를 녹음했다. 동행한 은수와 사랑이 싹튼 곳도 거기였다. 그러나 떠나가 버린 은수. 힘들어하는 손자에게 할머니는 잠깐 정신이 돌아오면 "떠나간 여자와 버스는 기다리는 게 아니야"라고 달래다가 시간만 되면 부리나케 옷매무새 가다듬고 역으로 나간다. 그 오랜 기다림 때문이었을까. 눈부신 상고대로 민둥산 머리가 하얗게 세었다.

"눈이 올라나, 비가 올라나, 억수장마 질라나, 만수산 검은 구름이 막 모여 든다……." 고려가 망하고 그 유신 7명이 고향을 떠나 그 인근에 정착했다는 전설이 아니어도, 설사 그 이름이 이별하는 골짜기가 아니었어도, 정선선 철길과 역사에는 별리의 사연이 깨알처럼 촘촘하고, 철길과 나란히 흐르는 계곡은 이별의 눈물로 마를 날이 없었다. 정선땅에 들어선 『택리지』의 저자 이중환李重煥은 "무릇 나흘 동안 걸었는데도 하늘과 해를 볼 수 없었다"라고 한탄했다. 해발 1,000미터 이상의 산만 22개요, 물길만 해도 송천·골지천·오대천·조양천·동강 등 헤아리기 힘들다. 그런 산과 물을 넘고 건너 그곳까지 왔다면, 거기엔 필시 무슨 사연이 있었을 것이다. 한때 12만 명에 이르던 주민이 이제 4만 명으로 줄었다면 거기에도 역시 무슨 곡절이 있었을 것이다. 그 사연, 그 눈물을 노래한 것이 「정선아리랑」이요, 그 까닭을 가슴에 새긴 것이 역사이며, 그 눈물과 아픔을 온몸으로 받아들여 실어나른 것이 정선선 철길이었다. 「정선아리랑」의 느리고 긴 메나리조 장단이나, 역시 느리고 긴 기차의 기적소리가 까닭 없이 구슬픈 것은 그 때문일 것이다.

고려 유신 7인이 그곳에서 개경의 만수산 그리는 마음을 담은 것이 아리랑의 시초라는 것에는 이론이 적지 않다. 하지만 1950년대 후반부터 농촌에서 쫓겨나고 도시에서 받아주지 않아 오갈 데 없는 사람들이 이곳으로 흘러들었다는 건 의심할 수 없는 사실. 열 스무 개의 터널을 지나고, 열 스무 개의 깎아지른 협곡을 통과할 때, 그리고 고개를 젖혀야 하늘을 볼 수 있는 그곳에 도착했을 때 그 마음이 어떠했을까. 일찍이 찾아온 이들은 초입의 함백·사북·고한에 자리 잡았고, 뒤에 온 이들은 자미원 나전을 지나 구절리까지 들어가야 했다. 탄광촌, 그곳에서 검은 밥 먹고, 검은 눈물 흘렸다. 길어야 백 리, 정선선 철길이 스무 개 가까운 터널을 지나고, 그만큼의 철교를 건너 땅도 한 뼘, 하늘도 한 뼘인 구절리까지 온 데는 그만한 아픔이 있었던 것이다.

하긴 그건 아주 오래전, 떼돈을 기대하며 한양 1,200리 길을, 나무로 떼를 엮어 나르던 떼꾼들이 감당했던 애환 같은 것이었다. "황새여울 된꼬까리 떼 무사히 지났으니, 만지산 전산옥이야 술상 차려놓게, 해도 가고 달도 가고 월선이도 가는데, 그대 님은 누구를 볼라고 뒤처져 있나." "무릉도원 삼산 오수에 도화는 만발했는데, 짝 잃은 외기러기 갈 곳이 없구나."

그런 오랜 물길 따라 사람의 길이 났고, 그 길을 따라 난 것이 정선선이었다. 억지로 산을 깎고 계곡을 메워 만든 길이 아니었으니 그곳 사람들에겐 그 길이 그 길이었다. 별어곡을 떠난 기차는 다시 협곡을 비집고 들어갔다 나오기를 몇 차례, 돌연 들이 펼쳐진다. 평야라고 할 수는 없어도 툭 트인 시야가 반갑다. 오죽 들이 귀했으면 심산유곡에서나 노닌다는 신선 선녀가 정선땅에선 들에서 놀고 갈까, 선평이다. 서쪽으로 멀리 병방치가 하늘과 맞닿아 있다.

병방치. 조양강에 에워싸여 한반도 지형을 이룬 밤섬이 한눈에 들어오는 곳이다. 산골 어디나 그렇듯 오일장에라도 나와야 돈도 만지고 소금·생선·고무신 따위도 마련할 수 있다. 귤암리 사람들이 장 보려면 반드시 넘어야 했던 고개, 하도 높아 뱅뱅 돌아 오르고 내린다 하여 병방치라는 이름을 얻었다. 나전의 반점재, 조동리의 새비재도 그렇게 눈물 콧물 진을 다 빼는 고개였다. 기차로 말미암아 그 고개를 넘지 않아도 됐으니, 철길은 하늘의 축복이었다. 정선선이 놓이고부터 그곳 사람들은 제 삶을 온전히 기차에 실었다.

장날이면 사북·고한·함백·석항·증산·예미·별어곡·선평 사람들은 정선읍으로 올라갔고, 구절리·여량·나전·송석 사람들은 내려왔다. 쌀·보리·옥수수·조·팥·콩·감자·고구마 등 곡식과 곤드레·취·고사리·고비·엄나무순·두릅 따위 산나물, 닭·계란·병아리·강아지 등 온갖 돈 될 만한 것은 다 기차에 부렸다. 때론 장작까지 실었으니, 객차는 그야말로 노아의 방주였다. 발 디딜 틈조차 없었지만, 모처럼 만난 반가운 사람들, 안부 묻고 부모 걱정, 자식 걱정, 농사 걱정 나누다 보면 어느새 정선읍이다. 이제 군민이 4만 명으로 줄었으니 스산하기만 한데, 끝자리 2·7일 장날이면 그런대로 시끌시끌하다.

이제는 유일한 중간 기착지인 정선역. 한때는 12만 군민을 골골에서 불러들이던 첩첩산골의 중심이요, 온갖 삶이 뒤얽히던 곳이었지만, 지금 역에서 내려다 보이는 읍내는 손바닥만 하다. 스러져가던 읍은 '정선오일장'이 추억의 장터로 되살아나 2일과 7일이면 기차는 외지인들로 북적인다. 비록 장돌뱅이 나뭇꾼은 없어졌지만, 그래도 장날은 장날이다.

바람 불면 펄럭이는 깃발 같다는 들판에 들어선다. 어라전, 행정명으로는 나전이다. 검룡소에서 발원한 골지천이 아우라지에서 송천을 만나 몸집을 불리고, 다시 나전에서 오대천을 만나 조양강이 되고, 가수리에서 동남천을 만나 동강을 이루고, 한국의 장강삼협이라 불리는 협곡을 굽이쳐 흐른다.

이런 수많은 협곡과 여울을 헤쳐가야 했으니 떼꾼들의 애환이야 오죽했을까. 중간에 포기하기도 했을 터이고, 큰물에 죽거나 불구가 되기도 했을 것이다. 그런 남정네들을 떠나보내는 처자나 아낙의 마음은 어떠했을까. 남정네건 여인이건 정선 사람들은 떼가 떠날 때마다 애간장이 다 녹았다. 한탄과 눈물이 씨줄 날줄 되어 짜인 것이 「정선아리랑」 장장 3,000수다. 물길은 험난하고 사연은 구절양장이니, 사설이 길 수밖에. "아우라지 뱃사공아 배 좀 건너주게, 싸리골 올동박이 다 떨어진다, 떨어진 동박은 낙엽에나 쌓이지, 사시장철 님 그리워 나는 못 살겠네." "산천에 올라서 님 생각을 하니, 풀잎에 매디매디 한 이슬이 맺혔네. 오시라는 유정님은 왜 아니 오시고, 오지 말라는 궂은비만 줄줄이 오나."

아우라지. 강은 서로 만나 회포를 푸는데, 어찌 사람은 헤어져야 하나. 떠난 이는 돌아올 줄 모르는가. "나뭇가지에 앉은 새는 바람이 불까봐 염려요, 당신하고 나하고는 정떨어질까 염려네." 아우라지는 정선선의 종착역이지만, 골지천과 송천이 만나 몸집을 불린 그곳은 뗏목이 출발하던 곳. 시작은 그러나 언제나 그랬듯이 또 다른 이별이다. 돌아보면 정선선은 총연장 47킬로미터, 거리는 짧지만 거기에 실린 삶이란 굽이굽이 얼마나 길고도 깊은가.

아우라지에서 송천을 따라 오르면 구절리. 비록 쫓기다시피 들어온 곳이지만, 아웅다웅 살다보니 고향이 되었고, 살을 부대끼다 보니 피붙이도 늘었고 어깨를 부딪히다 보니 이웃이다. 10여 년 만에 구절리 골짜기는 대처가 되었다. 초등학교 학생만 1,000여 명. 아이들은 새처럼 지저귀고, 청년들의 연가가 아우성 쳤고, 처녀들은 꽃처럼 활짝 피었다. "검은 산 검은 물밑이라도 해당화 피는 곳, 노랑나비 퍼펄펄 날며는 대한에 봄 온 줄 알고, 세살문고리 다달달거리면 내가 온 줄 알아라."

스러지는 것도 물거품 같았다. 불과 20여 년 만인 1980년대 말부터 시작한 석탄산업합리화조치로 구절리부터 나전, 자미원, 함백, 사북, 고한은 차례차례 색 바랜 흑백사진 속으로 들어가 버렸다. 폐광. 수많은 동료들이 갱도 속에 묻힌 곳, 그러나 아내를 맞고 자식을 키운 곳, 이제는 진폐증에 서서히 죽어가는 가슴을 안고 그들은 또다시 정선선에 몸을 싣고 어디론가 떠나야 했다. 누구는 부평, 누구는 화성, 대개는 공단이 막 가동하기 시작한 안산으로 갔다고들 했다. 몰려가야 덜 외로우니까.

간신히 내린 뿌리 다시 뽑혀, 저 낯설고 물 선 곳으로 떠나보내는 기차인들 속이 편했을까. 우시장에 팔려나가는 소처럼, 기차도 사람도 뿌, 뿌, 뿌우…… 울었을 것이다. "서산에 지는 해는 지고 싶어서 지나, 날 버리고 가시는 님은 가고 싶어서 가나, 아리랑 아리랑 아라리요, 아리랑 고개로 나를 넘겨주소." 3,000수 「정선아리랑」처럼, 물길은 3,000굽이 돌아 흐르고, 삶은 그만한 고개를 넘어 어디론가 이어진다.

떠난 기차가 돌아오지 않을 리 없지만, 기억 속의 기차는 대개 떠나

가기만 한다. 「봄날은 간다」의 할머니의 기차도 그렇고, 김광석의 노래 「이등병의 편지」 속에서도 그렇다. 멀리 지구 반대편 그리스의 미키스 테오도라키스Mikis Theodorakis의 노래 「기차는 8시에 떠나네」의 카테리니행 기차도 그렇다. 나치에 점령당했던 시절, 레지스탕스가 되어 카테리니로 떠난 연인은 해방이 되어도 돌아오지 않는다. 그런 그를 하염없이 기다리는 여인, 그 여인이 기다리는 곳도 남자가 떠나간 바로 그 기차역이다. 해방 후 장기간 계속됐던 군부독재 시절에도 그리스인들은 밀려난 민주주의를 기다리며 이 노래를 숨죽여 불렀다. 군사정권이 1967년 이 노래는 물론 작곡자 테오도라키스의 모든 음악을 금지했어도, 민중은 마음속 기차역사에서 아득하게 이어진 철길 끝에서 뿌, 뿌뿌우 달려올 민주주의를 기다렸다.

이제 정선선이 아리랑고개로 넘어갈 차례인가. 코레일이 운영을 재검토한다는 적자노선의 맨 앞줄에 있는 것이 정선선·경전선 등이다. 민영화 얘기도 있지만 누가 적자노선을 인수할까. 폐로를 걱정하는 까닭이다. 정선군이 2008년 운영권을 인수하겠다고 했을 때 코레일은 군외영업료 11.5퍼센트 등 수용하기 힘든 조건을 내걸었다. 협상은 결렬됐다. 앞서 코레일은 2006년 함백 역사를 시작으로 정선의 역사들을 폐쇄하기 시작했다. 함백 역사가 헐리면서 별어곡·선평 등 역사에는 철거용 비계가 세워졌다.

그걸 막은 건 주민들이었다. 대처로 나간 이들까지 힘을 합쳐, 부숴버린 함백 역사를 오로지 주민 힘으로 옛 모습 그대로 복원했고, 별어곡·선평·나전 역사 등을 남겨두게 했다. "거기에 어떤 추억, 어떤 사연, 어떤 눈물이 담겨 있는데 그걸 함부로 부수고 뜯어냅니까. 그건 우리 삶의 역사 그 자체인데……"(진용선, 정선아리랑학교장).

몽사夢死로다, 권력자여

마곡사 고방 앞에는 경내에서 가장 아름답다는 굴뚝 하나가 있다. 수키와를 쌓아 단을 삼고, 그 위에 황토와 기와 파편을 첨성대처럼 쌓아 올렸다. 꼭대기엔 작은 기와지붕도 얹었다. 고방 낮은 담 뒤에 숨어 지붕만 살짝 드러낸 그 모습은 수줍은 처녀가 담장 너머를 엿보는 것 같다. 위풍당당한 대광보전, 대웅보전과 탑 꼭대기에 라마교 양식의 풍마동을 얹은 마곡사 7층석탑의 화려한 장식에 위축된 시선이 그 굴뚝에 머물면, 등이 절로 따듯해지고 입가에 미소가 번지는 건 그 때문일 것이다.

굴뚝을 조성한 이들은 뜻밖에도 천주교 신도들이었다. 신해박해에서 병인박해에 이르기까지 근 100년 동안 조선에서 문둥이와 같은 존재가 천주교도였다. 보이기만 하면 잡아다 가두고 고문하고 죽였다. 반반

한 여인은 노비로 삼았고, 가산은 권력자의 전리품이 되었으니 천주교인은 조선 최대의 약자이자 정치적 난민이었다. 내포 지방에서 그런 천주교도들이 가장 많이 숨어든 곳이 공주 유구와 마곡 사이('유마지간') 산골이었고, 그 중심이 마곡사 주변이었다. 마곡사는 도망쳐 온 이교도에게 안전한 피난처와 일거리와 먹거리를 주며 보호했다. 마치 높은 산이 그 안에 물길을 내주고 들을 감싸듯이.

당시 스님들 처지도 천주교인과 난형난제였다. 노비·기생·무당·백정·광대·공장·상여꾼과 함께 팔천민八賤民 가운데 하나가 '중'이었다. 그들은 관에서 부과하는 온갖 노역과 함께 세금도 감당해야 했다. 마곡사는 충청도에서 가장 큰 절이어서 나름 권세가의 비호를 받긴 했지만, 종이나 벽돌을 공물로 바쳐야 했고, 유람하는 사대부와 관리들의 뒷바라지까지 해야 했다. 오죽 종이 만드는 일이 힘들었으면, 마곡사의 가장 큰 민원 가운데 하나가 한지 공역을 줄여달라는 것이었을까. 그런 처지였지만, 마곡사는 천주교인들이 만든 옹기나 기와를 사들여 먹고 살 수 있도록 했고, 제법 너른 땅을 내어 교우촌을 형성할 수 있게 해줬다. 천민과 난민의 슬픈 만남이었다. 고방 앞 굴뚝은 그 만남의 아름다운 결실이었다.

조선 후기 삼정三政의 문란 속에서 사는 게 죽느니만 못한 민중의 가장 절박한 소망은 수탈과 억압에서의 해방이었다. 그런 분위기 속에서 등장한 것이 『정감록』이었고, 그 내용 가운데 십승지 관련 부분은 천민과 난민에게 특별한 복음이었다. 난리도 피하고 수탈도 피하면서 부쳐 먹을 농지까지 있는 곳이 승지였다. 무이구곡 등 동천이 선비들의 이상향이었다면, 승지는 해방을 꿈꾸는 민중의 복지福地였다. 대표적인 곳 가운데 하나가 바로 유마지간이었다.

물론 마곡사와 그 주변은 일반적인 승지와 성격이 다르다. 마곡사가 그곳에 터를 잡은 것은 주변 경관의 수려함과 풍수상의 명당 혈처로 말미암은 것이었다. 이미 1,400여 년 전 신라의 의상義湘이 그곳에 마곡사를 지었고, 고려 때엔 보조국사 지눌知訥이 중창했다. 왕사들의 눈에 그곳은 권세와 명예를 잉태한 길지였다. 따라서 유마지간은 명당과 피난처가 공존하는 기이한 복지였던 셈이다.

백두대간 태백산에서 호남정맥이, 호남정맥 소백산에서 금북정맥이 분기하여 안성·천안·아산을 거쳐 공주에 이르러 그 기운이 잠시 우뚝 선 것이 태화산이다. 태화산은 주봉 나발봉에서 두 팔을 벌려 청룡과 백호를 내보내고, 그 사이로 기운이 흐르다 마곡사를 마주하고 기운이 뭉친 곳이 바로 군왕대다. 남쪽의 국사봉도 두 팔을 벌려 태화산의 청룡과 백호에 호응한다. 태화산과 국사봉에서 발원한 상원골·구계리·샘골 등의 계류는 군왕대와 마곡사 사이를 흐르며 수태극·암태극을 이룬다. 밖으로는 무성산·철승산·광덕산·옥녀봉 줄기가 겹겹이 유마지간을 외호한다. 그 모습이 닭이 알을 품고 있는 듯하다.

지세가 그러하니, 악독한 관리나 살기등등한 외적이라도 함부로 침범할 수 없었다. 역병이라도 들어왔다가는 골과 골 사이에서 길을 잃기 십상인데, 어찌 흉측한 자들이 발을 들일 수 있을까. 도선국사가 "삼재가 들지 못하고, 천인의 목숨을 살릴 만한 곳"이라고 장담한 것은 그런 까닭이었을 것이다. 지눌은 마곡사로 들어서는 다리 위에서 그 형국을 보고는 춤을 추며 이렇게 찬탄했다고 한다. "신령스런 땅이 푸른 시냇물과 접해 있고, 금 구슬이 솔숲 사이로 흐르나니……."

마곡사 건너편 샘골엔 현재 주민이라 봤자 열서너 가구뿐이다. 그러나 50여 년 전만 해도 700~800여 명이 시끌벅적 살아갔다. 주민 중 많은 이들은 6·25전쟁 중 '정감 사상'이 유행했던 황해도 출신들이었다. 많을 땐 1,000여 명이 그곳으로 피해 왔다. 휴전 이후에도, 언제 다시 전쟁이 재발할지 모른다는 불안 때문에 나가는 사람보다 들어오는 사람이 더 많았다. 심지어 1968년 1·21사태와 삼척·울진 지구 무장간첩 침투사건 때에도 적잖은 이들이 이곳으로 피신했다. 대지주였던 마곡사는 밀려온 이들에게 땅을 내준 것은 물론 절 밑 마곡리에 고등공민학교를 지어 아이들이 공부할 수 있도록 했다. 샘골 같은 곳이 공주의 유구·신풍·사곡 등 서西3면에는 곳곳에 박혀 있었다.

천주교도들이 유마지간으로 이주한 것은 조선 후기 천주교 박해 때부터였다. 신해박해에서 신유박해를 거치고 병인박해에 이르러서는 교우촌이 30~40곳에 이르렀다. 당시 교우들이 예배를 보던 곳은 공소로 지정돼 있는데, 공주엔 산골 공소가 지금도 29개나 된다.

천주교도 다음으로 피난 온 이들은 동학교도였다. 수운 최제우가 서교(천주교)에 대항하기 위해 창시했지만, 모든 사람이 한울님을 내면에 모시고 있다는 평등사상은 봉건 압제자들의 역린을 건드렸다. 금수와 다를 게 없는 자들이 어찌 사대부와 같다고 할 수 있는가. 지배자들은 금지령을 내렸고, 최제우는 동학 창시 4년 만에 사형당했다. 2대 교주 해월 최시형은 최제우로부터 법통을 받은 뒤 평생 피신생활을 해야 했다. 그가 피신을 멈춘 것은 체포당하고부터였고, 처형되기까지 1년 남짓 정주할 수 있었다. 34년간 그가 거쳐간 피난처는 무려 200여 곳에 이르렀다. 이 가운데 유마지간은 서너 차례 다녀갈 정도로 최시형에게는 안전한 곳이었다.

최시형은 1884년 늦가을 국사봉 서남쪽 끝자락 가섭암에 숨어들었다. 그곳에서 수제자 의암 손병희와 박인호(천도교 제4대 교주)를 길렀고, 교화 조직인 육임제를 창설했다. 이듬해 6월 다시 마곡리에서 2개월간

은신했고, 1891년 2월 또 신평에 은신하며, 인즉천·사인여천 등 동학의 핵심 교리를 완성한다. 동학농민혁명이 발발하기 3년 전의 일이다. 그가 이렇게 유마지간에 마음 놓고 찾아들 수 있었던 것은 창시자 최제우가 1864년 처형당한 이후부터 동학촌이 형성되었기 때문이었다. 1892년 교조신원운동 때 공주읍내에 모인 교도가 1만 7,000여 명에 이르렀다는 사실은 동학촌의 규모를 짐작하게 한다. 동학농민전쟁의 마지막 대회전이 벌어진 곳도 공주의 우금치였다. 인근의 이인·곰나루·경천점·노성 등은 동학전쟁의 격전지였다.

최시형이 처형당한 그해(1898년) 백범 김구가 이곳으로 숨어든다. 백범은 1893년 열여덟 살에 동학에 입문하여, 보은에서 최시형을 만나고 접주가 되어 농민전쟁 때 해주성 공격에 나섰다. 명성황후 시해 이듬해 황해도 안악에서 일본군 장교 쓰치다 조스케土田讓亮를 때려 죽였다. 사형선고를 받고 형장으로 끌려가던 중 고종의 특사로 무기징역으로 감형됐으며, 복역하던 중 탈옥해 마곡사로 피신한 것이었다.

『백범 일지』에서 백범은 당시 서글픈 심경과 마곡사의 풍광을 이렇게 그리고 있다. “해는 황혼인데 온 산에 단풍잎은 누릇누릇 불긋불긋하였다. 가을바람에 나그네의 마음은 슬프기만 한데, 저녁 안개가 산 아래의 마곡사를 자물쇠로 채운 듯이 둘러싸고 있는 풍경을 보았다. 나 같이 온갖 풍진 속에서 오락가락하는 자의 더러운 발은 싫다고 거절하는 듯하였다. 그러나 또 한편으로는, 저녁 종소리가 안개를 헤치고 나와 내 귀에 와서 모든 번뇌를 해탈하고 입문하라는 권고를 들려주는 듯하였다.”

백범은 그곳에서 계를 받고 원종이라는 법명까지 받아 샘골 백련암에서 수행을 했다. 온갖 번뇌 망상을 털어버린 백범은 이듬해 항일민족운동을 서원하고, 세상으로 나선다. 결국 상하이 임시정부의 수반으로 일제의 패망과 조국의 독립을 맞이한다. 해방 이듬해 봄 백범은 독립운동의 서원을 세운 마곡사를 다시 찾아온다. 문득 48년 전 무심히 보았던 대광보전의 주련에 눈길이 멈췄다. "물러나 속세의 일을 돌아보니 却來觀世間 / 마치 꿈속의 일만 같다 猶如夢中事." 그는 나직이 중얼거렸다. "나의 지나온 일들을 말하는 것 같구나."

당시 동학과 천주교 교리는 조선 민중에게 신앙의 차원을 넘어서는 것이었다. 천주교는 신 앞에서 모든 사람은 평등하다고 했고, 동학은 한걸음 더 나아가 '사람이 곧 하늘'이라고 하였다. 봉건적인 신분질서를 뿌리채 뽑아버리는 것이었다. 특히 한울님 섬기듯 사람을 섬기라는 사인여천事人如天 사상은 보국안민保國安民과 광제창생廣濟蒼生의 기치로 이어져 변혁 운동의 깃발이 되었다.

최시형은 인즉천이라는 혁명적 신앙과 신념 속에서 후천개벽의 이치를 전파했고, 동학도들은 민중을 억압하는 봉건왕조와 외세를 혁파하기 위해 갑오농민전쟁을 일으켰다. 유마지간은 개벽의 진원이었던 것이다.

처음 군왕대를 마주했을 때 그곳이 다름 아닌 압제의 상징인 '군왕'의 혈처로 지목되는 것이 여간 불편하지 않았다. 압제를 피해 숨어들었는데, 어떻게 그곳에서 또 다른 압제자 군왕이 나온다고 하는가.

그러나 유마지간이 고대하던 군왕은 군림하고 억압하는 지배자가 아니었다. 최시형이 그랬고 백범이 그랬듯이 억압과 수탈로부터 민중을 해방하고, 자유와 평화 그리고 정의로운 세상을 개벽하는 이 곧 메시아였다.

조카를 내쫓아 죽이고 왕좌를 찬탈한 세조가 훗날 이곳에 와 한숨 쉬며 했다는 말이 새롭다. "내 비록 왕이지만, 이곳은 만세토록 변함이 없으리라." 억압하는 권력은 업보만 남기고 사라진다. 만세토록 남는 것은 왕도, 곧 인간 해방의 길이다. 진정한 군왕은 군림하는 전제군주가 아니라 해방하는 메시아다. 유마지간의 군왕 곧 메시아는 예수가 말구유에서 태어났듯이, 저 억압받는 이들 중에서 태어나리라.

전설 속에서 세조는 타고 온 가마 놓고 대신 소를 타고 떠났다고 한다. 황금 칼과 수레란 얼마나 부질없는 존재인가. 세조는 뒤늦게 '유여몽중사'를 깨달았다. 세조가 두고 갔다고 전해지는 가마는 지금도 마곡사에 남아 있다.

세조의 정권 찬탈을 평생 조롱하며 떠돌던 매월당 김시습도 마곡사에 잠시 머물렀다고 한다. 김시습은 세상을 뜰 때 저의 묘비에 단 두 글자만 새기도록 했다. 몽사夢死! '여기 꿈꾸다 죽은 늙은이 묻히다.'

권세와 영화를 탐하던 이들은 군왕대 정수리에 조상의 주검을 몰래 묻곤 했다. 하지만 그 뼈들은 모두 또 다른 탐욕자들에 의해 파헤쳐졌으니, 조상과 가문에 대한 씻을 수 없는 죄만 지은 꼴이다. 지금은 그 정수리에 돌을 채워 더 이상 시신을 암장하지 못하도록 했다.

그런 이들에게 일찍이 도선국사는 이렇게 경고했다. "만일 이 땅에 멋대로 집이나 묫자리를 쓰는 자는 재앙을 면치 못하리라." 김시습의 묘비명은 섬뜩한 경고가 아니라 풍자와 조롱으로 탐욕의 헛됨을 경책한다. '아서라, 헛된 꿈속에서 살다 죽을 자들이여.' 하지만 지금도 군왕대엔 세상의 권력과 영화를 탐하는 자들의 발길이 그치지 않는다.

간다는 말 한마디 없이
너는 가고 말았구나

시인 김소월金素月이 자란 곳은 평안북도 구성의 산마을이었으니, '뜰에는 반짝이는 금모래빛, 뒤뜰 밖 갈잎의 노래'는 온전한 꿈이었을 것이다. 소월도 가고 꿈도 갔지만, 시 「엄마야 누나야」는 북의 구성을 떠나 남의 나주시 남평읍 지석강에서 꿈꾸던 터를 잡을 수 있었다. 지석강이 키운 안성현安成絃을 만나 노래가 되었고, 금모래와 갈잎의 노래에 둘러싸인 노래비로 남았다. 박기동 시인의 「부용산」이 이 땅의 누이를 위한 불멸의 애가哀歌로 남게 된 것도 그곳 안성현과의 만남을 통해서였다.

화순군 이양면 왕피나무골에서 발원한 화순천은 능주 적벽을 거쳐 남평들로 접어들면, 나주호에서 흘러나온 대초천이 기다렸다는 듯 합수하여, 지석강이란 이름을 얻는다. 물색이 얼마나 맑고 고우면, 물길이 감싸안은 들녘에 들어선 마을 이름이 쪽돌일까. 늘 푸른 숲과 눈부신 모래밭 그리고 쪽빛 물은 그곳 사람들의 결 고운 서정을 잉태했고, 애틋한 연민을 자양분 삼은 시와 노래를 출산했다. 하지만 지석강은 행정명일 뿐 마을 사람들은 오로지 '드들강'이라 부른다. 솔밭 입구엔 그 사연을 새긴 장대한 비석이 이정표를 대신한다. 그 크기만큼이나 남은 이들의 마음 빚이 컸다는 뜻이리라.

겁도 없지, 비석은 전설의 연원을 고려 말이었다고 시기를 딱 부러지게 명시했다. 남도 제일의 고을이던 나주시 남평읍 사람들은 식수와 농업용수를 안정적으로 확보하기 위해 수심 깊은 이곳에 보를 쌓았다. 그러나 웬만한 비에도 보는 터졌고, 한꺼번에 쏟아져 내린 물은 둑을 타고 넘어 농경지를 쓸어버렸다. 그런 사고는 해마다 되풀이됐다. 대개의 전설이 그러하듯 그럴 때면 현인이 나타나, 예의 그 희생공희를 권한다. 제물은 물론 정결하고 아름답고 효성스런 처녀다.

사실 드들강에만 특별한 것은 아니다. 김제 벽골제엔 스스로 제물이 되어, 사랑하는 연인의 행복을 지키고, 제방과 마을의 안녕을 지켰다는 단야 낭자가 있다. 제주도엔 김녕 뱀굴 전설이 있다. 우리 남정네들은 문제만 생기면 누이를 희생해서 저와 공동체의 안녕을 꾀했던 것이다. 그건 우리나라에만 국한된 것도 아니었다. 벌써 초연(1913년)된 지 100년도 넘은 이고르 스트라빈스키Igor Stravinsky의 「봄의 제전」도 역시 그런 내용이다. 죽어버린 봄의 생명력을 깨우기 위해 아름답고 정결한 처녀가 희생제의에 바쳐진다는 것이다. 그러고 보면 동서를 가리지 않고 세상의 오라비들은 참으로 비겁했다!

말이 자청이지, 어느 누가 맷돌을 몸에 묶은 채 물속에서 죽기를 원할까. 하지만 전설의 공식대로, 효성스런 처녀 드들은 수장을 '자청'했다. 명주실 반 타래나 빠진다는 그 시퍼런 물속으로 드들이 빠져들어간 뒤, 마을 사람들은 보를 다시 쌓았다. 이후 보는 어떤 홍수도 거뜬히 이겨내며 오늘에 이르렀다고 한다. 그 희생을 기려 드들강이 되었고, 송림 건너편 산은 드들메가 되었다. 누이 혹은 딸을 희생한 남정네들이 죄스러움을 달래기 위한 방편이었다. 훗날 그렇게 장대한 드들강 유래비가 선 것이나, 아주 훗날 그곳에 「엄마야 누나야 강변 살자」 노래비가 세워진 것 역시 비겁하고 못난 오라비가 먼저 간 이 땅의 누이들에게 보내는 사과의 표시였다.

드들처럼 공공의 안녕을 위해 희생된 것만도 아니다. 가난했던 시절, 그나마 한 줌 먹거리는 오라비 차지였고, 누이들은 언제나 병약했다. 누이란 이름이 애잔하고 슬프고 가냘픈 이미지로 다가오는 건 그런 까닭이었다. 그렇게 간 누이를 기리는 시와 노래의 연원은 신라 때 월명사의 「제망매가」로 거슬러 올라간다. "죽고 사는 길은/ 여기 있으매 두려워하고/ 나는 간다는 말도/ 못다 하고 가느냐./ 어느 가을 이른 바람에/ 여기저기 떨어지는 잎처럼/ 한 가지에 나고/ 가는 곳을 모르겠구나……"(양주동 주석).

시인 박기동과 작곡가 안성현의 누이도 온다 간다는 말도 못하고 그렇게 갔다. 1947년 박영애는 벌교에서 스물넷에, 안순자는 광주에서 열다섯 살에 세상을 떴다. 박기동은 벌교 읍내에서 오 리 길, 부용산에 누이를 묻고는 돌아와 이런 제문을 남겼다. "부용산 오 리 길에/ 잔디만 푸르러 푸르러/ 솔밭 사이사이로/ 회오리바람 타고/ 간다는 말 한마디 없이/ 너는 가고 말았구나./ 피어나지 못한 채/ 병든 장미는 시들어지고/ 부용산 봉우리에/ 하늘만 푸르러 푸르러." 안성현 역시 같은 해 누이의 죽음을 가슴에 묻었다. 가야금 명인이던 부친(안기옥)이 북으로 떠난 뒤 그가 보살폈던 누이였으니, 상심은 깊고도 깊었다. 그가 일본

동방음악원으로 유학 갔을 때나, 돌아와 교편을 잡아 이리저리 옮겨다닐 때나 누이는 오라비 곁을 떠나지 않았다.

안성현이 목포 항도여중(지금의 목포여고) 음악교사로 부임한 것은 1947년, 박기동이 순천사범에서 항도여중으로 옮은 것은 1948년 2월이었다. 가슴에 상처를 안고 있던 작곡가와 시인의 만남은 공교로웠다. 그리고 아끼고 아꼈던 제자 김정희가 누이처럼 폐결핵으로 요절하면서, 시 「부용산」은 안성현의 송頌을 얻어 노래 「부용산」으로 탄생했다. 둘의 만남이 우연이었다 해도, 「부용산」의 탄생은 필연이었다.

당시 항도여중은 "이처럼 내면이 아름답고 희망에 찬 학교가 어디 있을까"라고 박기동이 찬탄하던 곳이었다. 저녁이 되면, 미네르바 다방을 중심으로 조희관 교장과 시인 박화성 등 음악·미술·소설·시·평론 등 목포의 예술인들이 한데 어울려 문학과 예술과 인생을 이야기하곤 했다. 그러나 아름다운 시절은 오래가지 않았다. 경찰의 주목을 받던 두 사람은 1949년 가을 학교를 차례로 떠나야 했다. 두 사람이 이후 밟은 기구한 인생처럼 「부용산」의 운명 또한 기구했다.

「부용산」은 1948년 4월 11일 목포 평화극장에서 열린 학예회 때 5학년생 배금순의 노래로 처음 발표됐다(안성현기념사업추진위원회 자료집). 그리고 8월 7일 발간된 안성현의 두 번째 작곡집에 실렸다. 사무치는 노랫말과 애잔한 선율은 해방 정국 신산한 삶에 쫓기던 이들의 마음을 금세 사로잡았다. 입에서 입으로 퍼져가던 그해 10월 여순사건이 발생하고, 산으로 쫓겨난 이들이 두고 온 가족에 대한 그리움을 달래는 노래가 되었다. 그 후 「부용산」은 빨치산 노래로 붉은 밑줄이 그어져 안성현·박기동까지 연좌되기에 이른다.

6·25 이후 안성현이 북에 있다는 사실이 알려지면서 「부용산」의 봉인은 더 엄격해졌다. 나아가 안성현이 북한에서 지도적 위치에 오른 것

으로 알려지면서 「부용산」은 존재 자체가 인멸됐다. 그 봉인을 처음 푼 이는 안치환. 1997년 낸 앨범 「노스탤지어」에 「부용산」을 작가 미상의 구전가요로 올렸다.

박기동의 삶은 기구했다. 순천사범 때 남조선교육자협회에 가입한 것이 거의 유일한 정치활동인데, 이 경력은 노래 「부용산」과 함께 그의 삶을 옭아매고 뒤틀어버린 족쇄가 되었다. 늘 정보기관의 감시를 받아야 했고, 툭하면 가택수색, 연행 혹은 구금을 당했다. 애지중지하던 시작 노트는 이 과정에서 모두 빼앗겼다. 1957년 목포사범학교를 끝으로 교직을 떠났지만, 관의 감시는 달라지지 않았다. 1991년 일흔여섯 나이에 호주로 이민을 갔던 것은 숨 한번 편하게 쉬자는 생각에서였다. 부용산 말고 순천사범학교 재직 중 남조선교육자협회 성명서에 서명한 것이 족쇄처럼 따랐는데, 내용이란 게 고작 "우리의 권익은 우리가 주장할 수 있는 신생 한국의 교사가 되어야 한다"라는 것이었다.

안성현의 운명 역시 마찬가지였다. 그는 '이념의 조국'으로 의거 월북한 게 아니었다. 먼저 북으로 간 부친이 보고 싶었고, 일본 유학시절 함께 활동했던 최승희도 만나고 싶었다. 그렇다고 광주에 계신 어머니와 처자식을 버리고 갈 만큼 모진 사람이 아니었다. "그 효자가 그럴 리 없지……"(부인 성동월).

그는 1950년 9월 15일 마침 목포에서 공연한 최승희의 딸 안성희를 만나 북으로 갔다. 인천상륙작전 이틀 전이었다. 그때만 해도 사선을 넘는 게 아니었다. 북쪽의 지배 아래 있었기 때문에 어디든 갈 수 있었다. 그러다가 9월 18일 서울이 수복되고, 전선이 38선 이북으로 북상하면서 그는 돌아올 수 없었다. 한때 안성현의 북행이 월북한 최승희의 남편 안막安漠과 관계있는 것 아니냐는 이야기도 돌았다. 가까운 친척인 안막이 월북을 설득했다는 것이다. 그러나 평론가 안막은 죽산 안씨고, 안성현은 순흥 안씨다.

이른바 '구전가요' 「부용산」은 1997년 안치환의 도움으로 세상에 그 존재를 알린 이후 이동원·한영애 등 가객들이 원곡도 발굴하고, 본래의 선율도 소개했다. 이제 벌교 부용산엔 시비와 부용정이, 항도여중엔 노래비가, 그리고 목포와 남평에선 음악회가 열린다. 노래방 노래책엔 오르지 않았어도 서운할 필요가 없다.

2009년엔 장안의 내로라하는 자유인들이 서울 운현동 뒷골목의 음식점 '낭만'에 모여 '부용산 잘 부르기 대회'를 열었다. 대회를 위해 출판인 김학민이 부용산의 곡절 많은 사연을 발표했다. 『한겨레』 노형석 기자는 그 자리를 세밀화처럼 그려 독자에게 전했다. 아직 봉인이 덜 풀렸는지, 방송사는 「부용산」이 전파 타는 걸 꺼린다. 하지만 이제 「부용산」 부르기를 주저하거나 눈치 볼 사람은 없다.

그럼에도 오늘 다시 그 내력을 지면에 올린 까닭은 오로지 '우리 안의 윤창중' 때문이다. 누이들의 희생에 기대어 살아온 것도 모자라, 식食과 롱弄의 목록에 올려 시도 때도 없이 껄떡대는 그 욕정과 탐욕이 한없이 부끄럽고 두려운 것이다.

모름지기
선암사처럼 늙어라

옳아, 자네 코에 지금 한창인 때죽나무 향기가 스쳤는가 보군, 아니면 작약의 아릿한 향기가 자네를 홀렸든가. 그것도 아니면 누이의 추억 같은 찔레꽃 향기를 맡았거나. 통방울눈을 한 할배는 다짜고짜 종잡을 수 없는 환영사를 풀어놓는다. 위엄으로 보면 종정 스님 같기도 하고, 풍채로 보면 주지 스님 같기도 하지만, 익살맞은 표정과 넉넉한 입심으로 보면 아무래도 금둔사로 떠난 지허 스님에 가깝다.

장승할배가 산문을 지키는 것부터 뜻밖이었다. 동구 밖에 버티고 서서 액도 막고 나쁜 손님 겁도 줄 일인데, 절집에서 산문지기 구실은 드문 일이다. "궁금해?" 통방울눈을 더 크게 뜨며 익살을 부린다. "선암사는 근엄한 부처님들의 강역이 아니라 부처와 사람이 하나인 가난한 마을이야……." 스님이 부처님을 모시는 곳이 아니라, 사람들도 살고 부처님도 사는 곳이란다. 사람 사는 마을 고샅에 어찌 장승이 없을까. 부처님을 모시는 사람들이 사시사철 살고 있는데 굳이 험상궂은 사천왕문과 사천왕상을 둘 필요가 어디 있을까.

"마을 자랑 하려니 쑥스럽긴 한데, 백 마디 설명보다 고수들의 평가 몇 마디가 더 귀에 잘 들어오겠지." 감식안만을 보면 문화재급인 미술사가 유홍준은 제 마음속 문화유산으로 한글·청자·산사를, 그리고 산사의 대표로 선암사를 꼽았다. 젊어서 일찍이 한국 건축의 대가 반열에 오른 김봉렬(한국예술종합학교 총장, 건축)은 선암사를 '최후의 최고'라고 했다. 단일 건물만 놓고도, 한국 현대 건축의 토대를 세운 건축가 김수근은 선암사 뒷간을 '한국 최고의 화장실'이라 했고, 김개천(국민대 조형대학 교수)은 심검당에 대해 '비움마저 비운 집'이라고 극찬하며, 한국 최고의 건축물 24곳 가운데 하나로 꼽았다.

"그런데 이 훌륭한 전문가들이 하나 빠트린 게 있지. 이 마을을 조성한 건 사람이 아니라는 거야. 사람이 한 일이란 자연의 길을 그대로 따랐고, 세월의 더께를 그대로 지켰을 뿐이지. 그것도 쉬운 일은 아니었지만 말이야. 그러다 보니 자연과 세월이 사람의 마을에 하나로 스며들었어."

산문에 이르는 널찍한 신작로는 뭐람? 양편의 무성한 나뭇가지들이 터널을 이루고, 산과 계류가 잦은 굴곡을 이뤘기에 망정이지, 장삿속과 속도를 섬기는 세상과 다를 게 뭔가? 좋은 길은 좁을수록 좋고, 나쁜 길은 넓은수록 좋다고 김수근은 말했는데……, 이건 완전히 짝패야 짝패. 장승할배가 눈치를 챘다. 입꼬리가 슬그머니 올라가며 한마디. "그건 나도 그래. 사람 사는 동넨데 여기라고 완전할 순 없겠지. 그 길은 1995년 확장했어. 사람이 낸 가장 큰 상처야. 저길 보라고, 예전에 딱

저만했지."

작은 승선교다. 다리 건너편으로 계류를 따라 실금처럼 오솔길이 이어진다. 여간해선 잘 보이지 않는다. 거리로는 큰 승선교까지 50미터나 될까? 사람 둘이 겨우 지나다닐 정도다. 그 짧은 구간엔 옛 사람의 정교한 기획과 섬세한 미감이 집약돼 있으니, 그것만으로 서운함을 달랠 수 있다. 작은 승선교 아치 반원형 속에는 큰 승선교가 담겼고, 큰 승선교 아치엔 강선루가 가득하다. 큰 승선교 아래 여울엔 강선루가 하나 더 거꾸로 서 있으니, 선경이 아니고 무얼까. 사람들은 우리나라에서 가장 아름다운 홍교라고 말한다. 사진작가 지망생들이 가장 즐겨 찾고, 달력 그림으로 가장 많이 애용하는 풍경이다.

남쪽으로 낙안읍 지나 40리쯤 가면 벌교에도 두 칸 반 남은 홍교가 있다. 벌교는 뗏다리에서 나온 지명. 큰비만 왔다 하면 다리가 떠내려가, 뗏다리를 이어 올리고 또 올리고 ……마을사람들의 불편이 말도 아니었다. 선암사 4차 중창주 호암 스님은 이 사실을 알고는, 승선교를 쌓아올린 실력으로 뗏다리 옆에 아치형 돌다리 홍교를 지었다. 승선교와 함께 보물로 지정돼 있다.

이렇게 서로 아픔을 보듬다 보니, 낙안이든 벌교든 이곳 사람들은 선암사를 '우리 절'이라고 한다. 고려조 보조국사 의천義天이 중창하고, 조선 정유재란 때 전소되자 숙종 연간 호암 스님이 다시 중창했으며, 영조 때와 순조 때 또 두 차례 화마를 입어 다시 중창했는데, 그때마다 마을 사람들이 중창 불사에 아낌없이 도움을 줬다. 그런 인연 때문인지 선암사 불전과 승방·담장·수곽·골목, 이 모든 것이 민초의 눈높이와 미감에 맞춰 지어졌다. 호암 스님은 이 절의 불목하니로 산중 생활을 시작했으니, 그들의 마음과 생각을 잘 헤아렸다. 선암사가 누구에게나 오래된 고향 마을로 다가오는 까닭은 거기에도 있을 것이다.

승선교에서 두 번 크게 돌고 삼인지에서 다시 한 번 돌면 조계문, 선암사 일주문이다. 뒷간과 함께 정유재란, 6·25전쟁의 화마를 피한 목조 건물이다. "너무 꼬치꼬치 보지 말게나. 그러다 보면 주심포가 어떻고 다포식이 어떻고, 고려 양식, 조선 후기 양식이 어떻고, 그런 알음알이나 챙기다 돌아갈 거야. 일단 마음으로 느끼기만 하게나. 마을에 동화되면 더 많은 이야기를 들을 수 있으니까. 솔직히 건물 하나하나는 특별한 게 없어. 비움마저 비웠다는 심검당도 문중 살림에 필요한 대중방, 스님 개인방, 공양간, 곳간, 창고 등을 한곳에 두다 보니 좁은 공간을 그렇게 알뜰하게 배치할 수밖에 없었던 거지. 건물 구조가 1층에서 2층으로 이어진 것은 비탈진 지형에 맞추다 보니 그런 거고."

골목길을 따라 걷다 보면 여실하다. 담도 그렇고, 뒷문도 그렇고, 부엌살림도 그렇고 모두 눈높이보다 낮다. 담장 돌은 호박돌, 그 높이는 어른 가슴에 맞췄다. 원치 않아도 이웃집 대청이 들여다보이고, 귀만 기울이면 두런대는 소리가 다 들린다. 흙투성이 발로 툇마루에 걸터앉아 물 한 잔 청할 수 있는 마을이다. 가장 큰 어른 종정이 머무는 무우전 돌담이 가장 허술하고, 해천당 돌담의 이끼 낀 돌은 막돌이어서 정이 더 깊다.

오래된 마을이 그렇듯이 선암사는 이른바 계획에 따라 조성된 게 아니다. 조계문에서 대웅전까지 공간이야 규범에 따른 것이어도, 원통전·달마전·무우전·무량수각·창파당·해천당 등 불전과 승방은 각자 저 앉기 편한 곳에 있다. 대단히 '무계획적'이다. 그러나 인간의 계획 이상의 계획과 조화를 이룬다. "궁금해?"

호암 스님이 중창할 땐 대웅전·심검당·설선당·만세루 등 대웅전 일곽이 고작이었다. 선암사가 '착하다'는 소문이 퍼지면서 스님들이 모여들고, 모셔야 할 부처님도 많아졌다. 자연스레 마을이 커졌다. 언제부턴가 여섯 문중이 나름의 법도와 전통에 따라 살림을 사는 큰 마을이 됐다. 육방살림이다. 각 방마다 조실 스님이 있고, 그의 지도에 따라 수행에서부터 먹고사는 것까지 독자적인 살림을 꾸렸다. 그렇다고 제멋대로인 것은 아니고, 선암사 전체를 관장하는 방장 스님이 있어, 선암사 공동의 법도와 질서를 엄격히 했다. 상월당 방장 스님을 거쳐 해붕 방장 스님에 이르러서는 건물만 50여 채에 이르렀다.

"그걸 어떻게 늘렸겠나. 지금 같으면 불도저로 산을 밀었겠지만, 스님들은 산과 계류가 허락하는 곳에만 한 채씩 들였지. 원통전 일곽(팔상전·불조전·장경각·노전)으로 확장되고, 그리고 달마전·무우전으로, 또 무량수각·창파당·해천당 일곽 등으로 늘려간 거야." 해인사처럼 큰 절은 처음부터 '진리의 피안으로 건너는 배'의 모습을 염두에 두고 가람을 배치했다. 반면 선암사는 법화신앙 때문일까, 지금 이곳이 극락이며 지금 이곳을 극락으로 이뤄야 한다는 생각에 따라 가람 배치보다는 행복한 마을 만들기에 집중했다.

육방이 여기저기 들어섰다고 막개발 난개발로 흐른 것은 아니었다. 인위를 최소화해 자연의 변형과 왜곡을 최소화한다는 원칙이 철저하게 관철된 탓이다. 산과 토지의 어울림, 계곡과 계류의 흐름, 지세의 높낮이를 최대한 반영해 살림집과 전각을 들인 것이다. 자연을 넘어서지도 혹은 자연에 뒤처지지도 않았으니 인위와 무위가, 자연과 인간이 절묘하게 조화를 이룬 것은 그 때문이다.

돌담에는 이런 태도가 잘 배어 있다. 종정 스님이 머무는 무우전 돌담은 가장 오래됐고 그래서 허술하다. 막돌로 막 쌓아올렸으니 권위란 게 있을 수 없다. 그저 오랜 세월의 인자함만 있다. 왕실의 원당이라는 원통각의 뒷문으로 향한 담장은 낮고 겸손하지만 기품은 높다. 응향각과 설선당 사이 돌담은 아담해서 정겹다. 등록문화재로 지정된 제주 하기리, 부여 외암면 반교리마을 돌담보다 낫다.

게다가 사시사철 피고 지는 꽃과 하루 24시간 은근히 배어나오는 향기란! 열흘에 한 번씩 단장을 바꾼다는 유홍준의 말은 전혀 과장이 아니다. 수종만 100종이 넘는데, 이 정도면 한국의 정원수를 망라한 것이다. 사람들은 그저 천연기념물로 지정된 원통전과 무우전의 선암매나 기억하겠지만, 수령 600년 이상 된 나무만 해도 무우전 옆 매화 서너 그루, 무량수각 앞에 누운 소나무, 지장전 위엔 영산홍, 자산홍 열댓 그루, 칠전차밭의 수령 700년 넘은 차나무가 있다. 창파당 앞의 왕벚이나 만세루 앞의 동백도 백수십 살 이상 됐지만, 명함도 내밀기 힘들다. 오래된 나무가 많은 것은 선암사 사람들이 부처님 모시듯 나무들을 모셨기 때문이었다.

그렇게 극진한 모심을 받으니 나무와 풀들은 때마다 꽃과 향 공양으로 은혜를 갚는다. 연중 가장 먼저 피는 건 창매로 불리기도 하는 생강나무 꽃이다. 산수유와 비슷하지만 개화시기가 이르고, 향기가 없는 산수유와 달리 매향만큼이나 짜릿한 향기가 코끝을 찌른다. 그다음이 매화. 홍매·백매·청매가 꽃망울을 터뜨리면 동백꽃이 그 뒤를 따르고, 수줍은 처녀 볼빛 닮은 살구꽃이 질 때쯤이면 진달래·개나리가 선암사를 장엄한다. 복숭아·자두·배·사과 꽃향기 자욱하고 철쭉·자산홍·영산홍이 피고 질 때쯤 5월의 여왕이라는 모란이 그 풍만한 꽃과 함께 향기를 흩뿌린다. 산기슭엔 찔레꽃, 산중엔 아까시 꽃향기가 마을을 자욱하게 덮고, 모란 지면 작약·불두화가 경내를 환하게 밝힌다. 산에 산딸나무·층층나무·때죽나무·배롱나무 꽃이 연등처럼 피어날 때면 연지의 연꽃, 승방 화단의 상사화 그리고 다디단 향기의 치자꽃이 피어 장마철 시름을 달래주고, 온갖 국화 피고 지는 가을로 접어든다.

서리가 내리고 국화가 시들 때쯤이면 야생 차밭에선 눈처럼 맑고도 서늘한 향기와 함께 차꽃이 피기 시작한다. 선경이 아니고 무엇일까. 오래된 신들이 구태여 그 가난한 마을에 터 잡은 이유를 알 만하다.

"어지간히 돌았으니 달마전 툇마루에 앉아 4단 수곽 물소리나 듣자고. 너도나도 최고의 조형물이라고 칭송하지만, 사실 부자재나 수공을 보면 별게 아니야. 너른 차밭으로 스며 차뿌리를 매만지고 흘러온 물을, 선방 납자들이 마시고 득도하라고, 모난 돌 둥근 돌에 홈 파고 대나무 관으로 연결해 앞마당까지 끌어온 것뿐이지." 정성이 90퍼센트다. "하나만 묻겠네. 달마가 동쪽으로 온 까닭은 뭘까? 이따 뒷간을 돌아나갈 때까지 생각해 보시고, 한 수 가르쳐주게나." '이뭣꼬'와 함께 가장 대중적인 화두다. "깨달음을 얻었는지 점검하려는 건 아니니, 걱정하지는 말고. 나도 이 나이 되도록 깨달음 근처에도 못 갔으니……."

달마전과 원통전 사이 아주 은밀한 뒷문을 거쳐 순조의 원당이었다는 장경각 앞에서 마을을 일별한다. 산신각 뒤란에서 무량수각 후원 비구니 스님 공부하는 것 잠시 훔쳐보고, 청파당 앞 멋진 수곽에서 물 한 잔 마시고 돌아서면, 김수근이 '대한민국 최고'라고 했던 뒷간이 떡하니 막아선다. 눈과 귀와 마음을 씻어냈으니, 이제 뱃속까지 씻어내라는 걸까. '버리고 또 버리니 이 얼마나 큰 기쁨인가.' 칸 하나를 차지하고, 입측오주入厠五呪 한 구절 중얼거리며, 뒤를 깐 뒤 묵은 것을 내놓는다. 나무 살창으로 들어오는 바람과 햇살이 시원하다. 그런데 달마가 동쪽으로 온 뜻이 뭐람?

뱃속을 비우고 산문을 나설 때쯤 절로 드는 생각이 있다. 설계사는 자연이었고, 시공은 세월이 맡았다. 자연에 안겨 저절로 늙는다는 게 저렇게도 아름답고, 욕심 없고 겸손하다는 게 저렇게 위대할 수 있구나. 맞다. 도대체 달마가 선암사 말고 갈 데가 어디 있었을까. 장승할배가 익살맞게 웃는다.

선암사에서 멀지 않은 순천 오천동에는 2013년 조성된 세계의 정원이 있다. 이제 세월이 흘러 초기의 그 어설픔과 인공의 때를 많이 벗겨냈다. 그러나 여전히 아쉬움이 남는다. 정원은 사람과 사람 사이, 사람과 자연 사이의 공간이다. 그런데 그곳엔 정원만 있고 사람도 자연도 없다. 박람회 형태로 조성된 것이기에 한계가 있겠지만……. 그러다 보니 쉬고 치유하는 곳이 아니라 행군하며 학습하는 곳이 되었다. 피로만 쌓아가면 어찌할거나. 방법이 없는 건 아니다. 마지막 코스에 선암사를 슬그머니 얹어놓는 거다. 그 신들의 은밀한 비원을.

수오재

나를 지킨 자,
세상을 얻었고……

유홍준은 『나의 문화유산 답사기』에서 정양모 전 중앙박물관장의 이야기를 빌려 이렇게 말했다. "경주를 알려면 모름지기 진평왕릉, 장항리 절터를 가보고, 성덕대왕신종 치는 소리를 직접 들어보라." 경주의 155개 고분 중에서 굳이 진평왕릉을 꼽은 까닭은 이렇다. "왕릉으로서 위용을 잃지 않으면서도 소담하고 온화한 느낌을 주는 고분은 진평왕릉뿐이다. 또 있다면 그의 딸 선덕여왕릉이 이와 비슷하다."

하필 왜 진평왕릉일까. 진위도 분명치 않은데, 두 사람은 이에 대한 설명을 생략했겠지만, 상석에 기대거나 그 앞에 좌정하면 그 까닭이 보인다. 불국토 남산을 안산으로 삼고, 동쪽으로는 명활산이 첩첩한 토함산 연봉으로 이어지고, 서쪽으로는 낭산, 단석산, 선도산 자락이 물결친다. 그 사이 보문 들판과 산언저리엔 옛 신라 격변기의 부침이 곳곳에 드러나 있고, 영웅호걸의 야망과 도전, 성공과 실패, 좌절과 소멸이 퇴적돼 있다. 거기 흐르는 것은 신라 천년 영고성쇠의 파노라마요, 응시하는 자는 그 속에서 '역사의 선정'에 든다.

당대의 권력을 치마 속에 희롱했던 미실美室, 통일의 초석을 닦은 진평왕, 그 뒤를 이은 이 땅의 첫 여왕인 선덕, 비담毗曇이나 석품石品 등 야심가의 반란, 대업을 이룬 문무왕과 신문왕 부자가 있다. 그리고 저를 잃고 모든 것을 잃은 효공왕 또한 그곳에 있다. 귀 기울이면, 월명사의 피리소리도, 신문왕의 만파식적 소리도 흐르는 듯하다. 그리고 권력의 억압 속에 고단했던 민중의 염원이 여기저기 흩어져 있다. 보문 들녘은 그렇게 만추 절정의 아름다움을 넘어 인간사 무상의 이치를 새겨 놓았다.

모든 시작이 그러했듯이, 이야기는 영웅호걸을 희롱했던 여인에게서 출발해야겠다. 진평왕을 포함해 진흥왕과 진지왕, 신라 화랑의 우두머리인 풍월주風月主를 네 명(사다함, 세종, 설화랑, 미생랑)이나 치맛자락에 휘어감은 게 미실이었다. 『화랑세기』는 그의 미색을 이렇게 전한다. "백가지 꽃의 영겁이 뭉쳐 있고 세 가지 아름다움의 정기를 모았다."

대원신통(大元神統, 왕에게 색을 제공하는 전문여성집단)이었던 그의 첫 남자는 6대 풍월주인 세종. 세종은 그 치맛자락 속에서 어찌나 놀아났던지, '깊이 빠져들어 거동도 못'했을 정도였다. 사다함(5대 풍월주)과는 인간적인 사랑을 나누었지만, 사다함이 대가야 정벌에 나선 사이 세종의 품으로 다시 돌아갔다. 사다함은 가야 정벌에는 성공했지만 미실을 잃고는 돌아온 지 예니레 만에 상사병으로 죽는다. 이후 미실의 엽색은 더욱 화려해졌다.

미생랑(10대 풍월주)과 설화랑(7대 풍월주)도 노예로 만들었다. 진흥왕의 태자 동륜을 사로잡았고, 그 아비도 맥을 못 추게 했으며, 동륜이 색에 빠져 요절하자 그의 동생 금륜(진지왕)마저 노리개 삼았다. 금륜 역시 즉위 후 2년 만에 세상을 뜨자, 이번엔 진평왕마저 품었다. 그의 나이 열세 살 때였다. 하지만 누가 그런 미실에게 돌을 던질까. 왕족들은 대원신통이라 하여 여성을 성적 노리개로 곁에 두었으니, 미실이야 그들을 농락함으로써 복수를 한 셈. 그 또한 영웅이었다!

진평왕마저 그 치마폭에서 벗어나지 못했다면, 신라 역사는 바뀌었을 것이다. 통일 대업의 초석을 놓거나, 이 땅에 첫 여왕(선덕여왕)을 세우기는커녕, 초년에 비명횡사했을 가능성이 크다. 의지가 굳었던 탓인지, 미실의 미색이 흐르는 세월에 영락한 때문인지는 알 수는 없으되, 그에겐 저를 지키도록 한(守吾, 수오) 불심이 깊었다. 그는 자신을 백정이라 하고, 왕비를 석가모니 부처의 어머니인 마야부인이라 일컬으며, 몸과 마음을 지키고 불도를 따랐다.

누운 이리처럼 낭산은 낮고 갸름하고 길다. 하지만 숲은 깊어 신들이 노닐 만했다. 하여 신라인들은 신유림이라 했고, 불가에선 수미산이라 했으며, 산마루엔 도리천을 두었다. 생전 그곳에 유택을 두도록 한 이는 선덕여왕. 왕위에 오르자 아찬 석품 등이 '아녀자에게 나라를 맡길 수 없다'라며 난을 일으켰고, 김춘추 · 김유신을 앞세워 왕권 강화에 나서자, 상대등(上大等, 신라의 최고 관직) 비담이 난을 일으켰다. 하지만 그는 높은 품격의 유머와 식견으로 선부른 남정네들의 도전을 굴복시켰다.

전설처럼 내려오는 여근곡 정벌 뒤 신하들은 이렇게 물었다. "여근곡에 매복해 있던 백제군이 궤멸될 줄 어떻게 알았습니까?" "남근입어여근, 필즉사의男根入於女根, 必卽死矣라"(남근이 여근에 들어가면 반드시 죽는 줄 모르시나). 성적 농담으로 여왕의 기를 죽이려던 남자들은 즉사했다. 저를 짝사랑하다 상사병에 걸린 지귀地鬼가 불탑 밑에서 그만 잠든 것을 보고는 그 가슴에 저의 팔찌를 놓고 가기도 했다.

도리천은 울창한 송림에 가려져 있다. 그가 잠든 유택 역시 솔숲 깊은 곳에 숨어 있어 들에서는 보이지 않는다. 규모로 압도하지 않고, 돌 장식으로 폼을 잡지도 않았다. 무엇으로도 허세를 부리지 않는다. 그저 달항아리처럼 덩두렷해, 달빛에 젖으면 달이 되고, 별이 내리면 은하수 흐르는 밤하늘이 된다. 그런 밤이면 남쪽으로 지척인 사천왕사지에서, 1,300여 년 전 달 운행까지 멈추게 했다는 월명사의 피리소리가 온몸에 스며든다.

선덕은 김춘추와 김유신을 선봉에 세웠다. 진덕여왕을 이은 김춘추는 무열왕이 되어 백제를 평정했다. 삼국을 통일한 건 그 아들 문무왕이었다. 낭산 허리께 산기슭엔 문무왕의 주검을 화장했다는 능지탑이 있다. 문무왕은 저의 죽음을 '고방외정'에서 화장하라고 했다. 궁궐 밖 뜰에서 불에 태우라는 것인데, 그 터에 지금은 기단과 1층 탑신만 남아 있다. 하지만 그가 남긴 뜻만큼은 여전히 성성하다. "서쪽을 정벌하고 북쪽을 쳐서 능히 강토를 평정하고…… 창고에는 곡식이 산처럼 쌓이고 감옥은 텅 비어 풀이 무성해졌으니, 어느 한곳 부끄러움이 있을 리 없"(유언)었던 문무왕이었다. 그러나 생전 지의법사에게 말했듯이 "나는 세상의 영화에 염증을 느낀 지 오래"된 인물이었다. "좋지 않은 응보로 말미암아 (죽어서) 짐승이 된다면 그것 또한 나의 생각과 꼭 맞는 것이오."

유언은 이렇게 이어진다. "나라를 다스리던 영주도 마침내 한 무더기 흙무덤이 되어, 나무꾼과 목동이 그 위에서 노래를 부르며, 여우와 토끼들은 그 곁에 구멍을 뚫고 사니, (능이란) 한갓 재물만 허비하고, 헛되이 사람만 고되게 하고, 죽은 사람의 넋은 구제하지 못한다. 죽고 나면 화장하라. 검소하게 화장하라."

선덕여왕릉 남쪽 오 리쯤엔 문무왕 아들 신문왕 무덤이 있다. 그 아비에 그 자식이었다. 신문왕 역시 도전에는 단호했고, 저를 지키는 데 엄격했다. 장인 김흠돌金欽突까지 반란죄로 처단하며 왕권에 대한 도전을 제거했다. 687년 종묘에 올린 제문에서 이렇게 고한다. "근자에 정의가 하늘의 뜻과 달라, 천문에 괴변이 나타나고 해와 별은 빛을 잃어가니, 무섭고 두려움이 마치 깊은 못이나 계곡에 떨어지는 것 같습니다." 이를 다스리기 위한 그의 염원은 칼이 아니라 음악적 조화였다. '소리만으로 적병이 물러나고 병이 나으며, 가물 땐 비가 오고 비가 올 때는 하늘을 맑게 하는 피리', 만파식적이었다.

낭산 동북단의 황복사지 삼층석탑. 신문왕은 아비의 뜻에 따라 주검을 화장하고 유해를 동해바다 돌섬에 수장한다. 감포에서 서라벌로 넘어오는 길목엔 감은사를 지었다. 신문왕의 아들 효소왕은 그 아비를 기억하기 위해, 고개 넘어 서라벌로 들어오는 길목에 이 탑을 세웠다.

탑은 멀리 진평왕릉과 마주보고 있다. 이제 그 사이 들을 발 가는 대로 마음 가는 대로 거닐며 흩어진 삶과 욕망과 허망의 흔적을 더듬을 시간이다. 트랙터로 농사를 짓기 힘들 정도로 석재 유물들이 드러나 있거나 묻혀 있으니, 굳이 책이나 지도를 보며 찾을 일은 아니다. 들판 가운데 보문사지 당간지주, 석조, 연화문 당간지주 등만 마음에 두고 농로를 걸으면 된다. 그곳이 서라벌의 다운타운이었을 것이라는 관측도 있다 하니, 1,300여 년 전 옛 사람의 삶을 상상하면 될 일이다.

보문사지 금당터와 두 탑지, 그리고 당간지주를 더듬다 보면 아름다운 연화문 당간지주, 요즘 욕조보다 더 큰 수조는 덤으로 만난다. 마침내 들길 남단의 거북이 닮은 동산(보갓산)에 이르고, 그 목덜미쯤엔 수오재가 있으니 그곳에서 시간도 생각도 내려놓자. 집들은 헐려버릴 한옥 고가 네 채를 영광 등지에서 옮겨 지었다. 들보며 기둥이며 대청이며 처마 끝자락까지 옛 사람의 자취와 정취가 애틋하다. 당호인 수오재 또

한 예사롭지 않다. 다산 정약용의 큰 형님(태현 정약현)의 당호가 수오재였다. 이렇게 이름한 당주의 뜻이 궁금하다.

"'나'란 나와 굳게 맺어져 있어 떨어질 수 없는 것인데, 굳이 지키지 않더라도 어디로 가겠는가. (큰 형님이 당호를 수오재라 한 것은) 참으로 이상한 일이다." 정약용이 경상도 장기에서 귀양살이하며 쓴 산문 「수오재기」는 이런 의문으로 시작한다. 그러나 의문은 곧 풀린다. "내 밭을 지고 달아날 자가 있는가, 집은 지고 달아날 자가 있는가, 꽃과 나무를 뽑아갈 자가 있는가, 성현의 경전이 널리 퍼져 있는데 책을 훔쳐갈 자가 있겠는가. …… 그러나 나라는 것은 달아나서 드나드는 데 일정한 법칙이 없다. 아주 가까이 있어 배반하지 못할 것 같다가도, 잠시 살피지 않으면 어디든지 못 가는 곳이 없다. 이익으로 꾀면 떠나가고, 위험과 재앙이 겁을 주어도 떠나가고, 단순호치丹脣皓齒의 미인만 보아도 떠나간다. 한 번 가면 돌아올 줄 모르니, 천하에 나보다 더 잃어버리기 쉬운 것이 없다. 실과 끈으로 매고 빗장과 자물쇠로 잠가서 나를 굳게 지켜야 하지 않겠는가."

수오재 너머엔 효공왕릉이 있다. 거북이목 만한 고개만 넘으면 된다. 신라 49대 헌강왕이 사냥에서 돌아오다 본 여인과 합하여 낳은 왕자 요嶢의 묘다. 왕위 계승과는 거리가 멀었지만 정강왕, 진성여왕이 후사 없이 사망하자 52대 왕에 올랐다. 즉위 초 흔들리던 국기를 다잡으려 했지만, 내부는 썩을 대로 썩었고, 귀족과 지방호족은 날뛰고, 궁예의 후고구려와 견훤의 후백제가 이미 정립한 터였다. 효공은 애첩에 빠졌다. 그가 치마폭에서 빠져나오지 못하자 신하들은 애첩을 살해했다. 왕은 이듬해 세상을 떠났다. 그리하여 저를 잃고 애첩을 잃고, 목숨마저 잃었다.

정약용은 「수오재기」를 저에 대한 성찰로 맺는다. "내가 나에게 물었다. 너는 무엇 때문에 여기까지 왔느냐? 여우나 도깨비에게 홀려서 끌려왔느냐? 아니면 바다귀신이 불러서 왔느냐. 네 가정과 고향이 모두 초천에 있는데, 왜 그 본바닥으로 돌아가지 않느냐?" "나는 나를 간직하지 못하다가 잃어버린 자다."

나를 지킨 자, 세상을 얻었고 나를 지키지 못한 자, 저도 세상도 잃었다. 보문 들판에서 수오의 뜻까지 얻었으니, 더 무엇을 바랄까. 수오재 당주(이재호)가 건네는 곡차에 가을이 가득하다.

그 향기 멀수록 더욱 맑구나

불이문에 들어 국사원, 백련지, 홍련지, 수련지를 돌아 팔당호 호숫가에 이르면 세한정이다. 공교롭게도 불가의 불이不二 세계를 완성하는 것은 유자인 추사 김정희가 사모하는 송죽松竹의 의리였다. 그 사이를 채우는 것은 유·불이 끔찍하게 사랑하는 연꽃, 7월이 다하는 오늘 연화 세계를 이루고 있는 연지다.

중국 정원의 최고 걸작으로 꼽히는 쑤저우의 주어정웬拙政園에는 이런 정자들이 있다. 연잎에 떨어지는 빗소리를 듣기 위한 유청각, 바람에 실려오는 연꽃 향기를 맡는 원향당, 그 자체로 연꽃 닮은 부용사 등……. 그런 호사는 중국인들만 부린 건 아니었다.

조선 선비들은 청련계聽蓮契를 조직해, 해뜨기 직전 미명에 방죽 안으로 들어가 연꽃이 피는 소리를 듣고(청련), 새벽 연잎에 구르는 이슬을 모아 차로 달여(하로차) 마셨다. 이들은 연잎에 술을 붓고 연대로 빨아 마시며(하심주) 바람에 향기가 실려오는 정자(향원정)에서 보내는 걸 최고의 기쁨으로 삼았다. 그런 연지가 3만여 평에 걸쳐 펼쳐지고 있으니, 여기가 불가의 이상향인 연화 세계가 아니고 무엇이며, 거기에 홀리지 않는다면 어디에 마음을 빼앗길까.

세한정에선 우선 벽돌부터 유심히 살피라는 세미원지기(이훈석 상임이사)의 권고를, 연화 세계에 홀려 잊고 있었다. 마침 조우한 세한정 담장 벽돌을 보고서야 그의 권고를 되살렸다. 벽돌 하나하나엔 이런 문장이 양각돼 있었다. '우리 영원히 잊지 말아요.' 세한정 '약속의 정원'으로 들어가는 진입로에 깔린 연화문전에는 장무상망長毋相忘, 네 글자가 새겨져 있다. '서로 영원히 잊지 맙시다.' 「세한도」 오른쪽 귀퉁이에 김정희가 찍은 전각의 글자체 그대로다.

김정희는 1835년 「세한도」를 완성하면서, 이 그림을 제자 이상적李尙迪에게 주게 된 까닭을 그림 왼편에 소상히 기록했다. "영화를 누릴 때는 벗과 제자를 자처하는 이들이 구름같이 모여들더니, 바다 건너 제주도로 유배당해 위리안치되고 나니, 찾아오는 이, 아는 척하는 이조차 없다. 오로지 이상적만이 죽음을 무릅쓰고 바다를 건너와 가족의 소식을 전하고, 읽을 서책과 필묵을 전해 주고, 또 기꺼이 벗이 되었다. 그것이 한겨울 모든 나무가 웅크리고 있을 때 푸르름 잃지 않는 소나무, 잣나무와 어찌 다르리요. 그대와 나는 이 뜻과 우정을 영원히 잊지 말지니……."

세한정을 돌아 수련지와 홍련지, 백련지, 국사원 연지를 되짚어 불이문을 나서며 묻는다. 세미원이 하고많은 경구 가운데 '장무상망'을 새긴 까닭은 무얼까?

연꽃의 덕성을 찬미한 문장으로는 중국 송대 신유학의 토대를 마련한 염계濂溪 주돈이周敦頤의 「애련설」만한 것이 없다. 요즘 최고의 애련가로 꼽히는 보성 대원사 현장 스님도 인정하는 바이고, 300여 년 전 조선 후기 시서화 삼절, 혹은 예원의 총수로 불렸던 표암豹菴 강세황姜世晃도 인정했던 터다. 450여 년 전 조선 조정을 쥐락펴락했던 아계鵝溪 이산해李山海도 주돈이를 흠모했다.

강세황은 그림 「향원익청」 화제에 이렇게 썼다. "염계 선생은 연꽃을 멀리서 바라볼 수 있으되 함부로 다룰 수 없다고 했지만, 나는 멀리서만 볼 수 있어 연꽃이 좋다." 그는 몸은 조정에 있으되 마음은 연꽃처럼 산림에 있기를 바랐다. 이산해는 이렇게 고백했다. "……꽃은 아름다우나 절로 떨어지며, 향기는 맑으나 맡아주는 이 없으니, 세상을 숨어 사는 이 아니고 무엇인가……자기를 알아주지 않아도 번민하지 않는 자 아니고 무엇이겠는가"(이산해, 「오곡연당기」 중에서). 절대 권력을 휘두르던 자의 위선 같기도 하지만, 그런 꿈이야 누군들 꾸지 않겠는가.

주돈이의 「애련설」은 이렇다. "水陸草木之花, 可愛者甚蕃(물과 땅에 사는 초목의 꽃 중에 사랑스러운 것이 매우 많다.)/ 晉陶淵明獨愛菊(진나라 때 도연명은 특별히 국화를 좋아하였고)/ 自李唐來, 世人盛愛牧丹(당조 이래로 세상 사람들이 모란을 무척이나 사랑하였으며)/ 予獨愛蓮之出於泥而不染(나는 오로지 진흙에서 나고도 때 타지 않는 연꽃을 사랑한다.)/ 濯淸漣而不妖(맑은 물로 씻어냈으면서도 요염하지 않고)/ 中通外直, 不蔓不枝(몸통은 뚫려 있고 겉모습은 반듯하며, 덩굴이나 가지도 뻗지 않고)/ 香遠益淸, 亭亭淨植(향기는 멀어질수록 더욱 맑아지고, 반듯하고 깨끗하기에)/ 可遠觀而不可褻玩焉(멀리서 바라볼 수는 있어도 가벼이 희롱할 수 없다.)/ 予謂: 菊, 花之隱逸者也(나는 말하노라. 국화는 꽃 중에 은둔한 현자요.)/ 牧丹, 花之富貴者也(모란은 꽃 중에 부귀한 자요.)/ 蓮, 花之君子者也(연꽃은 꽃 중에 군자로다.)/ 噫! 菊之愛, 陶後鮮有聞(아! 국화를 사랑하는 이 도잠 이후 들려오는 바 드물고)/ 蓮之愛, 同予者何人?(나와 같이 연꽃을 사랑할 이 누구인지 모르겠네.)……"

주돈이에게 연꽃의 덕성은 유가에서 추구하는 가치와 이상의 전형이었다. 진흙 속에서 나고도 더러움에 물들지 않고, 맑은 물로 씻었지만 유혹하지 않으며, 속이 비었으되 줄기는 꼿꼿하고, 덩굴이나 곁가지를 내지 않아 단아하고, 그 향기 멀수록 더욱 맑아지고, 반듯하고 고요한 것이 멀리서 바라볼 뿐 가벼이 희롱할 수 없다!

극락을 연화 세계라고도 하니, 연꽃은 불교적 이상이기도 하다. 처염상정處染常淨, 종자부실種字不失, 화과동시花果同時 등 불가 수행의 궁극적 목표를 연은 온몸으로 보여 주고 있다. 스스로 더러운 곳에 몸을 담고서도 저는 항상 맑고 향기롭고, 어디서나 본래의 밝은 성품 한결같으며, 그런 이타행 속에서 깨달음을 함께 이룬 것이다. 유가의 이상과는 상통한 듯 하지만, 내용은 사뭇 다르다.

군자는 유가의 이상적 인간형이다. 인의예지신을 갖춰 평천하를 추구하지만, 실은 평천하보다 수신에 방점이 찍혀 있다. 저만치 홀로 그윽한 삶을 살아가는 자다. 주돈이가 저 홀로 청정하고 향기로워 감히 다가가 언행을 섞기 어려운 연꽃을 군자의 상징으로 꼽은 것은 그런 까닭이다. 반면 불가가 이상적 인간형으로 삼는 보살은 애써 더러운 곳에 몸을 맡겨 세상의 더러움을 깨끗게 하고, 이를 통해 스스로 깨달음을 이루려 한다. 외형의 서술로는 주돈이의 「애련설」이 적실하지만, 그 생태를 살피면 불가의 정리가 오히려 과학적이다.

연잎은 매우 넓어 광합성이 왕성하다. 표면엔 나노미터(1억 분의 1미터) 크기의 돌기가 무수하게 많다. 비가 내려도 잎이 젖지 않고 표면장력에 의해 물방울이 되어 구르는 건 바로 그 초극세사 돌기 때문이다. 그래서 비가 내려도 잎이 젖지 않고 또 접히지 않아 연의 광합성은 계속된다. 이런 왕성한 생명활동은 오염된 뻘에 묻혀 있는 연근을 썩지 않게 해준다. 광합성을 위해선 뿌리가 유기물을 쉼 없이 흡수해야 한다.

연근이 흡수하는 유기물이란 게 인이나 질소 등 물과 토양을 썩게 하는 영양물질이다. 그로 말미암아 오염된 물은 정화된다. 연줄기는 속이 비어 있어, 잎과 뿌리 사이에 물자가 왕성하게 오갈 수 있다. 연근에도 공기주머니가 반이고 보면, 연은 곧으면서도 그 속을 온전히 비웠다. 맑음을 유지하는 비결이다.

연에게 오염물질 정화는 곧 저의 생명활동이다. 연의 정화 기능은 부레옥잠의 네 배, 물배추의 두 배라고 한다. 수생식물 가운데 으뜸이다. 게다가 다른 수생식물과 달리 오염물질을 흡수해, 인간에게 이로운 단백질, 무기질, 철분, 비타민C, 비타민E, 식이섬유로 바꿔낸다. 인간의 소화 기능을 높이고 뼈 생성을 도와주며 알레르기를 예방하고 노화를 늦추는 효과가 있는 물질들이다. 차로 우려낸 연꽃은 그윽한 풍미 외에도 마음을 진정시켜 주며, 연밥은 우울증은 물론 치매에도 효과가 뛰어나다고 한다. 한방에선 연근을 소화불량, 위염, 위궤양 등 위장장애에 썼고, 연잎은 고혈압, 당뇨의 약재로 썼다.

보성 대원사에는 우리나라엔 드문 종이 하나 있다. 일본 지바현의 이천년 전 퇴적층에서 발견한 연씨를 발아시켜 얻은 다카이연 후손이다. 연씨는 일상적 환경에서 싹을 틔우거나 썩지 않는다. 씨는 그 안의 생명을 천년, 이천년 장구하게 보존한다. 나지도 사라지지도 않는 우리 안의 불성을 연씨에 비유하는 까닭은 여기에 있다. 연씨가 발아하기 위해선 몸이 깨져야 한다. 자신을 깨고서야 뿌리도 내리고 잎도 내고 꽃도 피운다. 묵은 뿌리는 이듬해에도 살아남아 몸집을 키우는 게 아니라, 새로 돋아나는 싹을 키우는 밑거름이 되어 사라진다. 자식을 위해 희생하는 부모의 삶이다. 김정희의 장무상망은 인간의 도리를 잊지 말자는 것이었지만, 세미원이 연지 너머 세한정을 짓고 장무상망을 새긴 뜻은 그 이상의 것이었다.

관수세심觀水洗心, 관화미심觀花美心. 물을 보며 마음을 씻고, 꽃을 보며 마음을 아름답게 하자고 하지만, 세미원은 거기에 머물지 않는다. 세미원은 연잎빵, 연자빵, 연근빵 등 심황후 연꽃빵을 제조해 판매한다. 연지에서 거둬들인 연, 지역민들이 직접 재배한 팥, 지금은 전남 구례 등의 유기농가에서 구입하지만 앞으로는 역시 지역민들이 재배할 밀로 만든다. 원료 생산, 빵 제조와 판매도 모두 지역민의 손으로 이루어진다. 시험운영 중인 식당 '청춘연蓮가'에선 연자콩국수, 연잎잔치국수, 연잎비빔국수, 연자팥빙수, 연근피자, 연자파스타 등을 식단에 올려놓았다. 이미 맛과 영양, 그리고 효능이 소문나 벌써부터 프랜차이즈 문의가 들어온다. 세미원이 생각하는 조건은 간단하다. 매장당 동네 어르신 두 명 이상 채용! 그동안 개발했거나 개발 중인 연식품은 400종에 이른다. 우리 시대의 골칫거리인 항우울증, 항스트레스 그리고 치매 예방 효과가 있는 연을 재료로 한 것들이니, 이만큼 사람에게 널리 이로운 것도 없겠다.

세미원이 청련계가 꿈꾸던 그런 즐김을 외면하는 건 아니다. 다만 오욕칠정의 현장에 깊이 뿌리를 내려, 이웃과 기쁨과 슬픔과 고통을 함께 나누며, 현실의 고통과 슬픔에서 벗어나도록 돕고자 할 뿐이다. 연의 삶을 실천하자 함이니, 그 향기 멀수록 더욱 맑다.

서촌 백전의
부활을 꿈꾸며

심부름이라고 푸념할 일이 아니다. 당대 최고의 시인 묵객들에게 초대의 글도 전하고 행사장까지 모시는 일이니 얼마나 큰 영광인가. 발치에서라도 보기 힘든 이들인데, 근자에 출간된 『오래된 서울』(최종현·김창희)에 약도와 내력이 상세하니 한걸음에 꿸 수도 있다. 재상들도 영광으로 여겼다는 백전의 품평에 모시는 것이니 초대받는 이들 또한 내심 얼마나 반기랴. 이제 떠나보자.

경복궁역 버스정류장 근처인 이상의 집(통인동 154번지)이 출발점이다. 우리은행 적선동 지점 뒷골목이니 찾기도 쉽다. 떼로 모이는 것엔 질색하는 '모던 보이'라지만, 동주의 이름으로 하는 행사이니 열 일 제치고 나설 것이다. 그는 시·소설·그림 손 안 댄 게 없으니 동주시사 백전(白戰, 백일장)의 품평에 적격이다. 다음은 필운동의 구본웅具本雄. '한국의 로트레크'로 비교되는 천재 화가다. 그는 세상과 불화했던 이상李箱에게서 비운의 천재를 알아보고 그림으로 그를 남겼고, 이상은 꼽추 구본웅의 찌그러진 가슴에서 타오르는 열정을 보고 시로 남긴, 서로 평생 반려였다.

가는 길 누하동엔 시인 노천명盧天命, 통인동 225-1도 있다. 일찍이 알려진 문재 때문에 일제 말 친일 시를 남기게 돼 인생이 한번 구겨지고, 6·25전쟁 때 피난 가지 못했다가 문우의 강권으로 조선문학가동맹에 가담했다가 부역자로 낙인찍혀 또다시 구겨진 인생. 이후 평생 피해망상과 대인기피증에 시달렸다. 그가 꿈꾸던 것은 "기차가 지나가 버리는 마을/ 놋양푼의 수수엿을 녹여 먹으며/ 내 좋은 사람과 밤이 늦도록/ 여우 나는 산골 얘기를 하면/ 삽살개는 달을 보고 짖고……." 그런 '이름 없는 여인'이었는데. 기구한 역사는 그런 여인을 가만두지 않았다. 누하동 그 집은 그가 스스로를 가둔 감옥이었다. 아, "모가지가 길어서 슬픈 짐승"(「사슴」)이여……. 마음 여리고 결이 곱기로는 동주와 같은 반열이니, 살아간 길이 다르더라도 서로를 알아볼 것이다.

노천명에게 부탁하면, 이화여전 동창인 김수임金壽任, 옥인동 19번지과 옥인동 92번지가 원적인 앨리스 현에게도 기별이 닿을 것이다. 역사의 풍랑 속에서 원통하게 스러져 간 여인들! 미군정청의 실력자 베어드 대령은 김수임을 사랑했고, 자신은 군정 당국에 쫓기던 남로당의 실력자 이강국李康國을 사랑했다. 해방 정국을 뒤흔든 김수임은 결국 간첩으로 몰려 사형당했다. 김수임과 함께 옥인동에서 살던 앨리스 현은 북한에서 박헌영이 숙청당할 때 미제 간첩으로 몰려 처형됐다. 그의 부친은 상하이 임시정부의 내무차장과 외무차장을 역임했던 현순玄楯 목사였다. 현순은 기독교 사회주의를 꿈꾸었고, 앨리스 현도 그 꿈을 이어받았다. 그러나 남과 북 어디에도 이들이 설 자리는 없었다.

구본웅 가에서 이중섭 하숙집은 지척. 윤동주는 지린성 용정에서, 김수임은 경기도 개성에서, 노천명은 황해도 장연에서, 앨리스 현은 서촌에서 이곳으로 왔고, 이중섭은 1954년 7월 누상동 166-202 2층집으로 이사 왔다. 이곳에서 그는 이듬해 예정된, 처음이자 마지막 서울전시회에 출품할 작품을 창작했다. 무려 45점이나 됐다. 새벽마다 수성동 계곡으로 올라가 차가운 계류로 몸을 씻었다. 하루 세 번 먹는 식사 시간도 아까워 아침에 밥 두 그릇을 해치우는 것으로 세 끼를 대신했다. 오로지 떨어진 가족과 함께 살기 위해 전시회에 모든 걸 걸었다. 전시회는 호평을 받았지만, 돈도 떼이고 여비조차 마련하지 못했다. 가족이 있는 일본행은 좌절됐다. 그는 실의 속에서 정신분열증까지 겹쳐 이듬해 세상을 떴다.

그런 그에게도 부탁 하나 하자. 구본웅이 로트레크에 비교된다면, '한국의 벨라스케스'로 비교되는 이쾌대李快大, 궁정동 16-3에게 기별하는 것이다. 선전 따위 일제가 주도하던 관변 전시를 거부하고 신미술가협회를 결성해 활동했던, 견결하기 태산 같았던 화가. 이중섭도 그와 함께 활동했다. 그의 형 이여성李如星, 옥인동 56은 대구 지역 학생비밀결사 혜성단 회원으로 동아일보 조사부장 시절 청전青田 이상범李象範과 함께 손기정 선수 일장기말살사건을 주도했다. 그 형에 그 동생이다.

윤동주는 연희전문 친구 정병욱鄭炳昱과 함께 옥인동 9번지에서 하숙했다. 이여성 집에서 직선거리로 100미터나 될까. 1941년 5월부터 9월까지 짧은 기간이었지만, 윤동주는 이곳에서 유일한 시집 『하늘과 바람과 별과 시』를 잉태하고 숙성시켰다. 손으로 쓴 이 시집에 수록된 19편의 시 가운데 6편이 이곳에서 창작됐다. 시집은 그가 일경의 감시를 피해 이사 간 북아현동 하숙집에서 그해 말 완성됐다.

윤동주는 일제의 사찰과 탄압 때문에 한정본 출판은 포기하고 수기본 3부만 남겼지만, 2부는 사라졌고, 벗 정병욱에게 맡긴 1부만 남았다. 정병욱은 학병으로 끌려가면서 어머니에게 이를 맡겼고, 모친은 아들의 신신당부에 따라 전남 광양 술도가의 한 항아리에 숨겨 일경의 눈도 피하고, 습기와 벌레로부터도 원본을 보호할 수 있었다. 용정과 평양, 다시 용정, 서울, 도쿄, 후쿠오카 등 젊은 시절 그 멀고 먼 행로 속에서 그가 꾸었던 맑고 곱고 높은 꿈은 그래서 후대에 전할 수 있었다.

수성동 계곡을 넘으면 옥계, 청계로 이어진다. 조선 영정조 문예 르네상스의 태반과도 같았던 곳. 조선 산수의 진경에 문인 정신의 진수까지 담아낸 겸재의 진경산수 탄생지이고, 조선 후기 문예운동을 견인했던 시 동우회 옥계시사(혹은 송석원시사)의 발상지다. 옥계시사가 조직한 백일장이 바로 송석원시사 백전이었다. 훗날 백전은 서촌을 넘고 한양을 넘어 전국에서 문망을 꿈꾸는 이들의 제전이 되었다.

송석원을 지나 세심대를 넘으면 청풍계 구역인 장의동. 지금의 청운동, 궁정동에 해당한다. 송강 정철과 겸재 정선이 그곳에서 나서 자랐고, 일제강점기 시대의 사표가 됐던 우당 이회영과 동농東農 김가진金嘉鎭이 독립운동을 위해 상하이로 떠나기 전까지 살던 곳이다. 이상재가 헌정한 '백세청풍' 각자로만 남은 우당 가家의 후손은 지금도 인근 신교동에 터를 잡고 있다. 하지만 김가진은 아직 유해가 상하이에서 돌아오지 못한 채 오로지 '백운장' 각자만이 쓸쓸하게 집터를 지키고 있다. 그곳에서 백전 행사장인 동주시원東柱詩原까지는 불과 5분 거리, 왼편의 인왕산과 오른편의 북악산 사이 자하문 고개 왼쪽 둔덕이다. 요즘 '시인의 언덕'으로 불리는 곳이다.

그러면 이 어른들을 어떻게 모신담? 수성동·옥류동 계곡을 건너고 세심대를 넘고, 다시 청풍계 건너 백운장 지나 자하문 고갯마루까지 가야 하니 노구에 만만한 여정은 아니다. 그러나 걱정할 일 없다.

이중섭은 누상동에서 「길 떠나는 가족」을 제작했다. 남정네는 고삐 잡고 희희낙락 덩실덩실 춤추고, 소도 덩달아 히힝 노래하고, 큰놈은 수레 앞에서 꽃잎 뿌리고, 작은놈은 뒤에서 비둘기 날리고, 아내 얼굴엔 꽃이 활짝 피어 있다. 바로 그 「길 떠나는 가족」 그림 속 달구지가 있으니 말이다. 그걸로 어찌 산과 계곡을 넘느냐고? 걱정도 많지, 이 달구지는 꽃잎보다 가벼워 바람 타고 훨훨 날아간다네…….

서울엔 크고 작은 산 덕에 고개도 많고 물길도 즐비했다. 독립문에서 통일로를 따라 가보더라도 무악재, 산골고개, 칡고개, 양천리고개, 도깨비고개, 박석고개, 관터고개 등이 이어진다. 고개만 해도 230여 개에 이른다고 하니, 콘크리트로 채워지기 전 한양은 산과 계곡을 씨줄 날줄 삼고, 고개와 계류를 금실 은실 삼아 짠 아름다운 비단 같았을 것이다. 이 가운데 풍광과 사연에서 손에 꼽히는 것이 바로 자하현(자하문고개)이다. 혹자는 그곳에서 본 풍광을 유럽의 알프스에 비교하지만, 자하현에 올라 본 사람이면 굳이 알프스를 갈 필요가 있을까 싶다.

고개 옆 '시인의 언덕'에 오르면, 앞으로는 한양 도성이 한눈에 들어온다. 엉망으로 들어선 콘크리트 덩어리들이 시야를 어지럽히지만, 남산, 한강, 관악산, 청계산으로 이어지는 자연의 파노라마는 장엄하다. 돌아서면 한양의 진산 삼각산에서 경주마처럼 내달리는 연봉들이 보현·문수봉에서 우뚝 멈춰 숨을 한번 고르고, 다시 비봉과 형제봉 능선으로 나뉘어 질주한다. 한쪽 무리는 인왕산에서, 다른 쪽 무리는 북악산에서 다시 멈춘다. 자하현은 두 봉우리를 잇는 노루목으로 양손에 고삐를 쥔 채 행마를 조절하는 곳이다. 십자가에 달리기 전 예수가 예루살렘의 멸망을 예고하며 "네가 오늘 평화를 알았다면……"이라고 피눈물 흘리던 겟세마네 동산이 떠오르기도 하고, 알프스의 몽블랑 서벽과 마주하고 있다는 몽탕베르 언덕이 떠오른다.

그것을 어찌 짧은 필설로 표현할 수 있을까. 겸재의 「인왕제색도」도 그 파노라마의 한 국면만을 잡은 것이요, 이인문李寅文의 「송석원시사 연회도」는 얼개만 추렸다. 자하문 너머 부암동 별서에서 안평대군이 꾸었던 꿈속의 몽유도원(안견의 「몽유도원도」)이 그러했을까.

"이번 정거장은 부암동사무소, 다음은 윤동주 시인의 언덕(혹은 윤동주 문학관)……." 고개를 넘을 때마다 가슴 설레게 하는 안내 방송이다. 우리에게도 이런 아름다운 이름의 언덕이 있었구나. 공무원 나리들이 어떻게 저런 발상을 했지? 그런 설렘이 오늘은 동주시원에서 부활하는 백전의 꿈으로 나타난 것이다.

그러나 꿈이 멋지면 현실의 아쉬움은 더 깊어지는 법. 풍광도 최고요 작명도 멋지지만, 고작 조성한 것은 흔한 둘레길 하나, 거친 등산화나 밟고 지나간다. 사람이 모이고, 노래가 섞이고 인연이 맺어져야, 희로애락이 이야기도 되고 시도 되고, 신화와 전설로도 익어가는데, 시인 묵객의 꿈은 들어설 자리가 없다.

18세기 말 백전은 옥계시사의 문장가들이 주관했다. 당대의 콧대 높기로 유명한 추사 김정희가 시사의 리더 천수경 집에 송석원 각자를 새기도록 글을 썼을 정도로 그 명성이 장안의 문장가들 사이에 우뚝했다. 재상도 심사위원에 이름 한 줄 올리기 위해 헛기침할 정도였고, 순라꾼도 백전에 간다면 놓아줄 정도였다. 그런데 지금 주관할 사람은 종로구청 관리들 뿐이니, 어쩌면 모두 발길을 돌릴지 모르겠다. 게다가 시비만 덩그렇게 있을 뿐 술 한 잔하며 시와 그림과 삶, 그리고 하늘과 별과 바람을 이야기할 주막 하나 없다.

그래서 꿈 하나 더 얹어본다. 언덕 아래에 하늘, 바람, 별, 시 그리고

패, 경, 옥, 그리고 사랑, 동경, 쓸쓸함, 그리고 비둘기, 강아지, 토끼, 노새, 노루 따위의 이름을 단 주막과 카페와 쉼터가 들어서고, 대청마루는 시사 동인들이 지킨다. 고은 혹은 신경림 같은 분을 촌장으로 모신다면, 도대체 저 시인의 언덕이 어떤 별을 향해 날아갈지 누가 상상이나 할 수 있을까. 적어도 밤이면 별과 노래가, 낮이면 바람과 시가 그곳에서 노닐 것만은 분명하다. 언덕 한 중간에 문학도서관을 지은들, 시인 묵객은 없고 등산객만 오간다면 그 무슨 소용이란 말인가.

누가 아름답다고 했는가

아~으, 꿈이었다. 바람에 떠다니고, 물길에 실려 갔다. 강마을은 구름이었고, 물길은 하늘로 올랐다.

이태백의 별유천지, 안평대군의 도원경, 도연명의 무릉계가 따로 있었던가. 회룡마을 안산엔 개불알꽃 쪽빛 융단 위로 매화가 둥둥 꽃구름으로 내려앉았다. 천담마을 신씨네, 정씨네, 김씨네 할 것 없이 대문 옆엔 매화요 뒤란엔 살구다. 외양간에도 뒷간에도 꽃향기 물씬하다. 구담마을은 여전히 영화 「아름다운 시절」의 환장하게 그리운 모습 그대로다.

어치리부터 순창땅. 바빠진 물살은 내룡마을 장구목에 돌조각을 즐비하게 세워놓았다. 구미리로 접어들면서 빚어놓은 북소, 사발소, 두무소 등 온갖 탕이 희한하다. 구미교를 건너면 석산리, 강 건너 용혈을 안고 있다는 채계산과 대좌한 강경마을이다. 해도 지고 달도 졌지만 강마을 어디나 향내가 도저하다. 어둔 강은 매향으로 흘렀다.

미명에 눈 비비니 강도 들도 산도 없다. 온통 안개다. 오로지 물소리뿐. 재잘재잘, 수런수런, 자글자글……. 밤새도록 소곤댔을 놈들이 여지껏 두런댄다. 새벽참에 떠나기로 했지만 어쩌겠는가, 채계산 능선 아래 용혈의 기운이라도 드러날 때까지 물소리에 귀 기울이는 수밖에.

오라, 볼 일 안 본 것 같더니……, 그제야 알았다. 그 산수 그 때깔에 도리가 없었겠지만, 나는 섬진강을 소비하기만 했다. 눈으로 그 풍광을 허겁지겁 삼켰다. 내룡마을 장구목 바위 하얀 속살 사이로 물비늘 날리며 흐르던 물길, 회룡마을 징검다리 사이로 우당탕 흐르던 물길. 구담마을 물소리는 늦은 밤 부모님 두런대는 소리 같았고, 가는지 마는지 진메마을 물길은 늙은 느티나무처럼 속으로 모든 걸 삼켰다. 그 물길이 한사코 들려주려던 이야기를 듣지도 느끼지도 못했다. 섬진강이 왜 서럽게 흐른다고 하는지, 강을 흐르는 것이 물만이 아니라는 걸, 떠다니는 꽃 부서지는 햇살만이 아니라는 걸 몰랐다. 물결마다 나이테가 촘촘히 새겨져 있고, 돌아가는 여울은 LP판처럼 끊임없이 서럽게 노래하고 있다는 걸 몰랐다.

강마을 안개는 나의 등을 떠밀었다. 다시 거슬러 오르라고, 눈으로 포식했던 그대, 이제는 귀로 듣고, 마음으로 걸어야 하리.

수원지 진안 데미샘까지 갈 필요는 없다. 섬진강은 임실 강진면 용수리에서 막힌다. 물길은 동남으로 흐르지만 유역변경식 댐은 갇힌 물을 서쪽 동진강 만경평야로 흘려보낸다. 넘치도록 차야 제 본래 길로 물을 흘려보낼 뿐이다. 섬진강 수원지는 댐의 건설과 함께 수정됐어야 했다.

용수리에서 졸지에 빈털터리가 되어버린 섬진강, 그 가난한 물길은 회문리에 이르면 비로소 넘실대기 시작한다. 물우리에 이르면 다시금

도저하다. 그 비밀은 회문산에 있다. 회문산 열두 골짜기 골골에서 토해낸 물은 섬진강을 다시 살찌우고, 구림 쌍치 개울이 한데 모여 기세등등한 구림천을 물우리에서 받아들이면서 제 모양을 되찾는 것이다. 오죽 물난리가 잦았으면, 물이 걱정스러워 물우리라 했을까.

1951년 겨울이 막 물러가고 섬진강변 매화들이 첫 꽃망울을 터트릴 무렵이었다. 빨치산은 회문산 8부능선을 타고 남원 지리산 쪽으로 탈출하고 있었다. 하늘에선 일주일째 무스탕기가 폭탄을 쏟아붓고, 정상 부근 헬기장에선 드럼통째 기름을 내리붓고는 불을 질렀다. 북조선 노동당 전북도당 사령부와 정치 학교 노령학원이 있던 안정리 계곡은 불바다가 되었다. 절반 이상의 동료를 잃었다. 더는 버틸 수 없었다.

구림·복흥·쌍치 등 회문산 산군에 에워싸인 마을도 주검이 발에 차일 정도였다. 잠시 빨치산 해방구였던 그곳은 토벌군이 들어오면서 청소가 시작됐다. 낮에는 토벌군이, 밤에는 빨치산이 부역자를 색출했다. 결국 회문산 빨치산도 임실·순창 사람들이었으니 토벌군은 근거를 아예 없애기로 했다. 자연부락을 모두 내쫓고, 집과 가재도구와 먹을 만한 것들을 모두 불태워 버렸다. 의심스런 사람들은 모두 없앴다. 그때 회문산 일원은 지상의 지옥이었다.

앞서 연합군이 인천에 상륙하면서 인민군은 38선 이북으로 퇴각했다. 인공 시절 마을마다 구성돼 있던 전북의 민청이나 여맹원들은 도당과 함께 담양 여분산 가마골로 들어갔다. 백방산, 국사봉과 함께 하나의 회문산 산군을 이루며 그 안에 쌍치·복흥·구림면 마을을 안고 있다. 봉우리들은 용추봉을 통해 모두 투구봉, 회문산 정상으로 이어진다.

가마골에 모여든 이들은 열에 예닐곱은 머슴이거나 소작인 출신으로 대다수가 20~30대였다. 당시로서는 지식인이었던 중학교 이상 학력 소지자도 열에 두셋은 됐다. 식민지 시절 일제에 맞서 무장투쟁 혹은 소작쟁의를 벌였던 나이 든 이들도 있었다. 일제로부터 해방만 되면 수탈과 착취가 없는 자유롭고 평등한 사회가 도래할 것이라고 믿던 이들이었다. 그러나 미군정은 일제에 부역하며 수탈을 대행했던 자들, 형제를 총알받이로 징용하고 누이는 성노예로 끌고 가던 자들을 중용했다. 땅이나마 가질 수 있을까 기대했지만, 지주들만 헐값에 더 많은 땅을 가져갔다. 적산도 부자들 차지였다. 저항했다가는 소작지마저 뺏겼고, 빨갱이로 몰렸다.

그들이 새로운 세상으로 생각했던 인민공화국은 불과 2개월여 만에 엎어졌다. 구림·쌍치·복흥·덕치·칠보·운암·팔덕·강진·태인·청웅면의 머슴, 소작, 이상주의자들은 회문산 일대로 모여들었고, 그곳에서 유격병단을 꾸렸다. 그러나 뜻만 컸던 오합지졸. 1950년 10월 국방군이 토벌사령부를 구성하고 대규모 공세에 나서면서 가마골 본부는 불과 한 달도 안 돼 허무하게 무너졌다. 본부는 회문산으로 퇴각했다. 회문산은 저들의 몸과 꿈을 지켜주리라 믿었다. 오래전부터 옛사람이 기대했던 것처럼.

『정감록』이 꼽는 승지 중엔 '순북順北 20리'가 있다. 인근 사람들은 그것을 순창 북쪽 20리, 회문산으로 이해했다. 그래서 난리가 나면 피난민이든 저항군이든 회문산으로 들어왔다. 임진왜란 때도 그랬고, 동학농민혁명 때도 그랬고, 구한말 항일의병전쟁 때도 그랬다. 일제에 병탄됐을 때도 그랬고, 해방 공간에서도 그랬다. 동학혁명군의 지도자 전봉준은 쌍치면 피노길로 피신했었고, 의병장 최익현·임병찬·양윤석은 회문산을 중심으로 정읍·임실·순창에서 최후의 저항 진지를 구축했다. 그러나 모두 그곳에서 체포되거나 전사했다.

회문산의 빨치산도 마찬가지 운명. 회문산에 모여든 이들은 병단체제로 개편돼 회문산 중앙과 외곽에 배치됐다. 남쪽 덕치면 쪽의 성미산 미륵정이 벼랑 일대는 백암 벼락병단, 동쪽 정면 엽운산엔 번개병단, 북쪽 이여터 방면은 탱크병단, 서북면은 독수리병단과 임실군당 유격대가 맡았다. 전북도당 사령부 주변은 별도의 보위병단이 지켰다. 그러나 모두 합쳐야 700여 명 남짓. 사방팔방을 에워싼 국방군의 적수가 될 수는 없었다. 인민군 입장에서도 사실 빨치산들은 후방 교란을 위한 사석死石이었다.

"투구봉의 전경은 한마디로 처참했다. 중부 능선을 시퍼렇게 덮으며 밀려오는 국군 부대에 수백 명의 전투원들이 총탄과 수류탄으로 맞섰다. 곳곳에 흥건히 고인 빗물이 피와 흙으로 뒤범벅이 되었고, 부상자고 전투원이고 이미 사람의 몰골이 아니었다. 생지옥이었다." 소설 『남부군』은 회문산 빨치산이 지리산으로 탈출하기 직전 투구봉 전투 장면을 이렇게 그렸다.

"돌아서면 무덤이고 발에 차이는 게 유골이었대요. 훗날 비목이라도 세워 그곳이 무덤임을 일러주었지만, 예전엔 돌무더기나 흙무더기였죠. 처음엔 밤마다 그곳에서 귀곡성과 오열이 들리는 듯했고, 등줄기가 서늘해져 잠을 이룰 수 없었습니다. 마을 어른들은 비구니 스님이 어떻게 그런 곳에서 혼자 사느냐고 걱정하셨죠. 피아를 떠나 불행하게 가신 분들을 위해 기도하다 보니 이젠 그런 소리는 안 들리죠." 만일사 주지 스님이 따라주는 차는 이야기가 깊어갈수록 청록이 선홍으로 바뀌었다.

회문산을 떠난 빨치산은 지리산으로 향했다. 멀리 깃대봉이 보이고, 그 너머로 지리산 연봉이 아득하게 펼쳐진다. 산능선 탈출로 아래로는 섬진강이 흘렀다. 진메 · 천담 · 구담 · 회룡 · 내룡 등 강마을엔 매화가 하나둘 피고 있었을 것이다. 배는 고픈데, 실없이 향기로워 허기만 더해주던 꽃, 허기가 지나치면 아득하니 몽롱한 꿈속을 걷게 하던 그 꽃. 김용택 시 속 그 애의 웃음 같고, 그 여자의 살내음 같고, 아 그리운 어머니, 어머니는 이 못난 아들 때문에 얼마나 가슴 졸이며 피눈물 흘리실까.

회문산 눈물 젖은 능선과 피 어린 골짜기의 사연들은 계류에 실려 섬진강으로 흘러갔다. 몸서리 치던 가난과 굶주림, 그래도 살아남게 했던 꿈, 죽음과도 바꿀 수 없었던 이상, 그러나 결국 비참한 죽음. 안정리 아이들은 굴러다니는 해골을 차며 놀았다. 꽃잎보다 가볍고, 햇살보다 반짝이는 물길이 그렇게 무겁고 서러운 데에는 그런 까닭이 있었던 것이다. 아마도 강마을 꽃들은 섬진강이 불러낸 그들의 넋일 것이다. 그들의 꿈, 이상, 열정 그리고 서러움이었을 것이다.

그럼에도 섬진강은 짐짓 태연하게, 그저 두런두런 거리며 흘러간다. 남원으로 곡성으로 구례로, 그리고 더 큰 상처를 안은 지리산 자락을 감싸 안고 흐른다. 거기서 더 많은 원혼을 불러내고, 더 많은 꽃을 피워낸다. 매화 · 왕벚 · 개불알꽃 · 솔채 · 제비꽃 · 꽃다지……. 아름다움이 지극하면 서럽다고들 말하지만, 지극한 서러움은 아름다움 그 너머에 있는 법. 섬진강이 결국 내 안으로 흘러들어 두고두고 여울지는 건 그 때문일 것이다.

다 그렇게
흘러가리니

금천이 섬진강으로 흘러드는 강 언덕에 야영 터를 잡았다. 떠내려오는 개울물이 꽃잎으로 하얗다. 금천을 거슬러 백운산 정상에서 뻗어내린 두 산줄기에 안긴 산마을 평촌·서동·동동엔, 골과 산자락이 온통 희뿌연 걸 보니 필시 꽃구름이 내려앉았을 것이다. 예니레 전만 해도 이 강 언덕 매실밭에도 꽃그늘이 제법이었을 터. 코끝으로 슬그머니 스친다는 매향으로 정신이 아뜩했다.

시퍼런 대밭에서 우수수 바람이 불어오면 꽃잎이 눈발처럼 날리고, 소줏잔에도 몇 점 내려와 앉았다. 대밭 아래 섬진강 물살이 흐르는 듯 멈춰 있다. 물길 따라 강 건너 길게 누운 모래톱은 희고 부드러운 것이 슬쩍 드러낸 그 여자의 종아리 같다.

달은 상현, 이미 백운산 꼭대기에 걸려 있었다. 초저녁부터 하나둘 떠오르던 별이 하늘을 덮었다. 강이 잠드는가 싶더니, 하늘에 은하수가 흐르는 것이었다. 지상의 꽃들이 하늘의 별이 되고, 땅의 눈물이 하늘의 은하수로 흐르는 시간. 마주보는 하늘의 강과 땅의 강이 서로를 가슴에 안고 흐른다.

내 안으로 흐른다더니, 과연 섬진강은 상류에서나 하류에서나, 소리도 없고 포말도 없었다. 섬진강댐 밑 강진면 강마을에서도 그렇고, 덕치·일중으로 넘어오면서도 그랬다. 회문산이 토해내는 안정천과 구림천이 합류하는 곳에서나 잠시 어깨를 들썩일 뿐 곧 잠잠했다. 진메마을 앞에선 얼마나 게을렀던지, 한참 뛰어놀 흑염소 새끼조차 풀밭에 등을 부비며 눈만 꿈벅거리고 있었다. 구담마을 벼랑을 치며 내룡마을을 휘감아 돌 때 잠시 물거품이 일었지만, 그것도 한순간 장구목에 들면서 다시 잠잠해졌다.

60~70년 전 회문산으로 쫓겨나고 다시 지리산으로 쫓기던 산사람들의 발길도 그랬을 것이다. 돈 많은 늙은이 첩실로 팔려가는 누이의 발걸음도 그랬을 것이고, 병들고 늙은 부모 두고 서울로 품 팔러 가는 남정네의 발길도 그랬을 것이다. 가다가 서고, 또 가다가 돌아서고, 어깨를 들썩이다가 또 가고……. 그러나 결국 흘러가고 마는 것.

옛날 유대왕 다윗은 보석세공사에게 반지를 주문하면서 이렇게 명했다던가. "승전해 기쁨이 넘칠 때 교만하지 않게 하고, 절망에 빠졌을 때 좌절하지 않게 할 문장을 새겨넣으라." 세공사는 고민하다가 왕자 솔로몬에게 조언을 구했다. 솔로몬은 이런 글귀를 줬다. "이 또한 지나가리라."

전날은 청계동 계곡이 멀리 보이는 강 마을 언덕에 자리를 잡았다. 강은 향기롭고 산은 아름답다는 순창의 향가마을을 지나고, 온갖 이름이 새겨진 강변 들판을 가로질러 다다른 남원 석촌마을 초입이었다. 이편은 원대머리, 누룩오리, 큰언덕, 큰뱀, 피리뱀, 구정들이고, 저편은 뱃길, 홍원평, 섬, 방천, 신구절들이었다. 강은 노을의 강, 들 또한 노을의 벌판이었으니, 크고 작은 들과 깊고 얕은 호소가 저마다의 색깔로 타오르고 있었다.

청계동 계곡을 벗어나 곡성 들판, 횡탄정을 지나 다시 계곡으로 들어서면, 강 저편 산비탈을 타고 전라선 철길이 게으르게 나 있다. 울타리 없다는 가정마을 다음 역은 압록. 저편으로는 천덕산·공방산·호봉산이 말처럼 내달리고, 이편 역시 뒤질세라 숨가쁘게 달리던 무명봉들이 강을 넘지 못하고 우뚝 멈춰선 곳, 그 비탈에 압록은 있다. 흐르지 않을 것만 같던 강은 벌써 300리 길을 흘러온 것이다. 그곳에서 섬진강은 보성강을 받아들인다. 그렇게 많은 아픔을 받아들였으니 강심은 맑은 적이 없었지만, 이제야 시름을 털어냈는지 한결 맑고 투명하고 가벼워졌다.

달빛과 별빛이 텐트를 화폭 삼아 매화를 치고 있었다. 가끔씩 나무는 부르르 떨었고, 그때마다 꽃잎이 흩어졌다.

한낮의 섬진강은 적요했지만, 그 새벽은 소란스러웠다. 강 저편인가 이편인가, 새벽 도량석이 울리자 장닭 한 놈이 높이 홰를 쳤다. 그러자 강 마을 이편저편의 장닭이 일제히 목청껏 울어댔다. 새벽 예불이 끝날 때까지 소란은 계속됐다. 직박구리 떼가 대나무 숲에서 바글바글 울어대고, 산에는 휘파람새, 강변엔 청호반새가 지저귈 때쯤 지리산 자락으로 동이 트기 시작했다. 산비둘기가 강을 가로지르고, 가마우지 떼는 물길 따라 편대 비행을 하고, 갈대 숲에서 튀어오른 장끼의 외마디 울음이 하늘을 찔렀다. 그때쯤 몸을 풀기 시작한 물안개가 강 마을을 덮기 시작했다.

남도다리 건너 화개도 물안개가 자욱했다. 해방되고 난 이듬해던가 그다음 해던가. 소설가 김동리金東里는 쌍계사 매화가 좋다길래 동무들과 길을 나섰다. 화개천이 섬진강에 합류하는, 쌍계사로 오르는 길목에 화개가 있고, 마침 장이 섰으니 고이 지나칠 위인이 아니다. 남의 인생길 훔쳐내는 게 소설가의 팔자였으니, 술 한잔 따르다 끝내 육자배기를 참지 못하던 주모의 사연을 가만둘 리 없다. 구구절절 풀어낸 것이 소설 『역마』였다.

'우수 경칩도 지나, 청명 무렵의 비가 질금거릴 즈음'이었으니, 때는 꼭 지금이었다. '(옥화의) 주막 앞에 늘어선 버들가지는 다시 실같이 푸르러지고, 살구·복숭아·진달래들이 골목 사이로 산기슭으로 울긋불긋 피고 지고' 하는 중이었다. 계연을 떠나보내고는 1년째 앓아누워 동리 사람들이 '다시는 회춘하지 못하리라' 안타까워하던 성기가 자리를 털고 일어난 것도 그때였다.

그런 성기를 앉혀놓고 어미 옥녀는 사연을 털어놓았다. 37년 전이었다. 장터 주막에 머물던 남사당패 우두머리는 주모에게 옥녀를 잉태하고는 훌쩍 떠났다. 어미는 그런 역마살 낀 남정네를 기다리다가 세상을 떴고, 주막을 이어받은 옥녀는 떠돌이 중에게 씨를 받아 성기를 낳았다. 1년 전 찾아온 체 장수는 그 옛날 바로 그 남사당패였고, 그의 손에 딸려온, 살구꽃 향기 나는 처자는 영감이 또 어디선가 얻은 딸 계연이었다. 어머니에겐 이복동생이었고, 성기에겐 이모였던 것이다.

엿장수로 나선 성기 앞에는 두 갈래길이 있었다. "작년 이맘때 계연이 울음 섞인 하직을 남기고 체 장수 영감과 함께 넘어간 산모롱이 고갯길은 퍼붓는 햇빛 속에 지금도 환히 장터 위를 돌아 구례 쪽으로 향했으나, 성기는 한참 뒤 몸을 돌렸다. 그리하여 구례 쪽을 등지고 하동 쪽을 향해 발을 옮겼다." 어머니의 주막이 시야에서 사라져갈 무렵 성기는 "육자배기 가락으로 제법 콧노래까지 웅얼거리며 가고 있는 것이었다."

"영산 홍로 봉접비 허니, 옥화 홀로를 허느라고 우쭐우쭐 진달화요, 웃고 피는 목단화라, 낙화는 점점 편편 홍이요, 나는 언제 죽어 꽃이 되며, 우리 님 어느 시절에 죽어 나비 될 거나……. 헤, 춘풍도리 화개야의 꽃만 피어도 임의 생각 양우 문령 단장성의 비소리 들어도 임의 생각 추우 오동 엽락시의 낙엽만 떨어져도 임의 생각이로거나"(육자배기).

3대에 걸친 역마살과 한이 화개에 있다면, 하동 쪽 평사리엔 소설 『토지』 속 인물 군상의 통한이 대하처럼 흐른다. 금천을 건너 지척인 곳에 죽천마을이 있고, 그 강 건너에 악양루가 있다. 소설 무대인 악양들판이 시작하는 곳이다.

『역마』와 달리 『토지』가 그리는 봄은 무채색이었다. "나날이 짙푸르게 달라져 갔다. ……마을의 인심은 하느님 마음씨하고 통한다. 후하고 박한 것은 노상 일기에 좌우되는 것이다. 아직은 논바닥에 물이 질척히 괴어 있었지만 마을을 찾아드는 방물장수 도부꾼들은 곡식을 바꾸기가 어렵게 되었고 요기를 청하기에도 눈치를 보게 되었다. ……조급한 농가에서는 아낙들 아이들이 들판을 쏘다니며 벌써 쇠어버린 비름을 뜯고, 나물밥, 시래기죽을 쑤었다. 칡뿌리를 캐어다 칡가루를 만들어 저장하기도 했다."

남편의 명복을 빌기 위해 절에 머물다가 김개주에게 겁탈당해 아들(김환)을 낳은 최 참판댁 할머니 윤씨 부인, 동학의 접주가 되었다가 참수당한 김개주, 최 참판댁 종으로 들어왔다가 별당아씨(형수)를 둘러업고 달아난 김환, 병약한 별당아씨는 묘향산에서 죽었다. 그런 할머니, 어머니 밑에서 자란 서희였다. 주인 서희를 사랑하던 길상과 그런 길상을 사랑하던 봉순네, 용이와 월선의 비련, 서희를 연모하다가 자살한

의사 박씨와 그를 가슴에 새긴 서희. 저마다 가슴은 한산 세모시처럼 한으로 하얗게 바랬다.

흐르는 것이 어찌 강물뿐이랴. 사랑도 꿈도 원망도 세월의 강물에 흐르고, 그리움도 기다림도 흐르고, 납덩이 같은 한도 흘러가는 법. 아마도 골짝마다 골물에 실려오는 그 납덩이 같은 통한 때문이었을 것이다. 섬진강이 그렇게 쉬이 가지 못하고, 가는 듯 멈추고, 멈춰서는 안으로만 흘러드는 까닭은 말이다.

죽천마을에서 오리 거리에 매화마을이 있다. 이청준 원작의 『선학동 나그네』를 영화로 각색한 임권택 감독의 「천년학」의 한 장면. 죽음을 앞둔 백사 노인은 매화 만개한 날, 장님 소리꾼 송화 옆에 눕는다. 건듯 바람에도 혹은 꽃잎이 흩날리고, 혹은 무너져 내리고 있었다. 장님 송화는 백사의 죽음을 직감했다. "꿈이로다. 꿈이로다. 모두가 다 꿈이로다. 너도나도 꿈속이요. 이것저것이 꿈이로다. 꿈 깨이니 또 꿈이요. 깨인 꿈도 꿈이련만 꿈에 나서 꿈에 살고. 꿈에 죽어가는 인생 부질없다……"(「흥타령」).

섬진교가 지척이다. 경상도 땅 하동과 전라도 땅 광양이 만나는 곳. 그 너머는 모래톱도 없고, 왕버들 대나무 숲도 없다. 발길을 떼지 못하던 섬진강도 결국 바다에 이른 것이다. 육자배기 흥타령 가락이 바람에 섞여 사라지듯, 섬진강이 안고 있던 그 모든 것도 바다가 되었다.

'돌아가고 싶다, 그 애 곁으로'

수화기로 신호음이 울린다. 한 번, 두 번, 세 번……. "굳이 물어볼 필요가 있을까? 시 속의 그곳이라면 상상해야 할 일이지, 꼬치꼬치 확인할 필요까지야……."

충주 노은면 연화리 노은초등학교. 교장 선생님이 훈화도 하고, 체육 선생님이 보건체조 시범도 보였을 보련대에 기대어 서성인다. 느티나무 두 그루가 운동장 중간 왼쪽과 오른쪽 모서리 하늘을 가리고 있다. 교문엔 문이 없다. 기둥 두 개만 있어, 그곳이 교문이라는 것만 일러준다. 이리로 드나드시게……. 아이들에겐 무문관이다. 생활지도 선생님이 서 있을 법한 자리엔 느티나무와 형제쯤 되어 보이는 늙은 은행나무 한 그루가 대신 서 있다.

"이웃 가게들이 다 불을 끄고 문을 닫고 난 뒤까지도 그 애는 책을 읽거나 수를 놓으면서 점방에 앉아 있었다. 내가 멀리서 바라보며 서 있는 학교 마당가에는 하얀 찔레꽃이 피어 있었다. 찔레꽃 향기는 그 애한테서 바람을 타고 길을 건넜다……"(신경림, 「찔레꽃은 피고」).

은행나무 뒤에 섰다. 둥치는 수줍은 소년의 작은 몸을 가리기에 충분하다. 지금은 식당 뒷담이 되었지만, 70여 년 전 그 애가 학교를 다닐 땐 무성한 찔레꽃 넝쿨이 담장 노릇을 했나 보다. 신작로(노은중앙로)를 사이에 두고 식당 맞은편엔 낡은 문방구 하나 있다. 무너져 내릴 듯한 슬레이트 지붕을 받치는 나무기둥이 오랜 풍상에 슬었다.

무심도 하지, '그 애'는 밤늦도록 하얀 찔레꽃 넝쿨 사이로 눈을 주지 않는다. 책을 읽거나 수를 놓을 뿐. 찔레꽃 향기가 그 애에게서 흘러나오는 것이라고 위안하며 소년은 그날도 발길을 돌렸을 것이다. 전쟁이 날 때까지. "찔레의 빨간 열매가 맺히기 전에 전쟁이 나고, 그 애네 가게는 문이 닫혔다. 그 애가 간 곳을 아는 사람은 없었다."

그러나 소년은 언제까지나 '그 애'를 응시하며 자랐다. 찔레나무가 잘려 나갈 때까지, 초여름 찔레꽃 향기에서 그 애를 보고 느꼈다. "오랫동안 그 애를 찾아 헤매었나 보다. 언제부턴가 그 애가 보이기 시작했다." 강나루 분교에서, 산골읍 우체국에서, 활석 광산 뙤약볕 아래서, 서울의 뒷골목에서, 항구의 술집에서, 읍내의 건어물점에서, "그 애를 거듭 보면서 세월은 가고, 나는 늙었다……."

그런 목마름 때문인지 소년은 어려서부터 집에 붙어 있질 못했다. 노은면 연화리에서 앙성면 남한강변으로, 엄정면 목계나루로, 그리고 광산으로 바다로, 바다 건너로 그는 오랫동안 헤맸다. 하다못해 '메데인에서 디트로이트에서 이스탄불에서 키예프 따위의 낯선 이국의 도시'에서도 그 애를 찾았다.

「사진관집 이층」에는 신경림申庚林, 1936~ 시인의 '그 애'가 셋 나온다. 어머니와 할머니, 아내 등 가난하게 살다가 가난하게 떠난 여인도 셋 나온다. 여인 셋은 제 핏속을 흐르는 사람들이고, 그 애 셋은 언젠가부터 제 마음에 깊은 물길을 내고 흐르던 짝사랑이었다. 애잔함을 견줄 수 없다.

이제는 파릇한 봄빛 새 교사, 그러나 70여 년 전 교실은 삐걱이는 목조 교사였을 것이다. 거기서 소년은 꿈만 꿀 뿐 당최 공부를 할 수 없었다. 초등학교 5학년 시절 담임은 별을 좋아하는 여선생님이었다. "하루에 한두 번은 꼭 꿈을 꾸는 눈으로 별 얘기를 했다. 카시오페이아, 페르세우스 그리고 작은곰자리, 큰곰자리. 노래하는 것 같은 감미로운 그녀의 얘기를 들으며 나는 별나라에 사는 나 같은 어린이는 무슨 놀이를 하며 놀까 궁금해 견딜 수 없었다./ 그 별나라들을 두루 돌고 싶다. 네 숨결을 타고, 열 살로 돌아가 네 부드러운 등에 업혀서……"(신경림, 「네 머리칼을 통해서, 네 숨결을 타고」). 담임선생님은 슬그머니 '그녀'가 되었고 '네'가 되었다. 오호, 잔망한 것.

"강 언덕에 위태롭게 앉은 집이 사공이 사는 오두막이었다. 다리를 저는 사공이 기우뚱대며 배를 미는 동안 그의 딸은 이마를 덮는 앞머리를 쓸어올리며 빈대떡을 부쳤다. 종일 그 집 툇마루에 앉아 구렁이처럼 꿈틀대는 강물을 구경하고 싶다는 내 생각은 한 번도 이루어진 일이 없다./ 그 툇마루에 가 앉아 있고 싶다, 네 등 뒤에 숨어/ 네 가슴팍 사이에 숨어, 너로 해서 비로소 스무 살이 되어." 이번엔 뱃사공 딸이다. 바람에 찰랑거리는 머리카락만 보아도 살구꽃 냄새가 나던 그 애. 철 들면서 그는 담장 너머로 훔쳐보지도 못하고, 강 건너 나루에 앉아 상상만 하며 가슴앓이를 했다.

초등학교 4학년 땐가 당숙의 손에 이끌려 목계나루를 건너 목계장터

엘 처음 갔다. 그때 보고 느낀 것을 담았던 글이 학교에 알려지면서 아이는 이미 꼬마 시인이 되어 있었다. 나이 들어서 그가 목계장터를 서성일 때는 수배자 신분이었고, 그가 경찰에 체포된 곳은 목계나루 근처였다. '구렁이처럼 꿈틀대며 흘러가는' 강물이 훤히 내려다보이는 자리엔 지금도 민물고기 매운탕을 끓이는 주막이 있다. 시인만큼이나 늙은 여주인은 무슨 사연인지, 주막 입구에 '목계장터' 시비를 세웠다. "……민물새우 끓어 넘는 토방 툇마루/ 석삼년에 한 이레쯤 천치로 변해/ 짐 부리고 앉아 쉬는 떠돌이가 되라네……"(신경림, 「목계장터」).

"안개는 많은 것을 감추고 조금만 보여 주어/ 빈 쪽배가 보이고 산 넘어가는 오솔길이 보인다// 내가 좋아하던 아이는/ 저 쪽배를 타고 떠나 돌아오지 않았다……"(신경림, 「강마을이 안개에 덮여」). 처음으로 '내가 좋아'했다고 고백한 아이다. 연화리마을 앞으로는 제법 큰 한포천이 흐른다. 그 아이는 한포천 그 어딘가 나루에서 배에 올랐을까?

그토록 마음속에 바람이 가득했으니, 소년은 밤이고 낮이고 쏘다녔다. 지긋이 붙어 있질 못했다. 집 앞의 느티나무를 돌고 마을 앞을 지나 신작로 나가면 정미소가 있고, 연초조합이 있고, 말강구네 밤나무집이 있고, 친구 어머니가 빈대떡 부치는 술집, 양조장과 문방구와 잡화점과 포목점이 있고, 그 길 끄트머리쯤 할머니가 국수틀을 돌리던 가게가 있었다. 지금은 손바닥만 하지만, 그때 그 아이에게 연화리 골목길과 신작로는 숨이 차도록 멀었다. 하지만 그 애가 있는 점방이 있고, 어디선가 마주칠지 모르는 그 애가 있고, 별을 좋아하는 선생님이 있었으니, 풀방구리 드나드는 쥐처럼 쏘다녔다.

그러면 쪽배를 타고 떠난 아이는? 그 뒤를 잇는 건 어머니와 할머니가 가신 길이다. "저 오솔길은 어머니와 할머니가/ 쉬엄쉬엄 요령 소리에 얹혀 넘어가던 길이다// 이윽고 쪽배도 오솔길도 덮으면서/ 안개는 안개만을 보여 준다"(신경림, 「강마을이 안개에 덮여」). 떠나고는 돌아오지 않는 그 아이의 쪽배와 어머니와 할머니의 상여……, 그 그늘이 서늘하다.

시인이 서서 응시하던 곳은 그러나 연화리마을 한포천은 아니었을 것이다. 그곳은 물안개에 제 몸을 숨길 만큼 물길이 넓지도 않고, 나룻배가 아이와 보호자를 태우고 흘러갈 만큼 깊지도 않았다. 돌아서면 보련산 신씨 문중 묘로 들어가는 오솔길이 보이지만, 한포천은 물안개만을 보여 줄 만큼 물안개가 많이 피어오르지도 않는다. 게다가 거기엔 저의 공연히 서러운 속울음을 대신 울어줄 갈대도 없다.

초등학교 뒤, 논을 질러가면 그의 집이다. 어머니는 집에서 언덕밭까지, 고향살이 서른 해 동안 오직 그 길만 오갔다. 마을길을 지나 신작로를 질러 개울을 건너 언덕밭까지, 꽃도 구경하고 새소리도 듣고 물고기도 들여다보면서. 돌아가신 뒤에는 언덕 밭 너머 뒷산에 묻혔다. "집에서 언덕 밭까지 다니던 길이 내려다보이는 곳"이다(신경림, 「정릉동 동방주택에서 길음시장까지」).

그 신작로를 따라 보련산을 오르면 하남고개, 고개 너머엔 앙성면, 능암온천을 지나 다시 양지말산고개를 넘으면 조터골. 남한강이 오가는 범선과 뗏목으로 붐비던 시절, 뒷산에서 베어낸 가죽나무 출하장이었던 조대나루터가 강 건너 복탄나루와 마주하고 있었다. 곁엔 온통 갈대뿐인 비내섬. 쪽배 타고 떠난 그 아이와 뱃사공 집 딸에 대한 막연한 그리움으로 몸살을 앓던 그 소년 혹은 청년이 갈대밭 수수대는 소리에 저의 울음을 감추기에 안성맞춤인 곳이다. "……그런 어느 밤이었을 것이다. 갈대는/ 그의 온몸이 흔들리고 있는 것을 알았다// 바람도 달빛도 아닌 것/ 갈대는 저를 흔드는 것이 제 조용한 울음인 것을/ 까맣게 몰랐다/ 산다는 것은 속으로 이렇게/ 조용히 울고 있는 것이란 것을/ 그는 몰랐다"(신경림, 「갈대」).

양지말산 남쪽 할미바위에서 봉황섬을 오른쪽에 두고 강변으로 돌아서면, 산기슭이 남한강 모래톱과 만나 손금처럼 이어지는 오솔길. 또 다른 청춘은 지금도 그 유장한 풍경에 눈물을 무던히도 뿌리겠지만, 돌아온 시인에게 그 길은 이제 슬프지도 아프지도 않다. 슬프지 않아도 아름다운 곳. 외롭지 않아도 사무치는 곳. 그곳에서 지켜보는 그 옛날 소년의 기다림과 그리움은 얼마나 눈부신가. 그 아이의 설렘은 얼마나 싱그러운가. 비내길 강변 갈대와 숲속 나무 사이사이엔 그 보석 같은 것들이 곳곳에 박혀 있다. 그래서 이렇게도 노래할 수 있었나 보다. "살얼음 속에서도 젊은이들은 사랑하고, 손을 잡으면, 숨결은 뜨겁다"(신경림, 「정월의 노래」).

자신보다 자기를 더 사랑했던 아내도 어머니도 할머니도 갔다. 이제 다만 돌아가고 싶은 것이다. 서른으로. "나이 서른으로 돌아가, 너와 함께. 네 눈을 통해서, 네 입술을 통해서, 네 머리칼을 통해서." 스물로. 강 언덕 사공네 집 "그 툇마루에 가 앉고 싶다, 네 등 뒤에 숨어. 네 가슴팍 사이에 숨어, 너로 해서 비로소 스무 살이 되어." 열 살로. "그 별나라들을 돌고 두루 돌고 싶다, 네 숨결을 타고, 열 살로 돌아가 네 부드러운 등에 업혀서."

돌아가 낙타와 고래와 함께, 기적소리 뿌우뿌우 울리고 지나가는 기차 소리 들으며, 새로운 세상으로 가는 첫날을 살고 싶은 것이다. "그 다락방에 가 머물고 싶다/ 아주 먼 데서 찾아왔을 그 사람과 함께 누워서/ 덜컹대는 기차 소리를 듣고 싶다/ 살아보지 못한 새로운 세상으로 가는 첫날을/ 다시 삐걱대는 사진관집 이층에 머물고 싶다"(신경림, 「사진관집 이층」). 그것이 어찌 늙은 시인만의 꿈일까.

한반도
'중립의 초례청'

"……(한강을) 옛날에는 한산하라고 했다. (아차산에 이르러) 광진이 되고 삼전도가 되고 도모포가 되니, 한양 남쪽에서 드디어 한강나루를 형성한다. 여기서 서쪽으로 나가 서강이 되고, 금천 북쪽에서 양화도가 되고, 양천 북쪽에서 공암진이 되고, 교하 서쪽에서 임진강과 합하여 통진 북쪽에 이르러 조강이 되어 바다로 들어간다"(『신증동국여지승람』에서).

이제는 기호로만 남아 있는 여러 지명 가운데 특히 생소한 것은 조강이다. 지도에도 표기되어 있지 않고, 교과서에도 없으며, 학교에서 가르치지도 않는다. 이명박 정부가 한반도 대운하를 추진하면서도 조강은 언급하지 않았다. 엄연히 존재하지만 존재를 부정당하고, 가장 예민한 곳이지만 무관심과 망각을 강요당하는 강이다. 분단이 빚은 조강의 비극이다.

『신증동국여지승람』이 서술하고 있듯이, 조강은 한강과 임진강이 합수하면서 어느 한쪽 이름을 붙이기 어려워 탄생했다. 경기도 파주 오두산전망대 앞이 조강의 출발점이고, 강화도와 교동도를 지나 볼음도에서 소멸한다. 남북의 대치는 조강을 따라 이어지지만, 그렇다고 이 구간을 군사분계선으로 지정하고 있지 않고, 비무장지대도 설정되어 있지 않다. 정전협정에 따른 군사분계선은 동쪽의 강원도 고성 북단에서 시작해 서쪽으로 경기도 파주시 탄현면 만우리, 한강과 임진강이 합류하는 지점에서 끝난다. 이후 조강에 대한 공식 명칭은 놀랍게도 중립수역이다. 따라서 이념과 체제, 그리고 외세로부터 자유로운 곳이다. 형식적으로는 남북 민간인의 항행도 자유로운 곳이다. 세상에나! 한뼘의 영토라도 더 확보하려던 남북 사이에 이런 곳이 존재하다니…….

2000년 6·15남북공동선언 열흘 뒤인 6월 25일 사진작가 이시우 등의 주도로 민예총, 문화연대, 국제평화예술인연대 소속 문화예술인들이 서울 마포에서 평화의 배를 띄웠다. 남도 북도 없고 좌도 우도 없는, 남과 북 누구나 드나들 수 있는 바로 그 평화지대로 나아가겠다는 것이었다. 마포에서 떠난 배는 그러나 김포대교 아래 신곡수중보를 넘지 못해, 휴전선을 관할하는 유엔사의 저지도 받을 새 없이 좌초했다.

2005년 7월 27일 그들은 다시 도전했다. 이번엔 서해에서 거슬러 올라가기로 했다. 유엔사의 협조를 구했다. 정전협정 부속합의서 중 '민간선박항행규칙'에 따른 선박등록조항 때문이었다. 그러나 유엔사는 '수로의 안정성이 확보되지 않았다'라는 이유로 등록을 허락하지 않았다. 다만 접근까지 막지는 않았다. 문화예술인을 태운 35톤급 작은 배는 교동도와 마주보고 있는 창후리 선착장을 출발해 강화도 북단 조강 문턱에서 항해를 멈춰야 했다.

으뜸 되는 강이라는 뜻의 조강祖江. 그 조강이 빚은 하구는 태반 형상이었다. 황해도 연안반도와 김포반도로 이어지는 만곡의 해안선은 모태와 같았고, 그 안에 다소곳이 웅크리고 있는 강화도는 태아였고, 남과 북과 동에서 흘러드는 한강·예성강·임진강 물줄기는 탯줄이었다. 인체의 신비가 생명 탄생에서 정점을 이루듯, 한반도의 신비는 그곳에서 극적으로 구현되었다. 공간적으로는 한반도의 가장 은밀한 곳이요, 시간적으로는 과거와 현재가 미래로 나아가는 관문이었다. 탐사대는 그러나 더 이상 육안으로 살필 수 없었다. 그저 상상하며 더듬을 수밖에…….

오두산전망대에서 한강 너머는 김포반도요, 임진강 너머는 장단반도다. 그 사이를 빠져나가면서 두 강은 차원 변화를 이룬다. 한강·임진강은 조강으로, 군사분계선은 중립수역으로, 극단은 중용으로, 전쟁은 평화로. 남의 자유를 선전하는 애기봉 철탑, 북의 평등을 선전하는 선전마을이 조강을 사이에 두고 서 있지만, 조강은 태평스럽다. 모든 소란과 논란을 그 깊고 무겁고 게으른 흐름 속에 녹여버린다. 적멸, 적정의 강이다.

애기봉을 지나면, 제법 귀에 익은 지명의 섬이 나온다. 조강은 몰라도 그 이름만은 몇 번 들어본 유도다. 1996년 여름 임진강 일대에 큰물이 났다. 소 한 마리가 떠내려오다가 그곳에 표류했다. 남쪽의 초병들이 그 소를 발견하고 유엔사 허락을 받아 데려왔다. 남은 북에 송환하겠다는 뜻을 전했다. '사람은 못 가도 소는 제 고향으로 돌아갈 수 있겠구나.' 국민은 주목했다. 하지만 북은 송환을 거절했다. '우리에겐 소가 많습네다.' 소는 제주도로 보내졌다. 그곳에서 짝을 만나 새끼도 낳고 가정을 이뤘다.

2년 뒤 현대그룹 정주영 회장은 소 1,000마리를 데리고 북으로 갔다. 인간은 누구도 넘지 못했던 휴전선을 소들이 육로로 넘어간 것이었다. 그때 건너간 것은 1,000마리가 아니라 1,001마리였다. 유도에 표류했던 소의 새끼 한 마리가 포함되어 있었다. 그로부터 휴전선에 작은 통로가 뚫리기 시작했다.

조강은 유도에서 두 갈래로 나뉜다. 남쪽으로 꺾여 김포반도와 강화도 사이로 흐르는 게 염하다. 본류는 강화도 북단과 북의 연안반도 사이로 나가 강화만을 이룬 뒤 서검도와 볼음도를 거쳐 빠져나간다. 수운이 성했을 때 남에서 한양으로 가는 배들은 염하를 통했고, 북쪽에서 오는 배들은 조강을 거슬러 갔다.

섬의 강화도 쪽 둔덕엔 연미정이 있다. 제비꼬리처럼 두 줄기로 갈라지는 조강을 알뜰하게 조망할 수 있는 정자다. 연미정에서 조강을 따라가면 승천포, 염하를 따라가면 갑곶이 있다. 몽골 침략기 고려 고종과 무신정권, 정묘호란 때 조선의 인조가 강화도로 피신하면서 배에서 내린 곳이다. 인조가 항복문서에 서명한 곳은 연미정이었다.

염하 주변은 무능한 왕조의 굴욕과 애꿎은 민중의 피눈물이 켜켜이 쌓여 있다. 무능한 왕조는 몽골과 금, 청의 침략을 자초한 것만이 아니었다. '사대'의 망령 속에 쇄국을 고집하다가 서구 제국주의의 침략도 초래했다. 1866년 프랑스 극동함대는 갑곶진에 상륙해 강화산성과 문수산성을 점령하고, 궁궐을 불태웠고, 외규장각도서 등을 약탈했다. 5년 뒤 미국 함대는 초지진·덕진진·광성진 등을 유린했다. 일제는 1875년 초지진 앞에서 운요호와 충돌을 유도해, 이듬해 병자수호조약을 강제했다. 모두 염하에서 일어난 사건이었다.

유도에서 서진한 본류는 강화도 월곶리와 북쪽의 개풍군 해창리 사이로 흐른다. 북쪽의 해창리 돌출 절벽을 만나면서 강폭은 갑자기 좁아진다. 양안 거리는 1.8킬로미터. 한강 하구에서 가장 좁다. 국민의 정부 당시 김대중 대통령은 개성공단이 조성되면서 이곳에 다리를 놓으려 했다. 개성까지는 불과 18킬로미터. 중립수역 조강 덕에 다른 비무장지대와 달리 지뢰도 깔려 있지 않았다. 게다가 그곳은 군사분계선도 아니었으니 유엔사의 간섭도 피할 수 있었다. 민족의 혈맥을 잇는데 이보다 더 좋은 곳은 없었다. 그러나 그 '평화의 다리'는 아직 도면으로만 남아 있다.

강화도 북단 철산리의 평화전망대가 우두커니 북녘을 바라본다. 망원경에 눈을 대면 북쪽 원정리 낡은 집단주택 마당에서 담배를 나눠 피우는 모습까지 볼 수 있다. 망원경이 아니어도 헐벗은 산, 퇴락한 가옥, 웅크린 사람 등 온통 무채색인 마을 모습이 한눈에 들어온다.

멀리 북쪽에서 또 하나의 강이 조강으로 흘러든다. 예성강이다. "예성강 푸른 물에 물새가 울면/ 말하라, 강물이여 여기 젊은 이 사람들/ 말하라, 강물이여 너만은 알리라/ 겨레 위해 쓰러져 간 그때 그 자리 그 사람들"(김원중 작사·작곡, 「예성강」). 6·25전쟁 때 그곳에서 얼마나 많은 젊은이들이 희생됐으면 이런 노래가 나왔을까.

예성강이 합수하면서 조강 하구는 달걀 모양의 강화만을 형성한다. 고려 때 중국은 물론 멀리 대식국(아라비아), 교지국(베트남), 섬라곡국(타이)의 무역선으로 붐비던 곳이다. 예성강 안쪽의 벽란도는 개성의 관문이었다. 고려는 이곳을 통해 세계를 받아들이고, 또 저를 세상에 알렸다. 이때 외국인들은 고려를 코리아라고 부르기 시작했고, 그것이 대한민국의 대외적인 국호가 되었다. 고려의 창업자 왕건王建은 강화만의 해상권을 쥐고 있던 호족이었다. 삼국통일은 바로 그 강화만을 틀어쥔 자가 성취했다.

중립수역은 공교롭게도 정전위원회 당사국들의 게으름이 준 선물이었다. 정전위는 휴전협정 때 강원도 고성 북단에서 경기도 파주 만우리까지 육상경계선(군사분계선)만 획정했다. 만우리에서 서해 해상까지는 공란으로 두었다. 우발적 충돌 가능성이 높아지자 뒤늦게 이른바 북방한계선을 유엔사가 일방적으로 설정했다. 조강 수역에 대해서는 옥신

각신하기 귀찮았던지 유럽의 다뉴브 강 관리 모델을 그대로 적용해 일사천리로 해치웠다. 그 결과가 남북 민간인은 양쪽 강안에서 100미터 떨어진 물길에서는 마음대로 항행할 수 있는 중립수역이다. 북한과 중국 사이를 흐르는 압록강과 두만강에서도 다뉴브 강 관리 규정이 적용된다.

이후 남쪽 군사정전위를 관장하는 유엔사(사실상 미군)는 부속합의서의 등록 조항을 빌미로 민간 선박의 통행을 원천 차단했다. 항행하려는 민간 선박은 군사정전위에 등록하도록 한 것이다. 유엔사는 이 자의적인 규정에 근거해 지금까지 정부의 몇몇 행사를 제외하고는 단 한 척의 민간 선박에도 항행 등록을 받아주지 않았다. 꼬리가 몸통을 흔들어버린 것이다.

그곳이 망각의 지대가 되어버린 건 그 때문이었다. 자꾸 거론되는 게 부담스러웠던지 한국 지도에도 표기하지 않았다. 그렇다고 남도 북도 없고, 좌도 우도 없다는 중립수역의 본질이 사라진 것은 아니다. 압록강과 두만강에서는 유람선도 돌아다니고, 강 위에 다리도 놓고, 강 위에서 간단한 교역도 한다. 소설 『광장』 속의 이명준, 현실 속의 작곡가 윤이상尹伊桑 등 분단의 질곡을 예민하게 느끼고, 그 질곡에 시달리던 이들이 오매불망 꿈꾸던 중립지대인 것이다.

시인 신동엽申東曄은 어쩌면 그곳을 염두에 두고 이런 시를 남겼는지 모를 일이다. "껍데기는 가라/ 사월도 알맹이만 남고/ 껍데기는 가라/ ……(그리하여) 이곳에선, 두 가슴과 그곳까지 내논/ 아사달과 아사녀가/ 중립의 초례청 앞에 서서/ 부끄러움을 빛내며/ 맞절할지니……"(「껍데기는 가라」). 지금 당장이라도 조강 67킬로미터 수역과 유도는 남북의 아사달과 아사녀가 하나가 될 '중립의 초례청'이 될 수 있다. 껍데기와 쇠붙이가 문제일 뿐이다.

제 2 부

어둠이 내리니
감천은 은하였네

열일곱 살 때였다. 신광전 씨가 인쇄소에서 퇴근해 보니 마을이 없어졌다. 판자대기 하나라도 건지려는 사람들이 집터를 헤집고 있었다. 아침까지만 해도 멀쩡했는데……. 집터에는 부친만 우두커니 서 있었다. 곁에는 판자 꾸러미가 쌓여 있었다.

부친이 앞장섰다. 신씨는 판자 뭉치를 짊어지고 그 뒤를 따랐다. 토성동을 지나 아미골에 이르러서야 부친은 입을 뗐다. "저 고개를 넘으면 된다." 반달고개가 눈앞에 바짝 서 있었다. 천마산 가파른 산길을 따라 옥녀봉으로 넘어가는 고개였다. 신씨의 입에서는 한숨이 길게 흘러나왔다.

가족은 2년 전(1953년 10월) 충북 괴산에서 부산역 인근 동광동으로 이사 왔다. 부친이 태극도(증산 강일순의 가르침을 따르는 여러 종파 가운데 하나) 신도여서 신도들이 모여 사는 보수동 인근으로 옮아온 것이었다. 당시 역 주변 용두산과 보수산 산록엔 판잣집이 갯바위와 따개비처럼 다닥다닥 붙어 있었다. 동광동도 그중의 한곳이었다.

19세기 말 개항 이후 부산엔 외지인들이 일자리를 찾아 밀려왔다. 해안선 따라 띠처럼 이어진 좁은 평지는 이미 원주민들로 차 있었다. 이주민들은 산록에 붙었다. 6·25전쟁이 발발하면서 역이나 항구, 시장 등 품 팔기 용이한 곳 주변은 피난민들로 폭발 직전이었다. 이들은 인근 산중턱에서 꼭대기까지 판잣집을 채워갔다. 범일동의 안창마을, 연산동의 물만골, 문현동의 돌산마을과 철탑마을, 아미동 비석마을, 보수동과 동광동 판자촌은 그렇게 형성됐다. 돌산마을과 비석마을 등은 일제강점기 때부터 공동묘지가 있던 곳이었다. 피난민들에겐 급경사이든 공동묘지이든 가릴 계제가 아니었다.

신씨 가족이 동광동으로 이사 오고 사나흘 지났을까. 괴산에서 기차로 탁송한 가재도구 더미에서 이불만 빼내 덮고 자던 날이었다. 판자촌에 화재가 발생했다. '부산역 대화재'였다. 몸만 겨우 빠져나왔다. 칠순의 할머니와 양친, 그리고 네 형제는 남은 가재도구를 챙겨 들고 보수동으로 이사했다. 그곳에서 신씨 가족은 구호단체가 나눠주는 배급 쌀과 모포 등으로 기아와 추위를 겨우 면했다.

1955년 초여름부터 철거 소문이 돌았다. 부산의 관문인 부산역과 부산항 주변을 정비한다는 것이었다. 7월 부산시는 주민들에게 이주를 요구하며 영도 쪽을 제시했다. 열이면 열, 날품팔이였던 이들이 역이나 항구, 시장 주변을 떠나 섬으로 들어갈 순 없었다. 태극도 도주 조철제趙哲濟는 영도 대신 감천동을 요구했다.

감천항 해안가 평지엔 이미 마을이 있었다(감천1동). 태극도 신도들이 이주할 터는 그 마을 뒤편 천마산과 옥녀봉의 해발 50~250미터에 이르는 산록이었다. 해안가에선 쳐다보는 것만으로도 숨이 찬 경사지였다. 도주 조철제는 이렇게 달랬다. "감천은 하늘이 수천 년 동안 은밀히 보존해 온 곳天藏秘地"이며 "하늘의 도를 깨쳐 만손이 복락을 누릴 후천 오만 년의 새 서울일세." 감천의 옛 지명은 검神이 오신다來는 검내였다.

7월 태극도 신도 800가구 4,000여 명이 옮아왔다. 천막으로 임시 거처를 마련한 뒤 반달고개 정상에서 옥녀봉 쪽으로 등고선을 따라 길을 내고, 축대를 쌓아 택지를 조성했다. 워낙 가팔라 축대 10미터를 쌓아야 겨우 한 가구가 들어설 택지를 조성할 수 있었다. 남정네들은 산을 깎고 돌을 캐내고 축대를 쌓고 배수로를 냈다. 아낙네들은 돌과 흙을 날랐다. 코흘리개는 세숫대야까지 들고 따라나섰다.

감천마을이 반달고개 정상에서 옥녀봉 쪽으로 1~4감으로 구획된 것은 그 때문이었다. 태극도는 감별로 책임자를 두어 공사를 할당하고 택지를 배정했다. 마을 중앙에 대강전을 짓고, 그 주위를 5감으로 했다. 다시 천마산 쪽으로 산비탈을 오르며 6~9감을 조성했다. 행정구역상 감천2동(감천마을)은 그렇게 탄생했다.

가구당 돌아가는 택지는 3~5평이었다. 문간에 부엌 딸린 방 1칸이나 들어설 수 있을까. 그곳에서 가구당 평균 다섯 명의 식구가 살았다. 변소는 가로 골목과, 위아래 수직 계단이 만나는 곳에 한 칸씩 두어 공동으로 사용했다. 신씨는 2감의 꼭대기 줄에 택지를 배정받았다. 부친은 메밀밭에 천막을 쳐 임시 거처를 마련한 뒤, 배정받은 택지에 땅을 파고 온돌을 깔고, 판자로 벽을 두르고 지붕을 덮은 뒤 기름 먹인 골판지를 그 위에 덧대었다. 새는 비를 막고, 스며드는 바람을 막자는 것이었다. 반 평 남짓 부엌 자리를 빼니 세 평 정도의 방 하나가 나왔다. 그곳이 일곱 식구의 보금자리였다.

1959년 9월 태풍 사라호가 덮쳤다. 이태 전에도 태풍에 호되게 당했지만, 사라호는 감천동의 거의 모든 판잣집을 쓸어버렸다. 적지 않은 이들이 그때 정처없이 마을을 떠났다. 신앙의 힘보다 절망의 무게가 압도했다. 신씨네로서는 다행이었다. 그 바람에 옆집을 인수해 방 한 칸을 더 늘릴 수 있었다.

신씨는 스물여섯 살에 결혼했다. 곧 첫째 아들을 보았다. 방을 늘렸다지만 결혼해 갓난아이까지 생기고 보니 마찬가지였다. 둘째, 셋째 아들이 연이어 태어났다. 한때 가족은 열한 명으로 늘었다. 1970년 들어 동생들이 결혼하거나 분가를 하면서 숨통이 트였다. 1977년 시의 지원으로 주택개량사업이 이뤄졌다. 판자를 걷어낸 자리에 블록을 쌓고 슬레이트를 얹었다. 1980년대 들어서 다시 슬레이트 지붕을 걷어내고 슬래브로 바꿨다. 하나둘 2층집이 들어서기 시작했다. 감천마을에는 몇 가지 성문율이 있었다. 그중의 하나가 앞집이 뒷집의 해를 가려서는 안 된다! 그래서 2층집은 꼭대기부터 밑으로 내려왔다. 윗집이 올리면 아랫집도 올리는 식이었다. 모두가 겪는 어려움인지라 동의는 쉽게 이루어졌다. 2층은 예외 없이 아래층보다 블록 두 개 너비만큼 밖으로 냈다. 가분수 집이다. 한 뼘이라도 거주 공간을 넓히려는 절박한 필요에서 나온 것이었다.

그 시절 감천마을은 옷의 길이도 방 너비도 모든 게 짧았다. 특히 방 너비는 짧았다. 자다 보면 발이 문밖으로 삐져나가기 일쑤였고, 그렇다고 대각선으로 자면 그 많은 식구가 누울 수 없었다. 바지나 소매의 기장도 짧았다. 학생 교복은 바지 아랫단이 발목 위로 올라가고, 소매도 짧아 팔목이 모두 드러났다. 짧은 소매나 바짓단은 참을 수 있다지만, 커가는 아이들이 매일 웅크리고 자는 건 부모로서는 차마 보기 힘든 모습이었다. 가분수 집이 탄생한 배경이었다.

본격적인 주택개량사업이 이루어진 것은 1980년대 후반이었다. 집에 색을 입히기 시작한 것도 이때였다. 파랑·보라·분홍·녹색……. 관광객들은 반짝이는 그 색들의 어울림 속에서 동화 속으로 빠져든다. 특히 감천항의 햇살에 부서지는 새파란 물빛과 조응하는 모습을 보고는 그리스의 산토리니를 떠올리며 경탄한다. 그런 탄성 앞에서 주민들은 쓴웃음을 짓는다. '속도 모르고…….'

페인트를 배급받았는데, 색깔이 제각각이었다. 칠하다 보면 어느 집은 모자라고 어느 집은 남았다. 그래서 벽면은 녹색인데 옥상은 파랑이고, 아래층 분홍에 윗층 보라가 얹히는 경우도 있었다. 마을의 무지개 빛깔은 가난의 색이고, 가난의 빛이었다.

급경사인지라 식수는 쌀만큼이나 귀했다. 한 청년이 우물을 파다가 죽었는데, 그 자리에서 가뭄에도 끊이지 않고 샘물이 솟았다는 천덕수 우물 전설은 감천마을 주민들에게는 '옛날이야기'가 아니었다. 20세기 중반에 그들이 몸소 겪어야 했던 현실이었다. 8감 천마산 기슭에서 수량이 풍부한 우물이 개발(김정태 우물)되자, 주민들은 쓰고 남은 물을 반달고개 정상, 지금의 감정초등학교 자리에 콘크리트 물탱크를 짓고 끌어올렸다. 간이상수도시설을 설치하고, 수도꼭지를 네 군데 두어 주민들이 물을 길어다 쓰도록 했다.

1978년 상수도가 들어오면서 물 사정이 좋아졌다. 하지만 수압이 약해 번번이 물이 끊겼다. 그래서 각 가정은 1,000리터들이 수조를 옥상이나 집 옆에 두었다. 열병식하듯 도열한 감천마을 옥상의 파란 수조들이 빚어내는 특별한 경관 역시 지독한 가난에 얽힌 식수난의 소산이었다.

신씨는 가계의 상당 부분을 책임져야 했다. 열일곱 살부터 인쇄소에서 일한 덕택에 상대적으로 안정된 일자리가 있었다. 인쇄소 일이 끝나면 국제시장 근처에서 책 장사를 했다. 그 많은 식구를 먹여 살리려면 도리가 없었다. 당시 감천마을 사람들은 대부분 반달고개 넘어, 토성동과 보수동을 지나 자갈치시장 부산역에서 날품을 팔았다. 마을에 일자리가 있을 턱이 없었다. 1960년대 초 획기적인 사건이 벌어졌다. 감천마을 한가운데 엿공장이 생긴 것이다. 1960~70년대 감천 사람치고 엿판을 메보지 않은 사람이 드물 정도로 엿공장은 감천마을에 일자리를 제공했다. 마을 사람들은 부산역 주변은 물론 멀리 동래나 해운대까지 엿판을 메고 다녔다.

1970년대 초 낚싯대 제조업체인 오성사가 들어섰다. 1980년대 중반 수출산업동탑훈장까지 받을 정도로 발전한 (주)윈다의 모기업이다. 이후 고무코팅을 한 면장갑을 개발한 광명코팅, 여성의 출산용품 제조업체인 창성상사가 들어섰다. 이들 기업은 감천마을 사람들에게 감사와 존경의 대상이었다. 2004년 발간된 감천2동 '향토지'는 특별히 이들 세 업체에 감사의 뜻을 전하며 '무궁한 발전과 행운'을 기원하였다.

1970년대 말부터 1980년대 초까지 마을 인구는 5,000여 가구, 3만여 명에 이르렀다. 그런 곳으로 이주자가 꾸준히 증가하는 걸 보면 당시 권력자들이 노래하던 고도성장의 혜택은 가난한 이들에겐 그림의 떡이었다. 이후 10년 동안 2만 5,000명 안팎을 오르내리다가 1991년(2만 5,523명)을 고비로 급감했다. 지금은 4,200가구 8,900여 명.

그러나 세대수에는 큰 변동이 없다. 주민이 60퍼센트 넘게 급감하는 동안 가구는 10퍼센트 정도만 줄었다. 젊은이들이 빠져나가고 할머니 할아버지만 남아 집을 지키는 까닭이다. 신씨는 그곳에서 조모와 양친을 집 때문에 고생할 필요가 없는 곳으로 떠나보냈다. 동생 셋도 출가하며 떠났고, 아들 셋도 장가들면서 마을에서 벗어났다. 이제 파란색 2층집엔 신씨 부부만 산다.

부부는 그곳을 떠나고 싶지 않다. 5감에 있는 시장에라도 갔다 오려면 가파른 148계단 혹은 189계단을 오르내려야 하고, 소변이라도 보려면 골목 초입 공동화장실 앞에서 줄을 서야 하지만, 부부는 그곳을 떠날 생각이 없다. 눈물 섞인 밥을 먹고, 비 새는 밤을 지새우고, 윗목의 물이 어는 겨울을 견디면서 청춘을 보내는 동안 미운정 고운정 들었기 때문만은 아니다. 그곳엔 삶의 뿌리가 얽히고설킨 이웃들이 있다.

신씨가 계단길을 오르내리는데 그렇게 오랜 시간이 걸리는 건 나이 때문도 아니고 급경사 때문도 아니다. 만나면 인사하고, 안부 묻고 자식 근황을 나누는 이웃들 때문이다. 집집마다 고무통 스티로폼박스, 사과궤짝 화분을 내놓고 화초나 푸성귀, 고추 따위를 기르는 그 골목에서, 할머니들은 한겨울에도 나눌 이야기가 많다. 신씨 할아버지가 들어 있는 계모임은 열세 개나 된다. 마을엔 700여 개의 계가 아직도 왕성하다. 모든 주민들이 몇 개씩 들어 있다. 부인은 장유에 사는 막내의 애들을 돌봐주러 가곤 하신다. 50평이나 되는 넓고 편한 아파트지만, 할머니에겐 영 낯설고 어색하다. 사나흘만 지나면 마을로 돌아오고 싶어 조바심이 난다.

그 마을에 2009년 작가들이 하나둘 모여들기 시작했다. 그들은 시멘트 빈틈에 내려앉아 뿌리를 내리고 싹을 내고 꽃을 피우는 민들레씨처럼 마을에 새로운 색을 입히기 시작했다. 산복도로엔 마을의 역사와 꿈을 상징하는 설치작품이 들어서고, 담벼락과 축대는 물고기가 헤엄치고 잠자리가 날아다니는 화폭이 되었다. 빈집은 미술관, 사진 갤러리 혹은 작은 생활사 박물관이 되었고, 가파른 축대 위 난간엔 어린 왕자와 사막의 여우가 걸터앉았고, 마을을 세로로 구획하는 148계단과 189계단은 삶이 예술이 되는 공간으로 바뀌었다. 가난의 억센 골조와 인정의 따듯한 품에 작가들의 상상력이 더해져 살아 있는 마을 작품이 되어

갔다.

이제 감천마을엔 하루 5,000여 명의 방문객이 순례하듯 찾아온다. 2010년 5만여 명이던 것이 지난해엔 138만여 명으로 늘었다. 주말이면 산복도로는 장터처럼 붐비고, 골목마다 방문객이 줄지어 오르내린다. 신씨 할아버지는 해설사가 되어 방문객들을 인도한다. 마을이 그렇게 유명해졌으니 반갑다.

하지만 안타까움이 앞설 때도 많다. 산복도로엔 돈 냄새를 맡고 찾아온 외지의 '돈'들이 자리를 잡았다. 마을과는 어울리지 않는 근사한 집을 짓고 호사스런 인테리어로 손님을 끈다. 도로변 집값은 오르고, 오른 집 주인들은 집을 팔고 떠난다. 주민들 사이엔 위화감이 커지고. '이러다 우리 마을이 사라지는 건 아닐까?'

'이 마을에선 왜 앞집이 뒷집의 해를 가리지 않고' '골목은 비좁아도 어디로든 통하고' '담장이 없고 대문이 없어도 도둑이 들지 않고' '촛불만 넘어져도 전소될 판자촌에 한 번도 화재가 나지 않은', 그 이유를 외지의 '돈'들은 알려고나 할까. 계단과 축대에 담긴 땀과 피, 보라색 수조에 담긴 눈물, 가분수 집에 담긴 한, 반짝이는 마을의 색깔에 담긴 이곳 사람들의 비원을 느끼려고나 할까. 관광객들은 그런 가난을 자신들과는 무관하고 또 결코 저에게는 닥치지 않을 것이라고 믿기에 가볍게 밟고 즐기고……. 60여 년 삶의 자취, 곧 가난이 볼거리로 소비되는 것 같아 가끔은 눈물도 난다.

어둠이 깔린다. 집집마다 작은 창문으로 하나둘 작은 불빛이 새어나온다. 해거름이 모두 사라지면 감내 골짜기는 별들의 천지가 된다. 옥녀봉과 천마산 사이 계곡을 따라 별들은 바다로 흐른다. 지상으로 내려와 흐르는 은하수, 가난이 빚어낸 감천마을의 신비다.

한 뼘 넓히면 한 끼 밥,
열 길 높이면 학비라

4월 다랑이(계단식으로 이루어진 논배미로, 경상도 방언으로는 다랭이라고 한다)엔 유채꽃이 가득했다. 바다는 온통 쪽빛 물결, 산비탈은 온통 황금 물결이었다. 5월 다랑이엔 마늘잎 시퍼런 물결이 넘실대고, 6월 물 채운 다랑이는 물비늘 반짝이는 호수였다. 한낮엔 바람 따라 구름이 머물다 지나가고, 석양엔 붉은 주단 깔리고, 해 지면 별들이 쏟아져 내렸다. 그때쯤이면 밤하늘 별빛처럼 찬란한 개구리들의 아우성. 해와 달과 별의 운행에 따라 다랑이는 그렇게 때론 왕성한 생명으로, 때론 적멸의 평화로, 때론 영원히 배부를 것만 같은 황금 물결로 출렁거렸다.

'아름답다'느니 '예술'이라느니 사람의 수사가 오히려 낯설다. 인위의 문장을 버리고, 무위의 짧은 감탄사만이 그 앞에서 취할 수 있는 예의다. 앞엔 망망대해, 돌아서면 설흘산, 응봉산의 늘 푸른 품, 계절의 변화에 따라 온갖 생명이 용약하고, 절기마다 색색의 요술이 찬란한데, 그것을 언어로 담아내려는 건 부질없는 욕심일 터다. 2005년 1월에야 남해 가천마을 다랑이 논이 국가 명승 제15호로 지정됐으니, 대한민국의 감식 수준이 오히려 조금은 부끄럽다.

그러나 마을 어르신들은 오가는 이들의 찬탄이 오히려 낯설다. 이들에게 어르신들이 꼭 들려주고 싶은 말이 있다. "그기 어떻게 생긴 긴데……." 이렇게 시작하는 이야기다. 그러나 대개는 승용차 타고 불현듯 왔다가 한 바퀴 휘 돌아보고는 훌쩍 떠난다.

"아이들까지 모두 일곱 식구가 이 다랭이에 의지해 살았지. 해안은 갯바위뿐이고, 갯바위 바로 앞 수심도 수십 길이어서 배 한 척 부릴 수 없었어. 바다에서 얻을 것이라곤 떠밀려온 미역줄기나 다시마가 고작이었지. 전복이나 소라도 떠밀려 왔지만, 그때야 그게 어디 밥만 같았는가. 가파른 비탈에 흙만 밟히면 그저 고구마 심고 평지다 싶으면 보리 심어 허기를 채우는 게 일이었지. 아이들 학교 보내자니 돈이 필요했고, 환금되는 건 쌀뿐이었으니 비탈에 매달려 다랭이를 치지 않을 수 없었고"(김태성 할아버지).

대개의 다랑이는 한 세대 위 조상들이 이미 쳐놓아, 새로 칠 필요는 없었다. 하지만 식구가 많은 집에선 다랑이를 늘리지 않으면 안 됐다. 김준성 할아버지는 설흘산 산말에 축대를 쌓고 흙을 퍼올려 다랑이를 쳤다. "샛별이 떠오르면 집을 나가 해 떨어질 때까지 비탈에 붙어 살았어. 한 뼘 넓히면 우리 식구 한 끼 먹을 밥이 나오고, 열 길 높이면 아이들 학비가 나온다는 생각에 해 지도록 떠날 수 없었지. 돌아서다가도 다시 돌을 올리고, 흙만 나오면 퍼올렸지. 그렇게 3년 하다 보니 높이가 10자(3미터)나 됐고, 길이는 500자 되는 다랭이가 나왔지."

그때 그 고생의 흔적은 지금도 문신처럼 온몸에 새겨져 있다. 손톱은

성한 데가 없다. 흙을 파고, 돌부리를 뽑느라 손톱이 빠지고, 새로 나올 만 하면 또 쪼개졌다. 산비탈 너덜길을 흙지게, 똥지게 지고 오르내리느라 발톱도 빠지거나 쪼개졌다. 허리는 ㄱ자로 굽었다. 비탈이 얼마나 가파른지 뒤로 넘어지지 않으려면 그렇게 굽히지 않으면 안 되었고, 그게 그대로 굳어버렸다. 지게질 때문에 어깨와 등에 주먹만 한 혹도 생겼다. 그렇게 높고 긴 석축을 3년에 걸쳐 쌓았지만, 급경사 탓에 다랑이 면적은 300평. 경사가 심하니 석축을 아무리 높이 쌓아도 다랑이 폭은 스무 자 정도밖에 나오지 않았다.

"새참? 늘 허기졌지. 먹을 거라곤 고구마뿐이었는데 그것도 한두 개 구워 먹는 게 고작이었어. 그래도 한 뼘 한 뼘 높아지면서 넓어지고 길어지는 걸 보면 기운이 났지. 애들 배 덜 곯겠구나, 학비 때문에 흘리던 눈물 좀 줄겠구나……. 이 생각에 샛별이 뜨고 달이 뜰 때까지 매달렸지."

마을의 체험 프로그램 중엔 삿갓배미찾기가 있다. "배미를 끝내고 돌아가려다 보면 귀퉁이에 땅이 한 뼘 정도 남아 있는 거야. 흙도 괜찮고. 저거면 우리 식구 한 끼 밥이 나오는데…… 주질러앉아 땅을 고르고 돌을 쌓아 만든 것이다. 벼 열댓 포기나 심을 수 있을까?"

모내기를 하다보면 삿갓을 벗어 놓아야 했다. 모내기가 끝나고 논배미를 세어보면, 꼭 하나가 부족했다. 거 참 이상하네, 고개를 갸웃거리며 삿갓을 집어 들자, 그 밑에 배미 하나가 숨어 있었다. 그만큼 작았지만 다랑이마을에선 목숨처럼 소중했다.

흙을 퍼담는다고 논이 되는 건 아니다. 거름이 필요했다. 7만여 평(22만 7,592제곱미터)이나 됐으니 100여 가구에서 나오는 똥으로는 감당할 수 없었다. 태반은 이웃마을에서 퍼날랐다. 거룻배로 광양 하동까지 나가야 했다. 지금도 가천 다랑이 똥배는 어르신들 사이에 유명하다. 그렇게 실어온 똥을 산꼭대기까지 져 날라야 했으니, 거름할 때면 남정네들은 온 종일 똥투성이였다.

그런 마을을 지방자치단체는 이렇게 소개한다. "절벽에 붙은 제비집처럼 산비탈에 붙어 있는 아슬아슬한 마을 풍경……, 비록 그 옛날 민초들의 고단한 삶도 읽을 수 있으나 그보다는 울창한 뒷산과 쪽빛 바다와 잘 어우러진 하나의 예술작품을 보는 듯하다." 철없는 사람들! 슬리퍼 신고 아이스크림 빨며 포장도로 왔다갔다하는 관광객들이나 지방자치단체 관리들이나 다를 게 없다.

물론 정상에 수탉 벼슬 같은 암릉을 이고 가파르게 서 있는 두 산은 기골이 장대하다. 그러나 해안에서 바로 솟구친 까닭에 집 한 칸 지을 땅조차 내주지 않는다. 경사는 평균 45도, 심한 곳은 60도나 된다. 마을길이 굽이굽이 휜 것은 직선도로로는 도저히 오르내릴 수 없었기 때문이다. 45도 경사에서 석축을 1미터 쌓아야 논의 폭은 1미터에 불과하다. 60도 경사에선 2미터를 쌓아야 폭이 1미터다. 그러니 석축은 자꾸 높아졌다. 손명주 이장이 전하는 바로는 다랑이 석축의 평균 높이는 3미터. 심지어 아파트 3층 높이의 다랑이도 있다. 석축만 높다고 논이 되는 건 아니었다. 이번엔 흙을 퍼담아야 했다. 잔돌과 거친 흙으로 채운 뒤 고운 흙으로 어른 무릎 높이까지 채워야 했다. 그러니 그곳에선 흙만 발견했다 하면, 금맥이라도 발견한 양 기뻐했다.

그렇게 친 다랑이는 해안가에서 설흘산(481미터), 응봉산(412미터) 7부 능선까지 올라갔다. 물이 잘 나오는 계곡 쪽은 능선까지 올라가 앉았다. 설흘산과 응봉산이 어깨를 맞대고 있는 노루목에는 고개 턱밑까지 다랑이다. 그렇게 친 다랑이는 683개. 평균 70미터 길이의 다랑이가 예닐곱 개씩 이어지며 등고선을 이뤘다.

마을은 400여 년 전 설흘산 너머 무지개마을 사람들이 오가면서 형성됐다. 농한기 미역과 다시마를 채취하러 왔다가 물이 흔한 걸 보고 뿌리를 내렸다. 설흘·응봉 두 산은 내 천川자 세 개의 개울을 사시사철 물을 내려보냈다. 저런 물이면 논농사도 되겠구나……. 당시 정착을 가늠하는 시금석이 벼농사였다. 밥도 나오고, 돈도 되고, 집 짓고, 지붕 이고, 소 먹이고, 생활용품 엮는 데 필요한 게 벼였다. 험악한 비탈에 제비집처럼 옹색하게 마을이 들어선 것은 그 때문이었고, 그래서 치기 시작한 다랑이가 300여 년의 노력 끝에 지금의 모습이 되었다.

멀지 않은 완도군 청산도엔 구들장 논이란 게 있다. 부족한 농업용수를 최대한 아끼고 아껴 사용할 수 있도록 섬 주민들이 고안해 낸 통수 방식이다. 같은 계단식 논이지만, 끌어댈 물도 적은 데다 땅에 워낙 돌이 많아 물을 대면 금방 빠져나갔다. 그래서 논바닥에 평평한 돌을 깔고 그 위에 고운 찰흙을 올려 물이 빠지지 않도록 하고 그 위에 성토를 했다. 윗배미에서 쓴 물을 아랫배미에서 쓰도록 논 밑에 구들장으로 통수로를 만들었다. 표토에서 스며든 물이 통수로에 모여 아랫배미로 흘러내려 가도록 한 것이다. 그러나 가천마을에선 워낙 비탈이 심하고 석축이 높아 통수로 방식을 쓸 수도 없었다.

손명주 이장은 언젠가 석축에 들어간 돌의 개수가 궁금했다. 조상들이 흘린 피와 땀과 눈물을 가늠해 볼 수 있기 때문이었다. 2007년 농촌건축학회가 조사한 결과를 참고하고, 경작지로 쓰지 않아 계산에서 빠진 것은 직접 재보았다. 그 결과 석축의 평균 높이는 3미터, 총연장 3만 9,200미터에 이르는 것으로 나타났다. 한양도성의 총연장은 1만 8,600미터, 유네스코 세계문화유산으로 지정된 수원 화성은 5,744미터.

3미터 높이의 다랑이 석축 1미터를 쌓는 데 들어간 막돌은 보통 70~80개. 모두 약 270여 만 개가 들어간 셈이다. 골재상에도 문의했다. 5톤 트럭으로 8,700대 분량이 들 것이라고 했다. 20킬로그램짜리 막돌이라면 240만 개, 10킬로그램짜리라면 480만 개가 필요한 규모다. 크고 작은 돌이 뒤섞여 있으니 숫자는 양쪽이 얼추 맞는다. 돌의 개수만으로는 중국의 만리장성에 버금간다.

다랑이 치는 것만큼이나 고달픈 게 다랑이 농사다. 표고 차 300미터의 다랑이를 지게 지고 오르내리자면 허리는 ㄱ자로 꼬부라진다. 사정을 알 만한 유홍준 전 문화재청장도 이렇게 이야기했다가 지청구만 먹었다고 한다. "명승으로 지정됐으니 경운기나 트랙터를 쓰면 안 됩니다. 옛날처럼 지게 지고 소로 논을 갈아야 합니다." 마을 어른은 이렇게 대꾸했다. "청장님이 한번 해보시오. 저 밑에서 지게 지고 한번 오르기나 해보시오."

이제 전체 예순한 가구 가운데 다섯 가구만 논농사를 짓는다. 명승으로 지정된 다랑이 483개 가운데 논물을 채우는 것은 열세 개뿐이다. 쟁기질할 소도 두 마리뿐이다. 한 마리는 늙어서 거동도 힘들다. 밥이야 되겠지만 인건비는커녕 영농비도 나오지 않는데 벼농사를 누가 저 비탈에서 지을까. 지원되는 건 모(한 판에 3,000원)가 고작이다. 경관보존직불제라는 제도가 있지만, 지주에게 돌아가니 있으나 마나다. 지금은 환금성이 그나마 좋은 마늘 농사를 오르내리기 쉬운 다랑이에서나 짓는 게 고작이다.

묵은 다랑이는 쉽게 허물어진다. 두더지가 구멍을 파면 그리로 물과 함께 흙이 쓸려나가고, 되풀이되다 보면 다랑이는 꺼지고, 석축도 무너진다. 바다와 잇닿은 다랑이는 파도에 씻겨나가 흔적만 남았고, 도로 위쪽 다랑이들은 오르내리기 힘들어 방치된 것이 태반이다. 올라갈수록 풀밭이나 돌무덤이다. 노루목 밑 다랑이는 이제 돌무덤으로만 남아 있다. 다랑이를 정부가 사들여 주민들에게 맡겨 경작하도록 한다는 계획은 세워졌지만, 지금까지 지방자치단체가 구입한 것은 스물여덟 배미다. 그것도 외지인 소유의 흔적뿐인 바닷가 다랑이가 포함돼 말썽이 나기도 했다.

> 이 꼴이 되어가며 만든 산말 다랭이지만, 한 10년 전부터는 버려뒀어. 물 대기도 힘들지만, 물을 채운다 해도 오가기도 힘들어. 지금은 풀밭이 되어 버렸는데, 그 꼴 볼 때마다 가슴이 쓰려(김 할아버지).

가천마을 동남쪽으로 앵강만 건너 노도가 있다. 서포西浦 김만중金萬重의 유배지다. 지방자치단체는 그곳에 유배문학관을 짓는다고 150억 원의 예산을 책정했다고 한다. 다랑이를 모두 사들여 위탁하고도 남을 액수다. 민초들이 400년 피땀 흘려 일군 삶터는 사대부의 유유자적하던 터와 비교해 지금도 그렇게 차별을 당한다.

누가 애국자라고 떳떳하게 말할 수 있을까. 부모 잘 만나 대통령 되고, 재벌 되고, 판검사 되고, 권력자 되어 하루에 수천수백만 원씩 긁어모았던 자들일까. 아니면 코가 땅에 닿도록 비탈을 오르내리며 다랑이 치고 농사지어 부모 봉양하고, 아이들 키우고 공부시키고, 나라를 지키게 했던 이들일까. 피 맺힌 삶의 역사가 가장 선명한 조형물 가천 다랑이는 찬탄에 앞서 비감하기만 하다.

화평을 꿈꾸는가,
구림의 법도를 보라

평지 돌출의 월출산 천왕봉은 그야말로 역발산의 기세다. 목포 쪽으로 아득한 들판과 물결치는 구릉을 굽어보는 모습은 파도를 제압하는 장군의 모습이요, 초승의 달빛 아래에선 비천상이 되고 보름달의 위호를 받으면 백제금동 대향로처럼 빛난다.

그 뻗치는 기운이 굽이쳐 흘러가다가 우뚝 멈춰 솟구친 것이 구정봉이요, 다시 북서쪽으로 흘러 노적봉, 남서쪽으로는 도갑산을 거쳐 주지봉에 이른다. 노적산과 도갑산 사이 홍계골에서 흘러내린 옥류와 도갑산과 주지산 사이 안바탕골에서 흘러내린 계류가 도갑사 일주문 앞에서 합수하여 이루는 것이 구림마을의 탯줄이요 젖줄인 구림천이다.

그러고 보면 구림마을의 탄생은 인간의 뜻이 아니라 운명적인 것이었다. 주산 주지봉이 아버지처럼 버티고 있고, 구정봉 천왕봉이 할아버지(조산)처럼 바라보고 주지봉 양쪽에서 흘러내려 온 좌청룡 우백호가 감싸 안고 있는데, 구림천이 품 한가운데로 흘러들고 있으니 어찌 그곳으로 생명을 가진 것들이 찾아들지 않을까.

구림천은 죽정, 신근정, 학암, 동계, 북송정, 고산, 서호정, 남송정 등 구림의 열두 마을을 키우며 흘러 상대포에 이른다. 백제의 왕인王仁 박사가 선진 학문을 전하러 일본으로 떠나던 항구요, 향미 선사, 최치원 등 신라의 유학생들이 구법 구학을 위해 당나라로 떠났던 항구였다. 영산강 하구언이 바닷길을 막으면서 아름다운 서호와 비단결 같은 갯벌이 사라지고, 구림은 주둥이가 막힌 청자매병 처지가 되었으니, 지금은 아직 즐비하게 남아 있는 정자들만 옛날 그 영화를 전할 뿐이다.

이미 눈치챘겠지만, 마을 이름은 대부분 정자에서 따왔다. 죽정, 학암, 동계, 고산, 신흥동, 평리, 남송정, 서호정, 백암정, 상대정 등. 이 밖에 쌍취정, 간죽정, 회사정, 취음정, 총취정, 풍옥정, 요월당, 육우당, 삼벽당, 안용당이 있으니, 죽정에서 상대포까지 1킬로미터 남짓밖에 되지 않는 이 작은 마을은 한 집 건너 정자요 두 집 건너 당이다.

반가班家의 사람들이 정과 당에서 즐겼다면, 서민들은 정자나무 밑에서 휴식을 취했다. 마을 어귀, 들로 나가는 길목에 어김없이 자라는 정자나무는 휴식과 만남 이외에 두레를 짜거나 일의 순서와 날짜를 조율하고, 들일 있을 때 모여서 함께 나가고, 점심 먹고 토막잠 청하는 곳이었으며, 아이들에겐 놀이터였다. 정자에서는 바둑, 정자나무 밑에선 장기나 곤 판이 벌어지고, 정자에서 시가가 흘러나오면 정자나무 밑에선 육자배기, 농부가가 흘러나왔다. 정자나무도 없는 곳엔 대나무로 바닥을 하고 초가로 지붕을 인 우산정이 있었다. 죽정마을 등은 거기서 유래한 이름이다.

가옥만큼이나 정자가 많았던 것은 물론 풍부한 물산과 수려한 풍광

덕이었을 게다. 구림에는 아등바등 싸워 부를 축적하고, 기를 써서 출세하고 입신할 이유가 없었다. 벼슬길에 나섰다가 붕당에 휘말려 멸문지화를 자초할 이유가 어디 있을까. 오히려 월출산과 서호의 이름만으로도 당상관이든 문장가이든 불러만 주면 불원천리 찾아오는 곳이었다.

그렇게 열두 문중이 세거하다 보니, 30분이면 둘러볼 이 작은 마을에 사우(문중사원)만 12개나 되었다. 낭주 최씨의 국암사, 해주 최씨의 동계사, 창녕 조씨의 서호사, 함양 박씨의 죽정서원 등은 그 규모가 웬만한 서원 부럽지 않다. '영남엔 서원, 호남엔 정자'라지만, 구림엔 서원과 정자가 그득하다.

이 가운데 마을을 대표하는 정자가 회사정이다. 마을 중심의 휘어져 돌아가는 구림천 앞에 터 잡은 회사정은 그 규모나 위엄이 고을 동헌은 물론 웬만한 객사를 능가한다. 정원을 이루던 울창했던 송림이 일제강점기 때 대부분 벌채되고, 주변에 초현대식 미술관과 도기박물관이 들어서 지금은 그 위엄이 옹색해지긴 했다. 그러나 여전히 남아 있는 주변의 옛 사우, 당우 등의 건축물만 보아도 그때 그 위상을 짐작하기 어렵지 않다.

회사정 앞 구림천을 건너면 창녕 조씨 종택과 사당인 서호사 그리고 쌍취정이 있다. 남송정 다리 건너엔 마을 경영의 중심이었던 구림대동계사가 있고 계사 담장을 끼고 돌아서면 육우당이다. 당주인 육우당 박흡 장군은 제봉 고경명, 중봉 조헌, 건재 김천일 등과 의교를 맺었고, 임진왜란 때 2차 진주성 전투에 뛰어들어 성의 함락과 함께 김천일과 더불어 순절했다. 육우당의 여섯 형제는 그곳에서 우의와 절의를 나눴다. 회사정 뒤로는 도선국사 탄생 설화가 있는 국사암이 있고, 국사암을 중심으로 서호정 · 국암사 · 덕성당 · 죽림정 · 간죽정 · 죽정서원 등이 줄을 잇는다. 동쪽으로는 동계사 삼락제 등이 모여 있다.

구림엔 셋만 모여도 계가 탄생한다는 이야기가 내려온다. 그만큼 뿌리깊은 계가 많다. 이 가운데 대표적인 게 구림대동계다. 조선 명종 20년(1565년) 출범했으니 안동의 대동계와 함께 우리나라에서 가장 오래됐다. 덕업상권, 예속상교, 환난상휼, 과실상규 등 향약의 4대 강령을 수렴한 화민성속(化民成俗, 백성을 교화해 아름다운 풍속을 이룬다)의 깃발 아래 구림대동계는 마을 운영의 전권을 행사하다시피 했다. 질서를 어긴 이에게는 멍석말이 체형을 집행하기도 했고, 풍속을 해친 주민에 대해서는 마을에서 내쫓는 '출동'까지도 명령했다. 자체 재산도 상당해, 구한말에는 그 재원으로 사립 구림보통학교를 설립하기도 했다. 회사정은 바로 이 대동계가 수계를 하는 장소였다.

대동계 외에 이곳에서 공식 행사를 가질 수 있는 모임은 구림청년계뿐이었다. 구림은 영암 3·1만세운동의 진원지였던 만큼 마을 어른들은 만세운동에 앞장선 구림 청년들을 존중했고 자랑스러워했다. 청년계는 3·1운동으로 체포돼 징역살이를 하는 주모자들의 뜻을 선양하고 덕목을 기리며 옥바라지를 하기 위해 결성됐다. 은밀하게 사람을 모으고 돈을 모아 한 달에 한 번씩 면회하고 영치금을 전달했다. 만세운동 지도자인 박규상朴奎相이 중병으로 가출옥해 귀향하던 중 사망하자, 청년계를 중심으로 구림의 모든 청년이 산건을 쓰고 상부꾼이 되어 산소까지 호상하였다.

청년계는 보수적인 대동계와 달리 "근로를 즐거운 마음으로 하며 사치와 윤택함을 경계하여 멀리하고 농상공업을 진흥하고……"(규약 2항)라고 규정해, 신분 차별과 사농공상의 편견을 극복하는 데 앞장섰다.

한때는 걸터앉지도 못하게 했다지만, 지금은 서고 눕고 앉고 기대는 것이 자유롭다. 주민 서넛이 혹은 담소를 하고, 목침을 높이 베고 낮잠에 들었다. 날아가는 새들도 쉬어 갈 그 풍경 속으로 생면부지의 객도 빠져들었다. 백헌白軒 이경석李景奭과 간재艮齋 최규서崔奎瑞의 '서호십경' 현판이 있다. 고산설매, 단교연류, 갑사만종, 월봉조람, 평호추월, 원봉낙조, 선암문학, 향포관어……, 시제만 더듬더듬 읽는다.

한순간 스르르 잠드는가 싶더니, 난데없는 비명소리와 함께 악몽 속으로 빠져든다. 1947년 여름 동계마을 냇가, 미군정 경찰은 마을 사람을 모아놓고 열댓 살 한 소년을 총살했다. 월출산에 빨치산으로 들어간 청년의 동생이었다. 그러고는 이렇게 경고했다. "좌익 활동을 하면 가족도 이렇게 된다."

빨치산의 공격도 거세졌다. 사흘이 멀다 하고 경찰지서를 습격했다. 경찰에 협력했다는 이유로 도갑사 주지를 비롯해 마을 주민들을 살해하고 집에 불을 질렀다. 토벌대의 행패는 더 심해졌다. 심지어 회사정 앞에 주민들을 모아놓고, 마을 어른들을 발가벗기고 조리를 돌리기도 했다. "누가 내통하고 부역했는지 실토하라!"

6·25전쟁과 함께 골육상잔은 더욱 참혹해졌다. 1950년 7월 27일 경찰은 영암을 퇴각하면서, 보도연맹원들을 메밀 방죽 위, 혹은 도갑산 골짜기에서 집단 학살했다. 인민군이 영암을 장악하자, 희생자 유가족들은 경찰 가족 혹은 우익단체 관계자들을 죽였다. 10월 2~3일 인민군이 퇴각하면서 면사무소, 지소 등 공공기관은 물론 구림의 대동계사, 회사정 등에 불을 질렀다. 잔존 빨치산은 7일 지와목의 한 주막에 군경 가족, 우익으로 모함받은 사람, 그리고 개신교 신자 등 28명을 몰아넣고 불을 질러 몰살했다. 거기엔 아이들도 있었다.

열흘 뒤 무장경찰 3개 소대는 구림마을을 초토화했다. 선인동 비석거리에서 죽정마을 최씨 머슴을, 강담 안 주막 앞에서 주막집 셋째 아들과 평리의 박씨를 칼로 난자해 죽였다. 새벽 5시 마을을 완전히 포위한 경찰은 골목골목 이 잡듯 돌아다니며 보이는 대로 죽이고, 불러내서 죽였다. 학암에선 스물아홉 살의 주부가 친정에 왔다가 칼에 찔려 죽었다. 알뫼의 열일곱 살 처녀는 무참하게 살해된 채 신덕정사거리(군서사거리) 큰길가에 버려졌다. 그 어머니는 관자놀이에 총을 맞은 채 죽어 있었다. 또 다른 처녀는 개천으로 끌려가 옷 벗으라는 협박을 거부하다가 죽음을 당했다. 고산마을 뒷동산에서는 '죄 없는 사람은 나오라'는 경찰 방송에 속아 밖으로 나왔던 사람들이 학살당했다. 그 학살극에서 살아남은 사람은 대나무 밭이나 마루 밑, 심지어 똥통에 목만 내놓고 있던 이들뿐이었다.

경찰이 빠져나간 뒤 신근정사거리, 학암 거리, 솔밭, 텃밭, 동산, 논, 개천가, 간척지 등은 온통 주검으로 널려 있었고 통곡과 오열이 마을을 덮었다. "아무 잘못도 없는, 무장도 하지 않은 양민들이, 가족 친지가 희생당한 경찰의 분풀이의 제물이 되어 죽었다"(구림마을지 『호남 명촌 구림』). 그날 학살당한 주민은 92명에 이르는 것으로 마을에선 추계했다. 그해 12월 말엔 신기마을 출신의 신 중위가 사병 2명과 함께 구림에 들어와 동계리 최씨, 서호정 조씨 등 주민 13명을 막무가내로 트럭에 태워 끌고 가다가 배바위 근처 굴청에 밀어넣고 총살했다.

이 모든 상잔을 지켜본 게 회사정이었다. 거의 모든 죽임과 죽음, 학살과 희생은 회사정에서 보고 들을 수 있는 거리에서 이루어졌다. 그걸 모르고 누워 잠을 청한 게 잘못이었다. 객에게는 악몽이지만, 주민들에게는 지금도 현실이다. 구림의 시곗바늘은 잘 돌아가다가도 불현듯 그때 그 자리로 돌아가 멈추곤 한다.

그러나 호남 3대 명촌의 으뜸이라는 구림. 그렇게 불리는 데는 그만한 이유가 있다.

마을에선 2006년 대동계 유사이자 마을 어른인 최재상 씨를 대표로

하여 진실화해위원회에 학살 피해를 신고했다. 최씨는 국가권력과 우익에 의한 피해자들의 대표이기도 했고, 인민군과 좌익에 의한 피해자들의 대표이기도 했다. 그리고 11월 18일 회사정에서 '6·25 전후 구림 지역 희생자 합동위령제'가 열렸다. 희생자 유가족들이 좌우를 떠나 '자발적'으로 '함께' 연 행사였다. 주민들은 원통하게 스러진 부모 형제들의 영령을 서로 위로하며 화해와 용서를 다짐했다. 그리고 그날 모신 192위 위패 앞에서 사랑과 화해의 징표로서 위령탑 건립을 다짐했다.

2010년까지 건립하기로 했던 위령탑은 아직 세워지지 못했다. 터도 마련했고, 마을 모금 목표액도 채워졌지만, 기대했던 영암군의 지원이 이뤄지지 않았다. 마을에선 규모를 줄여 세울 것인지, 아니면 군의 지원을 재촉할 것인지 논의하고 있다. 군이 지방정부, 나아가 정치권력의 참여를 기대하고 희망했던 것은, 남북이든 좌우든 그들이야말로 적대의 선동자였고 학살의 가해자였기 때문이었다. 그들의 통절한 반성 없이는 언제 또 선동과 가해가 재현될지 모른다.

그러나 마을 공동체의 뜻과 의지는 굳고 탄탄하다. 적어도 구림마을 희생자들 사이엔 벽이 없다. 2006년 이래 매년 10월 17일 희생자 유가족들은 다 함께 위령제를 열고 있다. 역사 앞에서 모두가 불행한 희생자였음을 확인하는 자리다.

18세기 문장가 담헌澹軒 이하곤李夏坤은 「회사정에 올라」에서 이렇게 노래했다. "영암의 명승은 구림이요, 회사정 포구가에 높이 서 있네, 월출산 푸른 봉 첩첩이 이어지고, 송림에 부는 바람 사시사철 아늑하네. 마을 연기 대숲 밖 개울 건너로 퍼지고, 손끝으로 보이는 돛대 그림자 난간 사이를 스쳐 지나가네……." 권력의 간섭과 억압이 없던 시절, 회사정의 풍광은 이렇듯 평화로웠다. 다시 돌아갈 수 있을까? 구림은 꿈꾼다.

지상에 하늘의 숲 남긴 한 '동성애자'의 꿈

열아홉 눈부신 나이에 벗이라곤 술·담배·수면제·파운데이션·녹차 그리고 묵주뿐이었다. 그래서 제가 지은 별호가 육우당六友堂. 그의 이름은 윤현석尹賢碩, 1984~2003. 독실한 가톨릭 신자였고, 성노동자·장애인·이방인을 더 감싸고 사랑했던 예수의 뒤를 따르려 했다. 하지만 교회는 앞장서 그에게 돌을 던졌다. 그는 세상 어디에도 머리 둘 곳이 없었다.

그런 윤현석이 자살하기 꼭 1년 전, 민병갈閔丙渴, 1921~2002은 꽃상여에 실려 수목원 구석구석을 밟고 있었다. 마을의 늙은 친구 김씨의 선소리가 바닷바람에 실려 퍼지자 숲속 나무들은 서로 몸을 부비며 사각댔다. 세상의 외로운 이들의 벗이 되고 있는 그 숲 어딘가에 민병갈은 뿌려져 숲으로 돌아갔다.

생전 원예인으로는 최고 영예인 금탑산업훈장을 받았다. 작고한 뒤엔 국립수목원 '숲의 명예전당'에 동판 초상이 헌정됐다. 전당에 헌정된 사람은 단 5명뿐. 원예계의 노벨상이라는 영국 왕립원예협회의 비치 메달도 수상했고, 미국 프리덤 재단으로부터는 평화와 자유, 민주주의 실현에 헌신한 공로로 메달을 받기도 했다. 아, 복 받은 인생!

그러나 그의 삶은 그렇게 복되지 않았다. 더더구나 행복하지 않았다. 반대로 '지독하게 외로웠'다. 윤현석이 삶의 소품에 불과한 여섯 가지를 벗으로 삼았던 것처럼 민병갈은 담배·술·브리지bridge를 반려로 삼았다. 어머니의 나라를 떠나 한국으로 귀화했고, 어머니와 가족이 독실하게 믿었던 기독교를 받아들이지 않았으며(아니 받아들일 수 없었으며), 중년까지 하루에 담배 3갑을 태웠고, 집에 혼자 있을 땐 소주 1~2병을 마셔야 잠에 들 수 있었다. 중독성 강한 브리지는 길었던 혼자만의 시간을 보내기 위한 것이었다.

그러나 육우당과 달리 술·담배·브리지에 자신을 내맡길 정도로 약하지 않았다. 오히려 세상 그 어느 누구보다 강했다. 게다가 이웃과 세상에 대한 사랑은 너무 컸다. 그의 비밀을 알고 있던 4명의 양자가 모두 그 곁을 떠나고, 한때 절친했던 벗들도 그를 멀리했지만, 그는 원망하거나 냉소하지 않았다. 오히려 모든 재산과 청춘과 열정을 바쳐 그런 이들이 사는 세상을 더 아름답고 따듯한 곳으로 가꿨다. 그리하여 트럭도 들어갈 수 없었던 궁벽한 천리포 해안 황무지를 국제수목학회가 지정한 아시아 첫 '세계의 아름다운 수목원'으로 일궈 그들에게 선물했다.

수목원은 1980년대부터 유명했다. 식목일이 가까워 오면 기자들이 몰려왔다. 그들은 두 가지 질문을 빼놓지 않았다. 하나는 수목원 조성과 운영에 드는 그 많은 경비를 어떻게 조달했는지였고, 다른 하나는 왜 결혼하지 않는가라는 물음이었다. 자연의 소중함을 더 알리기 위해

인터뷰엔 적극 응한다는 원칙이었지만, 그의 삶에 간섭하는 두 번째 질문 때문에 가끔은 주저했다.

수목원 비용은 1990년대에도 한 해 운영비만 15억 원 정도가 들었으니 당연한 관심사였다. 그러나 1952년부터 오랫동안 한국은행 고위층으로 지냈으며, 1960년부터는 증권가의 큰손 혹은 투자의 귀재였던 그의 명성으로 쉽게 설명이 됐다. 그는 서울의 사교계에서 명사였다. 1960년대 이미 당시 톱스타였던 배우 문정숙의 파트너로 영화에 출연했으며, 문정숙과의 염문이 돌기도 했다. 그에겐 평생 그를 연모했던 대학 동창 캐서린도 있었다. 하지만 어떤 여성도 그와 친구 이상의 관계로 발전하지 않았다. 그가 내놓은 답은 매번 '나는 나무와 결혼했다'였다. 짓궂은 기자라도 독신의 이유에 대해 더 묻기 어렵게 만드는 답변이었다.

민병갈이 커밍아웃한 것은 일흔두 살인 1993년께였다. 이전까지 그와 한가족처럼 살았던 수목원 직원들이나 가사 도우미는 웬만큼 눈치를 채고 있었지만, 그 난처한 의문을 내색하지 않았고, 그 역시 애써 밝힐 이유가 없었다. 일흔 즈음에 한 직원이 회식 자리에서 용기를 내어 물었다. "동성애자라는데 사실인가요?" 그는 이렇게 답했다. "나에게 프러포즈하는 건가? 자네는 내 파트너가 되기엔 너무 어려." 재치 있는 답변 같지만, 오히려 슬픔과 냉소가 진득한 말이었다. '동성애도 아름다운 인간관계의 하나'인데…….

어머니와 형제들이 믿고 따르던 기독교를 받아들일 수 없었던 것은 동성애를 죄악시하는 태도 때문이었다. 그는 이렇게 말하곤 했다. 신이 만물을 창조했다면 각자는 모두 각자의 역할이 있다. 어떤 역할이든 죄냐 아니냐로 따지는 건 신의 뜻을 모르거나 저버리는 것이다. 그런 논리라면 이성애자가 애를 낳지 않는다면 그것도 죄악인가.

그가 한국의 불교 문화에 깊이 빠지고, 또 원불교에 입교한 까닭은 그 때문이었다. 불교는 '세계일화'(세상은 하나의 꽃)로 표현되는 세계관에 끌렸고, 원불교는 세상 만물을 은혜의 관계로 보는 것이 새로웠다. 다만 어머니의 신앙을 부정할 순 없어 불교도나 원불교도로서 신앙생활을 하지는 않았다. 불교를 믿는 한국인들도 "(동성애를) 이해하려 하지 않"는 건 마찬가지였다.

그런 고민과 절망을 이해해 준 것은 어머니뿐이었다. 어머니는 그의 성적 취향을 알고도 그것이 기독교 교리와 어긋난다는 세속의 주장에도 아들을 나무라거나 부끄러워하거나 멀리하지 않았다. 언제나 따듯하게 감싸 주고 격려했다. 1996년 1월 어머니가 101살로 서거했을 때 그는 일생에서 가장 깊은 우울증에 걸렸다. 수목원 안 살림집인 '후박집' 앞에 라스베리 편을 심어놓고 아침마다 '굿모닝 맘'이라며 문안 인사를 드렸다.

그가 여성을 모성 차원에서 사랑했던 건 어머니의 삶과 관련돼 있었다. 아버지는 그가 열 살 무렵 작고했다. 아버지와 어머니는 제1차 세계대전 전 결혼을 약속했다. 전쟁이 나자 약혼자는 참전했고, 오랫동안 소식이 끊겼다가 부상자로 돌아왔다. 어머니는 약속대로 결혼하려 했고 가족은 반대했다. 하지만 어머니의 단심을 꺾을 수는 없었다. 불구의 약혼자와 결혼해 삼남매를 낳았다.

아버지가 부상 후유증으로 일찍 사망한 뒤 그는 가족을 먹여 살리기 위해 생활 전선에 나서야 했다. 아이들을 고모에게 맡기고 워싱턴 일터로 떠났다. 그는 고모 슬하에서 자랐다. 그에게 여성이란 어머니와 고모, 그리고 평생 오빠를 지켜보고 아껴줬던 여동생, 이들의 모습으로 각인됐다. 집에서 육계를 팔 때, 오빠들 대신 닭을 잡던 게 여동생이었다.

성적 취향으로 말미암은 소외와 고독은 오히려 천리포수목원을 일구는 동력이 되었다. "내가 결혼했으면 어떻게 수목원을 가꿀 수 있었을까." 누구도 반문할 수 없는 말이었다. 아마 평범한 가정의 가장이었다면, 애초 그가 생각했던 작은 농원이 딸린 별장 정도에 그쳤을 것이다. 아니 한국인으로 귀화하는 일도 없었을 것이다. "나는 호랑가시나무와 결혼해 목련을 낳았지"라는 그의 공식적인 답변은 더도 덜도 아닌 진실이었다.

천리포수목원을 세계에 알린 나무가 호랑가시와 목련이었다. 완도호랑가시나무는 그가 세계의 학계에 처음 알린 나무였고, 수목원이 보유한 목련 416종은 세계에서 가장 큰 규모였다. 외국에서 가져온 씨앗에서 얻은 어린 나무 한 그루가 꽃을 피우기까지 26년을 기다린 헌신의 결실이었다. 그런 헌신 끝에 그는 자신의 꿈대로 나무의 천국을 조성했다. 하지만 그의 고독은 어쩔 수 없었다.

수양딸 안선주 원불교 교무는 이렇게 회고했다. "처음 만났을 때부터 원장님 얼굴엔 쓸쓸한 그늘이 짙었죠. 오랜 독신 생활 때문이려니 생각했는데, 그보다는 가까운 사람들로부터 받은 마음의 상처 탓이 컸어요." 그는 이렇게 말하곤 했다. "내가 가장 실패한 것은 양자를 잘못 기른 것이었다. 그들은 나를 친아버지로 보지 않고, 그저 재산이나 탐냈던 것 같다. 제대로 자식 노릇 한 사람은 없었다."

아들처럼 사랑했던 젊은이도 몇몇 있었지만 모두 떠나갔다. 손주가 태어났을 때 그는 결혼에 대한 생각이 흔들릴 정도로 손주가 사랑스러웠다. 후박집에 자신의 이름과 아들의 이름, 그리고 두 손주 정, 근의 이름을 한 자씩 따 갈진정근이란 문패를 걸어놓을 정도였다. 그러나 아들은 두 손주를 데리고 집을 떠났다. 미래의 재목으로 수목원에서 키운 이들도 한 번 유학을 보내놓으면 돌아오지 않기 일쑤였다. 생전 벗을 자처했던 이들이 그렇게 많았지만, 정작 그의 장례식에 찾아온 이는 별로 없었다. '사귀었다'는 오해가 두려워서였을까.

그의 나무에 대한 사랑이 편집광적일 정도였던 것은 아마도 그 때문이었을 것이다. 나무는 어느 누구도 배반하지 않고 거부하지 않고 외면하지 않았다. 수목원엔 길이 없다. 지금의 통행로는 나무를 보호하기 위한 이동 구간이었을 뿐이었다. 그나마 통행로를 내다가 나무에 상처라도 내게 되면 작업을 중단시켰다. 마을 사람들이 다니던 수목원 안 지름길도 폐쇄했다. 욕을 먹어도 기꺼이 감수했다. 비공개 지역의 임도는 참회나무 숲 앞에서 중단된다. 길을 내려는데 참회나무 몇 그루가 자라는 것을 보고 공사를 중단했다.

수목원은 나무들의 대피소였다. 사람들로부터 나무를 보호하기 위한 곳이었다. 그는 이렇게 말하곤 했다. "나무는 생산자, 동물은 소비자이지만 사람은 파괴자다." 한 직원은 사람의 통행을 불편하게 하는 길 옆 나뭇가지 하나를 잘랐다가 그 즉시 해고당했다. 냉해 입은 삼나무 한 그루 자르는 걸 허락하고는 그렇게 마음 아파하던 민병갈이었다. 그는 둥지만 남은 삼나무 그루터기를 찾아가 '나무야 미안하다'라며 눈물로 사과하기도 했다. 멕시코 원산의 새우나무가 30여 년 살다가 고사하자, 그는 뜰에 묻어주기도 했다.

나무만이 아니었다. 숲에 사는 모든 생물을 그는 마찬가지로 사랑했다. 늦봄이나 초여름 올챙이가 개구리로 성장할 때쯤엔 개구리들의 합창을 듣기 위해 논두렁을 배회하기도 했다. 그런 개구리가 편안히 살도록 논도 두 마지기나 조성했다. 말년에 얻은 절친 임준수에게는 갈대 바구니에 들어가 있는 개구리를 선물했으며, 그의 흉상 앞에는 개구리 상을 두어 생전 개구리를 끔찍하게 사랑했던 그와 벗하도록 했다. 그렇다고 개구리 포식자인 뱀이나 오리를 미워하거나 내쫓지 않았다. 생태계를 이루는 모든 생명을 그는 존중했다. 심지어 송충이까지도 죽이지 못하게 했다. 직원들에게는 독선으로 비쳤지만, 희한하게도 수목원엔 병충해가 거의 없었다.

그 결과 그는 재배종 개념을 국내 식물학계에 처음으로 인식시킨 선구자이며, 한국의 식물이 세계식물지도에 올라가도록 기여했다. 학명에도 그의 이름이 3종의 나무에 올라가 있다. 그가 발견해 세계학회에 보고했기에 학명에 그의 이름을 올린 완도호랑가시나무, 품종 설명에 그의 이름이 올라간 목련 교배종 라스베리 펀, 그리고 '칼 페리스 밀러'로 명명된 교배종 떡갈나무. 육종학자 앨런 쿰스가 그를 기억하기 위해 명명한 이름이다. 미스 킴 라일락과 함께 한국을 알리는 한국 토종식물의 변종이다.

그사이 나무만 키운 게 아니다. 사람도 많이 키웠다. 교육생을 거친 김용식(영남대) · 김무열(전북대) · 김상태(상명여대) 교수가 있다. 미국 모턴 수목원 큐레이터 김군소, 청양의 고운식물원 설계자 정문영, 한국수목원협회 부회장 송기훈, 국립수목원 배종규 연구관 등이 그들이다. 1999년 한미우호상을 수상한 그는 이렇게 말했다. "나는 나무와 함께 하는 시간이 가장 행복하다. 나무는 항상 하늘을 우러러 솟으며 생명력이 넘친다. 모든 사람이 나무와 같은 삶을 살았으면 한다."

독일계 미국인인 그는 평소 '전생에 나는 한국인이었던 것 같다'라고 말하곤 했다. 그만큼 한국과의 인연을 운명적으로 받아들였다. 첫 인연은 제2차 세계대전 말 미 해군 정보장교로 근무할 때 맺었다. 오키나와에서 전쟁포로 가운데 일본말을 못하는 한국인 여성이 끼어 있었다. 일본군 종군 위안부로 끌려와 성노예로 시달린 조선인이었다. 그는 수치심과 공포감 때문에 얼굴을 들지 못하고 있었다. 어린 나이에 겪었을 고통은 상상만 해도 가슴이 아팠다. 낮은 코, 둥근 얼굴, 욕심 없는 소박한 표정……, 그 얼굴이 기억에서 떠나지 않았다.

전후 한국 근무를 자원했다. 한국에 도착해 특히 인상적이었던 것은 초가집이었다. 한국인의 얼굴 그리고 자연과 그렇게 닮아 있을 수 없었다. 한 달쯤 뒤 처음 먹어본 김치가 입에 척척 달라붙었다. 어디를 가나 고향처럼 편안했고, 누구를 만나도 친밀했다. 전생에 한국인이었을 것이라는 이유 말고는 무엇으로도 설명할 수 없었다.

천리포수목원에는 기와집 11채와 초가집 1채가 있다. 기와집 5채는 인왕산 기슭의 고택(지금의 소사나무집)과 안동김씨종택(지금의 목련집) 등을 이전해 복원한 것이고 나머지 6채는 신축했다. 지금의 다정큼나무집은 초가집인데, 새마을운동 때 무차별적인 초가집 파괴의 광풍을 무사히 이겨내고 남았다. 한번은 면사무소 직원이 찾아와 지붕을 공짜로 고쳐줄 테니 초가를 걷어내자고 하길래 민병갈이 불같이 화를 내며, "내 집을 두고 이래라 저래라 하지 말라"며 내쫓았다는 이야기가 숨어 있는 집이다.

후박집 안에는 서예가 이겸로李謙魯와 화가 이응로李應魯의 작품이 한 폭씩 걸려 있다. 서재에는 오세창吳世昌의 6폭 서도병풍을 배경으로 자주색 공단 보료가 깔리고 안석이 놓여 있다. 보료 앞 탁자에는 서안과 문갑, 지필묵 등 문방사우가 가지런히 놓여 있다. 단정한 한복에 이끌려 안선주 교무를 수양딸로 삼았을 만큼 한옥을 사랑했던 그가, 마고자 차림으로 우이모 붓을 들고 전통 한지 음양지 위에 난을 치는 모습이 눈앞에 삼삼하다.

대청엔 이런 편액이 걸려 있다. 원불교 교전에서 따온 내용이다.

"임께서 내 마음 모르신들 어떠하며, 벗들이 내 세정 안 돌본들 어떠하리. 깊은 산 향풀도 제 스스로 꽃다웁고, 삼경 밤 뜬 달도 제멋대로 밝삽거늘, 하물며 군자가 도덕 사업하여 갈 제, 세상의 알고 모름 그 무슨

상관이랴."

지금도 많은 동성애자들이 차별과 소외를 이기지 못하고 한 많은 세상을 떠난다. 하지만 민병갈은 그들과 달리 지상에서의 눈물로, 목련 416종과 호랑가시나무 350여 종, 동백 300여 종 등 1만 1,000여 가지 수종을 키워냈다. 한 그루 한 그루가 차별받는 이는 물론 차별하는 이에게도 그 빛과 온기를 나누고, 아름다운 꿈을 심어주는 별들이었다. 천리포수목원엔 이제 연간 시민 30만여 명이 찾아와 안식을 얻고 간다. 남녀노소 빈부 동·이성애 등 세상 그 어느 다름도 수목원은 차별하지 않는다. 멀어질수록 그 향기 더욱 맑지 아니한가香遠益清!

탁류 거칠어도
지주산은 우뚝했다

경상북도 구미시 오태동 고샅에는 지주중류비가 있다. 고려의 충절 삼은三隱 가운데 한 사람인 야은 길재를 기리는 비석이다. 물살이 거센 중국 허난성 황하 한가운데에 지주산이 있으니, 길재의 절의를 그 흔들림 없이 우뚝함에 비긴 것이다. 시대의 도도한 오탁에 물들지 않고 의기와 청백이 홀로 우뚝하다 했으니, 이보다 더 한 칭송은 없을 것이다.

구미는 1960년대까지만 해도 선산군에 딸린 한미한 면소재지였다. 박정희 정권 시절 대규모 공단이 들어서면서, 오히려 선산을 병합하고 인근 지역 일부를 흡수해 경북에서 가장 큰 지금의 구미시가 됐다. 선산은 "조선의 인재 절반이 영남에서 나왔고, 영남 인재의 절반이 나왔다"(이중환, 『택리지』)는 곳. 길재의 뒤를 이어 조선 사림의 종장이라 불렸던 김숙자金叔滋와 김종직金宗直 등이 그곳 출신이며, 이문리와 노문리는 장원급제를 많이 배출했다 하여 '장원방'이란 이름까지 얻었다.

근현대의 구미는 풍운의 진앙이었다. 구한말 13도 창의군 군사장과 총대장을 역임한 왕산旺山 허위許蔿, 이승만 치하에서 '빨갱이 사냥꾼'으로서 내무 외무장관, 국무총리를 지냈던 장택상張澤相, 지금도 기득권 세력에게 '반신반인'으로 추앙받는 박정희, 그런 박정희와 유신의 심장을 쏜 김재규金載圭(선산군)가 모두 이곳 출신이다.

1917년 10월, 대한광복회 총사령 고헌固軒 박상진朴尙鎭은 요원들에게 이렇게 말했다. "원래 그자는 이왕李王과 소송을 벌이고 소작인을 괴롭히는 경북의 유력자로서, 그를 살해함으로써 그 소문이 전도에 전파되면 광복회의 사업을 추진하는 데 편리할 것이오." 여기서 '그자'란 당시 영남 최고의 친일 갑부였던 장승원張承遠이었다. 한 달 뒤인 11월 10일 그는 오태동 자택에서 채기중·이형락·강순필에 의해 처단됐다. 그런 박상진이 부친처럼 따랐던 스승이 바로 허위다.

장택상은 장승원의 셋째 아들이다. 위로 두 형(장길상, 장직상)은 '조선공로자명감'(총독부 편찬)에 오른 친일파. 일제강점기 때 청구구락부사건으로 투옥되기도 했던 장택상이지만 해방 후 미군정청 경무부 수도경찰청장이 되자 독립지사들에게 보복을 가했다. 그는 일제 경찰들을 대거 복권시키고 기용해 해방된 조국의 치안을 일제 때로 되돌려 놓았다. 심지어 백범 김구까지 검거하려 했고, 일제의 사냥개 노덕술로 하여금 약산 김원봉을 체포해 능멸하도록 했으며, 몽양 여운형의 암살 배후로 지목되기도 했다.

박정희는 장승원이 사망하고 이틀 뒤, 오태동 옆마을 상모동에서 태어났다. 부친 박성빈朴成彬은 장씨 집안의 머슴이자 소작인이었다. 그는 성주 태생으로 1895년 동학농민전쟁이 일어나자 동학 접주로 동학군을 이끌었다. 동학전쟁이 진압된 뒤 고향을 떠나 칠곡군 약목을 거쳐

1917년 구미 상모동에 정착했다. 박정희 형제들은 아버지가 장승원에 바칠 소작료(소출의 50퍼센트)에 마름에게 상납할 씨암탉 등을 지고 들고 가는 아버지의 굽은 허리를 보며 자랐다. 어린 박정희에게 영국 에든버러대학 유학생이었던 장택상은 부러움의 대상이었지만, 철 들면서는 적개심의 대상이 되었다. 반대로 장택상의 눈에 박정희는 어릴 때나 커서나 머슴에 불과했다.

훗날 박정희가 국가재건최고회의 의장으로서 1963년 10월 정읍 황토현에서 열린 갑오동학혁명기념탑 준공식에서 동학농민전쟁을 '혁명'으로 치켜세우는 추도사를 한 것은 이런 집안의 내력 때문이었다. 그 자리에서 박정희는 제 부친이 성주의 동학 접주였다는 사실을 넌지시 알렸다.

셋째 형 박상희는 투철한 독립운동가였다. 신간회를 거쳐 여운형의 건국동맹에서 활동하다가 구속됐다. 해방 후엔 건국준비위원회, 민족민주주의전선(민전) 지역 간부로 활동하다가 1946년 10월 대구항쟁의 격랑 속에서 경찰에 사살당했다. 일제강점기 말 박정희는 박상희의 만류를 뿌리치고 '오로지 출세를 위해' 일본군 장교가 됐다. 해방이 되자 염치가 없었던지 남로당에 가입했고, '숙군' 과정에서 체포돼 동료 200여 명을 밀고하고 풀려났다.

그런 박정희가 쿠데타로 정권을 잡게 되자 장택상은 배알이 뒤틀렸다. 그는 5·16 이후 '박정희 타도'의 선봉에 섰다. 한일회담 때는 한일굴욕외교반대투쟁위원회 위원장을 맡기도 했으며, 신민당 고문 등을 역임하며 '반독재 민주투사'가 되었다. 자유당 정권에서 외무부 장관 국회 부의장, 국무총리 등 대통령을 빼놓고는 모든 영화를 누렸지만, 박정희 체제 아래서 그는 '박정권의 탄압'으로 말년을 불운하게 보냈다. 박정희와 맞섰던 김영삼金泳三은 그의 비서였고, 군사정권 시절 '빨갱이' 덤터기를 쓴 김대중金大中은 한때 그의 대변인이었다.

허위는 1854년 4월 1일 오태동 및 상모동과 붙어 있는 임은동에서 부친 허조의 네 아들 중 막내로 태어났다. 그는 을미사변 이듬해인 1896년 김천에서 의병을 일으켰다(김산의병). 셋째 형 허겸도 그와 함께 했고, 만형 허훈은 전답 3,000두락을 팔아 군자금으로 냈다.

1899년 관계에 첫발을 디딘 그는 성균관 박사, 중추원 의관, 평리원 서리 재판장(법원장서리)을 거쳐 1904년 8월 의정부 참찬에 올랐다. 참찬 시절 장승원이 경상북도 관찰사를 매직하러 찾아왔다. 이미 요로에 손을 써놓았던바, 의정부의 추천만 받으면 되는 상황이었다. 오랜 세교가 있던 터라 내쫓지 못하고 있을 때 제자(박상진)가 한마디했다. "저 사람의 행태로 보아 반드시 그 뜻을 관철할 것이니, 추천은 해주되 돈은 훗날 필요할 때 받기로 약조하십시오."

러일전쟁에서 승기를 잡은 일제는 곧 조선을 집어삼킬 게 분명했다. 다시 의병을 일으킬 날이 다가왔다. 허위는 김산의병을 이끌면서 군자금의 필요성을 절감했다. 그는 장승원의 청을 들어준다. 훗날 박상진이 장승원을 처단한 것은 허위와의 약조에 따라 20만 원을 독립군자금으로 내놓으라고 하자, 장승원이 이를 거부하고 오히려 일제에 밀고하려 한 정황 때문이었다.

허위는 이상천·박규병 등과 함께 1904년 말 배일 통문을 돌린다. "앉아서 망하기를 기다리느니보다 온갖 힘을 다하고 마음을 합하여 빨리 계책을 세우자. 진군하여 이기면 원수를 보복하고 국토를 지키며, 불행히 죽으면 같이 죽자. 의義와 창槍이 분발되어 곧 나아가니 저들의 강제와 오만은 꺾일 것이다. ……비밀히 도내 각 동지들에게 빨리 통고하여 옷을 찢어 깃발을 만들고, 호미와 갈구리를 부셔 칼을 만들고 ……." 이듬해 1월 통문이 발각돼 일제 헌병대에 구금됐다.

고종은 3월 그를 비서원승(비서실장)에 임명했지만 일제의 방해로 7월 강제 낙향했다. 1905년 11월 을사늑약이 강행되자 영호남, 경기, 강원도를 밀행하며 의병 규합에 나섰고, 1907년 고종의 강제 퇴위와 함께 구한국군이 해산되자, 경기도 북부 지역에서 다시 의병을 일으킨다. 그 해 11월 각 지역 의병장의 뜻을 모아 통합의병사령부(13도 창의대진소)를 결성했고, 12월 양주 회의를 통해 이인영李麟榮을 총대장으로 서울진공작전을 펼치기로 했다. 이듬해 1월 그는 군사장으로서 선발대 300여 명을 이끌고 동대문 밖 30리 지점까지 진공했다. 그러나 후발 부대의 도착이 늦어져 진공작전은 허무하게 실패한다.

허위는 굴하지 않고 흩어진 의병을 수습해 임진강·한탄강 유역에서 항전을 계속하지만, 6월 11일 포천군 일동면 유동리에서 체포됐다. 허위를 심문한 자는 일본군 헌병대장 겸 경무총장 아카시 모토지로明石元二郎였다. 아카시 모토지로는 비록 적장이지만 고매하고 강직한 허위의 인품에 매료되어 그를 '국사'(國士, 나라의 으뜸 선비)라고 말했다. 그는 1908년 10월 21일 경성형무소 1호 사형수로 순국했다.

형 집행에 앞서 왜승이 명복을 빈다며 독경을 하려고 하자, 허위는 "충의의 귀신은 스스로 마땅히 하늘로 올라갈 것이요, 혹 지옥에 떨어진다 하더라도 어찌 너희들의 도움을 받아서 복을 얻으랴"며 물리쳤다. 검사가 허위에게 사후 시신을 거둘 이가 있느냐고 묻자, "죽은 뒤의 염시斂屍를 어찌 괘념하겠느냐. 옥중에서 썩어도 무방하니 속히 형을 집행하라"고 호통을 쳤다고 한다.

"만세 강상을 홀로 세웠으니……." 심산 김창숙은 허위의 죽음으로 민족이 살아났다고 추도했다. 실제로 1년 뒤(1909년 10월 26일) 하얼빈 역에서 안중근 의사는 조선 통감 이토 히로부미를 사살했다. 9년 뒤엔 애제자 박상진이 부일매국노 장승원·박용하 등을 처단했고, 그 정신은 약산 김원봉의 의열단으로 이어졌다.

첫째 형 허훈, 셋째 형 허겸 두 형과 자식들 역시 생명과 재산을 나라에 바쳤다. 허훈은 의병장으로 활동했고, 셋째 형 허겸은 만주로 망명해 독립운동 중 병사했으며, 허위의 세 아들도 부친의 유언에 따라 허겸과 함께 만주에서 활동했다. 허위의 사촌인 허형과 허필 그리고 그 아들인 허민·허발·허규·허보·허형식·허규식도 국내외에서 부친의 길을 따랐다. 일제 경찰이 작성한 『고등경찰요사』는 허위의 가족과 일가 권속이 "(대부분) 국외로 이주해 불령운동에 종사했다"라고 기록했다.

"우리 이천만 동포에게 허위와 같은 진충갈력盡忠竭力 용맹의 기상이 있었던들 오늘과 같은 국욕國辱을 받지 않았을 것이다. 본시 고관이란 제 몸만 알고 나라는 모르는 법이지만, 허위는 그렇지 않았다. 따라서 허위는 관계官界 제일의 충신이라 할 것이다." 안중근 의사가 뤼순 감옥에서 허위의 처형 소식을 듣고 했다는 말이다.

이토 히로부미가 사살당하고 꼭 70년이 되던 1979년 10월 26일, 또 한 사람이 피살당한다. 박정희다. 장승원이 박상진 의사에게 피살(1917년 10월)되고 62년이 지난 해였다.

상모리 태생의 박정희와 이문리 태생의 김재규는 둘도 없는 고향 선후배였다. 쿠데타에 반대했던 김재규는 정변 후 체포당하지만, 박정희의 도움으로 석방돼 호남비료 사장, 국회의원, 건설부 장관, 중앙정보부장 등으로 승승장구한다. 김재규는 그런 박정희를 큰형처럼 따랐다. 박정희의 전화를 받을 때는 벌떡 일어나 '충성' 구호를 외칠 정도로 충성스러웠다.

하지만 유신체제는 김일성 체제를 닮아갔고, 경호실장 차지철은 나치의 친위대장 하인리히 힘러Heinrich Himmler 노릇을 하며 박정희를 히틀러로 만들었다. 김재규는 10월 26일 궁정동 안가에서 '유신의 심장'

을 쐈다. 그가 박정희를 쏜 이유 중에는 '박근혜와 최태민의 관계'도 있었다. 그 관계를 청산하지 못한 박근혜는 38년 뒤 국민들에 의해 대통령직에서 파면당했다. 10·26과 함께 유신체제는 종언을 고했고, 김재규도 전두환의 신군부에 의해 처형당했다. 김재규는 이런 말을 남겼다. "국민 여러분, 민주주의를 만끽하십시오." 인권변호사 강신옥, 영원한 민주투사 함세웅 신부 등은 그를 박상진에 준하는 김재규 의사로 불러야 한다고 주장한다.

구미에는 이 네 사람의 흔적이 남아 있다. 왕산기념관과 기념공원, 장택상과 김재규 생가, 그리고 동양 최대의 박정희 타운. 왕산기념공원은 후손들에 의해 조성됐고, 한때 거대한 장택상 생가는 절이 되었다가 이제는 음식점이 되었다. 한동안 흉가로 버려졌던 김재규 생가는 반듯하게 복원됐다. 세 사람의 흔적은 소박하지만, 박정희의 흔적은 거창하다. 기존의 생가, 민족중흥관, 동상에 1,200억여 원을 들여 새마을테마공원, 기념공원, 역사자료관이 건립되고 있거나 추진되고 있다. 반신반인의 성지로 꾸며지는 것이다. 북한의 유일신 김일성 시신이 있는 금수산 궁전과 비슷하다.

이 시대 과연 무엇이 탁류이고 무엇이 지주산인가. 무엇이 혹세무민의 우상이고 무엇이 살아 있는 정신일까. 역사가 시대에 던지는 물음이다.

삶은 막장이로되,
사람은 따듯했네

청년 시절 지독한 염세주의자였던 시인 고은高銀에게 모래내시장은 "어떤 인문적인 파편도 발견할 수 없는" 곳이었다. 오로지 "사고파는 것만이 생존의 이유가 되는 현실을 확인하는" 동네였다(『나의 산하, 나의 삶』). 당대의 만담가 장소팔과 고춘자는 달랐다. "연신내 술집에선 연신 술값을 내라 하고, 모래내시장에 가면 모래 내도 된다 하고……." 말장난이었지만, 모래내에 대한 그들의 애정은 진득했다. 실제 모래내시장은 서울에서 인심이 가장 후했다. 삶은 고됐지만, 사람은 따듯했다.

고은 시인이 자전적 소설 『나의 산하, 나의 삶』을 쓸 당시(1970년) 모래내시장은 모래내 둑방길을 따라 형성됐다. 여름철만 되면 범람하는 모래내의 홍수를 막기 위한 방죽이었다. 지금의 수색로 37번지와 38번지 사이의 수색로4길이다. 둑 위엔 1960년 후암동과 남영동 등 이른바 해방촌에서마저 쫓겨난 철거민의 하꼬방이 무더기로 세워졌고, 방죽 뒤로는 비만 오면 시궁창이 되는 쓰레기매립장이 들어섰다. 뻘밭이 얼마나 심했으면 마누라 없인 살아도 장화 없인 살 수 없다는 동네였다.

북한산 보현봉에서 발원한 홍제천은 조선조 사천 곧 모래내沙川로 불렸다. 모래내 남쪽은 연희방이었고 북쪽은 가좌였다. 가좌가 가재울인데, 모래내 물이 맑아 천변에 가재가 많이 산다 하여 가재울이 되었다고 하고, 갓(변두리)과 울(마을)이 합쳐져 서울의 변두리, 즉 가재울이 되었다고도 했다. 원주민들은 후자 쪽이지만, 새 주민들은 전자를 선호한다.

아무튼 가재울은, 그런대로 배곯지는 않게 됐다는 1980년대, 1990년대까지만 해도 서울의 북서쪽 끝 달동네였다. 전쟁 피난민, 이농 유민, 도심에서 쫓겨난 빈민들이 부대끼며 악착같이 삶을 이어가는 곳이었다. 자기 땅에서 쫓겨난 이들의 지상에서 마지막 거처였던 것이다.

이들이 밀려오기 전 가재울은 수도권의 무주구천동이었다고 한다. 그 넓은 땅에 주민은 수백 가구에 불과했다. 가재울의 그런 '선사시대'는 1959년 사라호 태풍에 의한 이촌동 수재민 2,200여 명이 이주하면서 '역사시대'로 바뀐다. 정부는 지금의 북가좌1동 산기슭에 대형 군용 텐트를 줄지어 치고, 텐트 한 동에 네 가구씩 살도록 했다. 버틸 수 없는 사람들은 산비탈에 판잣집을 짓고 빠져나갔다. 이듬해엔 용산 철길이 확장되면서 철도부지의 판자촌이 철거됐다. 그때 후암동 철거민도 가재울로 이주당했다. 지금의 남가좌1동 모래내 방죽이 이들의 새 주거지였다. 벼락골모퉁이, 앞냇골, 범말로 이어지는 방죽 뒤로 하꼬방촌이 형성됐다.

1962년 모래내 위로 사천교가 개통되자, 도시 빈민들이 또 밀려왔다. 서울역 등으로 장사를 가거나 날품을 팔러 가기 수월했기 때문이었다.

인구는 폭증했다. 1960년 첫 인구조사 때 그곳 인구는 7,495명이었다. 1965년엔 2만 8,553명으로 늘더니, 5년 뒤엔 6만 3,852명으로 증가했다. 1975년엔 8만 1,668명으로, 1980년엔 10만 8,987명이 되어, 서대문구에선 압도적으로 많은 인구를 자랑(?)했다.

뻘밭 같은 시궁창에 그 많은 사람들이 터를 잡았으니, 빈곤의 참혹상은 눈 뜨고 볼 수 없었다. 강냉이 장수 아버지가 아들딸 삼형제를 극약 묻힌 빵을 먹여 죽이고 저도 목숨을 끊거나, 쓰레기통을 뒤져 가져온 생선내장을 끓여먹고 죽은 어머니 주검을 붙들고 몸부림치는 삼남매 이야기 따위가 심심찮게 신문에 실렸다. 서울올림픽이 열렸던 1988년엔 지강헌 등 교도소 탈주범 4명이 인질극을 벌이기도 했다(북가좌1동).

"거기서 너는 살았다./ 선량한 아버지와 볏짚단 같은 어머니/ 티밥같이 웃는 누이와 함께/ 거기서 너는 살았다.// 기차 소리, 목에 걸고/ 흔들리는 무꽃 꺾어 깡통에 꽂고/ 오래 너는 살았다.// 더 살 수 없는 곳에 사는 사람을 생각하며/ 우연히 스치는 질문…… 새는 어떻게 집을 지을까./ 뒹구는 돌은 언제 잠 깨는가./ 풀잎도 잠을 자는가./ 대답하지 못했지만/ 너는 거기서 살았다./ 붉게 물들어/ 담벽을 타고 오르며/ 동네 아이들 노래 속에 가라앉으며// 그리고 어느 날 너는 집을 비워줘야 했다./ 트럭이 오고/ 세간을 싣고/ 여러 번/ 너는 뒤돌아보아야 했다" (이성복, 「모래내 1978년」).

시장통 첫 가게는 청과물상이다. 맞은편엔 프라이팬 등 주방기구 점포, 그 옆엔 뻥튀기가 쌓여 있고, 각종 밑반찬과 '시골된장' 항아리가 있는 반찬가게가 이어진다. 맞은편은 또 야채, 옷, 건어물 점포가 이어지고 또 맞은편엔 신발가게 등 중구난방이다. 다시 맞은편은 전과 튀김도 파는 김광수베이커리이고, 건너편엔 풍년정육점이 있다. 한 집 건너면 30년 된 부산어묵. 주인은 지금도 좌판 뒤에 앉아 생선 갈아 밀가루

섞은 반죽을 손가락 마디만큼 떼어 기름에 튀겨낸다. 다시 닭집과 건어물 가게가 이어지고, 맞은편엔 두부 전문 수림상회다. 콩을 삶고 갈아 콩물 내고, 간수 섞어 두부를 응고시키는 공정이 모두 그곳에서 이뤄진다. 30여 년간 두부로 돈을 번 전주인은 인근에 본전뷔페를 차려 나갔고, 지금 주인은 10여 년째다.

두부집 맞은편은 백마기름집. 기름과 고추는 이 시장의 대표 상품. 아직도 직접 기름을 짜는 집이 10여 곳이나 된다. 백마기름집에선 개고기도 흑염소도 판다. 앞은 수색4로가길과 교차하는 사거리이고 건너편은 은좌떡집이고, 대각선으로 마주보는 가게가 모래내정육점이다. 이곳엔 열 집 건너 한 집이 정육점과 닭집이다. 정육점 좌판엔 족·꼬리·껍데기, 그 뒤에는 양·곱창·대창·막창·수구레 등 각종 부속품이 진열돼 있다. 아무리 가난해도, 몸이 유일한 재산인데, 그걸 어찌 채소로만 지탱할까. 부속품은 가난한 몸을 지탱케 하는 지방과 단백질 공급원이었다. 싸고 푸짐한 닭내장볶음과 닭내장탕은 지금도 미식가들을 불러 모은다. 정육도 싸다. 모래내정육점에 딸린 천막식당에는 이런 메뉴판이 밖으로 걸려 있다. '특별할인', 한우 특수 부위, 모듬한우, 육사시미, 육회 각 1만 2,000원, 등심 1만 8,000원.

시장을 탄생시킨 것은 가재울이었고, 가재울은 시장으로 말미암아 더 팽창했다. 처음엔 연탄·쌀·야채 등 생필품 가게들이 주택가 골목에 생기다가 그 주변에 노점이 하나둘 들어섰고, 마을이 커지면서 점포와 노점이 늘었다. 수색로가 확장되고, 버스가 통행하자 인근의 농민들이 도로 옆에 자리를 깔고 노점을 차렸다. 그런 시장통에 이름이 붙은 건 1966년이었다. 1969년 간이역이던 가좌역이 정식 역으로 승격되면서 시장은 폭발적으로 확장했다. 노점과 점포는 방죽(수색로4길)을 따라 벼락골모퉁이를 거쳐 앞냇골까지 뻗어갔다. 골목 교차로를 만나면 위로 아래로 확장했다. 시골집 뒤란 살구나무 가지 뻗듯 시장은 골목을 따라 퍼져나갔다.

그 결과 동대문시장, 영등포시장, 청량리시장 등과 함께 서울의 4대 재래시장으로 꼽히게 됐다. 서울 서북부 지역 유통의 중심이었고, 일산·능곡·고양·수색은 물론 연신내·홍제동·성산동·망원동·상암동 주민들의 생필품 공급처이자 생활 거점이 되었다. 가재울 뉴타운 공사와 함께 지금은 수색로4길 500여 미터 시장통으로 쪼그라들었지만, '모래내시장에선 물건값 깎지 말라'는 말은 지금도 유효하다. 그만큼 인심이 후하고 품질도 괜찮다.

다시 사거리를 지나면 쌀·고추 따위를 파는 화순상회, 그 옆엔 서울떡집, 개고기도 파는 금촌참기름집과 중원기름집이 이어진다. 작은 삼거리엔 건어물·밑반찬·떡집이 있고, 모래내시장과 역사를 같이해 온 강원닭집이 있다. 좌판엔 삼계탕 재료, 닭발, 모래집, 굴비, 양미리, 갈치포가 있다. 건너편엔 퇴락한 처녀돼지집이 있고, 입구엔 '내가 너희에게 명하노니 서로 사랑하여라'는 말씀이 걸려 있다.

저만치 골목 끝엔 가재울 뉴타운 공사장과의 경계인 높다란 가림막이 서 있고 마천루처럼 고층아파트가 솟구쳐 있다. 노점과 점포는 여전하지만, 인적은 더욱 한산하다. "여기까지 오면 발품값을 한다니까요." 건어물 아저씨가 손님을 잡는다. 실제로 교통비는 떨어진다. 뒤쪽의 상가는 대부분 비워진 채 철거를 기다리고 있다. 옛 서중시장의 잔해다.

청년 고은은 가끔 절망 속에서 허우적거리는 자신을 건져내기 위해 부리나케 철길 건너 목욕탕엘 가곤 했다. 헤엄쳐도 될 만큼 넓은 탕에서 '죽은 듯이 물에 잠겨 훌쩍거리곤 했'다는데, 그곳이 아마 서중목욕탕이었을 것이다. 1968년 개장한 이 목욕탕은 문 닫을 때까지 모래내 유일의 대중탕이었다. 노점들이 목욕탕을 포위하게 되자 건물주는 상가로 개조해 분양하고, 상가 이름을 서중시장이라고 했다. 상설인 모래내시장과 서중시장 외에도 삼거리시장, 일산시장, 복지시장, 중앙시장, 좌원시장 등이 있었고, 이들을 통칭한 것이 모래내시장이었다.

이제 모래내시장 이외에 다른 시장들은 모두 사라졌다. 좌원시장의 은좌상가는 노인네들이 저렴하게 회포 푸는 콜라텍으로 명맥을 유지한다. 모래내시장은 손님은 줄었지만 1960년대 상가 건물과 점포들이 아직 남아 있고, 40년 이상 된 기름집, 고추방앗간, 정육점, 떡집, 수선집, 잡화점 따위가 그대로다. 50년이 다 되어가는 모래내돼지갈비, 닭내장탕집도 그대로다. 한때 그 거대한 시장통을 자율적으로 규율하던 친목회도 여전하다. 최초로 결성된 기름집고추집친목회는 1974년 결성됐다. 한복골목친목회, 정육점친목회인 육친회, 미곡상친목회 외에도 시장을 지켜온 아주머니친목회도 명맥을 유지하고 있다. 한때는 가격을 통제하고, 휴무일 영업을 감시하기도 했지만 지금은 동고동락이 목적이다.

모래내시장이 각종 영상 콘텐츠 생산의 주요 거점이 되고 있는 것은 그런 까닭이다. 산업화 시기 서울의 생활문화가 이렇듯 고스란히 남아 있는 곳은 거의 없다. 인기리에 방영됐던 드라마 「엄마가 뿔났다」도 여기서 촬영됐고, 드라마 「불량가족」이나 영화 「무뢰한」의 주요한 배경도 이곳이다.

서울역사박물관은 2008년 자료집 『그리운 가재울』을 펴냈다. 인문지리와 역사 그리고 삶을 기록한 편찬팀은 이렇게 제안했다. "전통시장으로서 특징을 살린 건축적 공간 정비를 통해 저렴하고 친숙하게 이용할 수 있는 재래시장의 기능과 경관과 공간을 유지해야 한다. 그래야 각종 문화 콘텐츠의 산실로서 기능을 지속할 수 있다."

그러나 이곳에도 27층짜리 주상복합 건물 3동이 들어선다. 1, 2층을 상가로 쓴다지만, 가난한 모래내 상인들이 들어설 공간은 없을 것이다. 실제 가재울 뉴타운에는 원주민이 열에 한둘 정도만 산다고 한다. 가난한 이들은 다시 더 가난한 땅으로 떠난 것이다.

자본에는 눈이 없다고 했던가. 모래내뿐이던 시절 홍수가 그 눈부신 모래톱을 쓸어버렸듯이, 밀려드는 자본은 서울 생활문화의 보고인 가재울, 모래내시장의 질고 푸른 삶의 흔적을 남김없이 밀어버리고 있다. 영혼은 기억의 밭에서 성장하며, 정체성은 기억의 열매다. 기억을 상실한 가재울 뉴타운이 아무리 삐까번쩍 광을 자랑한다 한들 어찌 피가 흐르고 정이 흐르는 공동체로 자리 잡을 수 있을까.

거기 누구 없나요?
나비의 꿈

명암이 어쩌면 그렇게도 극명할까. 월명동은 화사했고, 개복동은 음울했다. 영화동은 반듯했고, 창성동과 둔율동은 미로였다. 장미동은 보란 듯했고, 선양동은 웅크리고 있었다. 군산의 넓지 않은 구도심은 그렇게 충돌했다. 그러나 세상의 모든 극단이 그렇듯이, 비현실적이라는 점에서는 양쪽 모두 같았다. 멀리서 보면 신기루처럼 몽롱했고, 걷다보면 안개 속처럼 희미했다.

일제강점기 가진 자들에게 군산은 유혹하는 별천지였다. 그곳에선 권력이든 돈이든 땅이든 이루지 못할 게 없었다. 봄날 바다 멀리에서도 월명공원은 구름 같은 벚꽃으로 눈부셨고, 동백꽃 군락은 그 선홍의 빛깔로 유혹했다. 일본인들에겐 일장기의 흰과 붉음의 대비로 보였을 것이다. 돈푼깨나 있는 자들에게는 '언제든 살 수 있는' 여인의 붉은 입술과 하얀 속살로 보였을 것이다.

월명산 산줄기가 감싸고 있는 품 안엔 월명동, 금동, 영화동, 장미동이 들어앉았다. 정복자들은 그곳에 조선판 '교토' 같은 도시를 세우려 했다. 지금도 그 흔적이 고스란히 남아 있는 전주통, 본정통, 소화통 등 넓고 반듯한 도로를 내고, 해안 쪽에 경찰서, 세관, 일본18은행 군산지점 등 은행, 조선미곡창고주식회사 등 억압과 수탈기구를 들였다. 안쪽엔 히로쓰 등 일본인 대지주의 호화 저택이 들어섰으며, 정복자의 안녕을 비는 정통 일본식 사찰 동국사를 마을 뒤쪽 산자락에 앉혔다. 바다로 내달리다가 우뚝 선 월명산 산마루엔 이노카시라 혹은 오미야 등 일본의 전통적인 공원을 조성했다.

그들은 그곳에서 정복자·지배자·약탈자로서 천년만년 군림하고자 했다. 고려 최영 장군에게 무산된 강탈의 꿈, 조선의 의병과 이순신 장군에 의해 무산된 도요토미 히데요시의 강점꿈 등 왜구 선조들이 얼마나 오랫동안 꿈꾸던 소망이었던가. 지금도 일본인들은 군산 구도심을 많이 찾는다. 그곳에서 제국의 영화를 돌아보려는 것일 게다.

사실 지금도 일제강점기 때 심은 사쿠라가 봄이면 장관을 이루고, 마을 구조는 그때나 지금이나 똑같다. 오늘의 군산시도 이런 식민지 조선의 가장 잘 보존된 잔재들을 앞세워 호객을 한다. 이름하여 근대역사문화도시 군산!

하지만 그곳의 영화는 선창 밑 수많은 노예의 패들링(노젓기)에 의해 움직이는 유람선 선상과 다름없었다. 이 화사한 마을은 식민지 노예들에 의해 떠받쳐지고 있었던 것이다. 1934년 총독부 인구조사에서 군산 인구는 3만 6,959명. 조선인 2만 7,144명에 일본인 9,408명이었다. 1937년 『조선일보』에 연재됐던 『탁류』에서 지은이 채만식蔡萬植이 추정한 인구는 '조선인 6만 명, 일본인 1만여 명'이었다. 후자가 현실에 가까웠다. 월명산 산록을 따라 게딱지처럼 붙은 움집, 토막집에서 짐승처럼 살던 조선인들의 상당수는 인구조사에 잡히지 않았다. 둔율동, 창성동, 선양동 등 산비탈 동네나 비탈과 평지에 어중간하게 걸쳐 있는 개복동이 그런 곳이었다.

"보라! 개복정(개복 · 창성동), 약송정(개복 · 선양동), 산상정(선양동), 둔율정(둔율동 · 둔뱀이) 일대를! 그중에도 고지대를! 다시 말하면 조선인 빈민지대를! 거리마다 오물이 산적해 있으며, 변소의 분뇨가 도로에 일류溢流하여 통행인으로 하여금 코를 들지 못할 지경이오……." 1936년 8월 20일자 『동아일보』에 게재된 르포기사는 그 실태를 잘 전한다. 식민지 시절 지배자들이 숨기려 했고, 지금도 가급적 관광객들이 방문하거나 둘러보지 않기를 바라는 마을들이다. 군산시가 간행한 '1930년대 시간여행' 지도에도 하필 이 조선인 마을들은 빠져 있다. 대신 정복자들이 천년왕국을 꿈꾸며 세운 수탈기관과 억압기구 건축물, 그리고 정복자의 호화스런 가옥만을 더듬도록 한다. 월명동 · 금동 · 영화동 · 장미동 등 소설 『탁류』에 의지해서나 그때 그 자취를 복기할 수 있을 뿐이다. 정 주사가 미두장에서 낭패를 당하고 집으로 돌아가던 길과 그 주변 풍경은 어쩌면 일제강점기 군산의 진실이자 진경이었으며, 2002년까지 이어졌던 군산의 숨기고 싶은 탁류이자 애가였다.

정 주사는 땅 팔고 집 팔아 마련한 돈을 미두장에서 몽땅 털린다. 일제가 조선의 쌀 유통을 통제하고, 조선인들의 남은 재산을 털어먹는 데 이용한 것이 미두장(쌀 선물시장)이었다. '화투는 백석지기 노름이요 미두는 만석지기 노름'이었다. 미두장 근처를 떠나지 못하고 하바꾼 노릇을 하던 그는 어느 날 젊은것에게 멱살을 잡힌 채 온갖 모욕과 조롱을 당한다. 겨우 멱살잡이에서 빠져나와 째보 선창(죽성포)에서 궁상을 떨다가 영화동 빈해원 모퉁이를 돌아 동령고개와 아리랑고개를 거쳐 선양동 말랭이 셋집으로 돌아간다. 바로 그 길을 따라 늘어서 있는 것이 당시 군산의 진면목이었다.

80여 년 전통의 빈해원은 한때 군산 화교의 영화를 보여 주는 중식당. 뒤편의 동령고개는 월명산에서 동쪽으로 뻗은 산줄기가 끝나는 곳이었다. 지금은 깎여나가 반듯한 도로와 주택가가 되었다. 일제가 전주·익산·태인 등지에서 쌀을 실어오기 위한 도로 전주통(전군가도)이 시작하는 곳이다. 동령고개를 넘으면 개복동.

월명산은 활처럼 휘어진 그 산줄기로 진포만을 감싼다. 서쪽으로는 서해를 막아서고, 동쪽으로는 형무소고개, 명산동고개, 아리랑고개, 둔뱀이고개, 동령고개로 잦아든다. 월명동·금동·영화동·장미동 등은 그 안쪽에 있다. 해안 쪽엔 갯벌을 간척해 각종 수탈과 억압 기구들을 들였다. 제 땅에서 쫓겨난 조선인들은 월명산 산마루와 산비탈에 움막을 짓고 살았는데, 그들의 생활과 삶의 중심이 개복동이었다.

『탁류』는 당시 개복동의 모습을 이렇게 그렸다. "(지금은) 개운정開運町이니 하는 '하이칼라' 이름을 지었지만, 예나 시방이나 동리의 모양다리는 그냥 그 대중이다. …… 급한 비탈에 게딱지 가튼 초가집이며, 낡은 생철집 오막사리들이 손바닥만 한 빈틈도 냉기지 아니하고 콩나물 길듯 다닥다닥 주어 박혀 있다. …… 이러한 몇 곳에 군산의 인구 칠만 명 가운데 육 만도 넘는 조선 사람들 대부분이 어깨를 비비면서 옴닥옴닥 모여 산다."

일제는 그곳을 욕망의 찌꺼기와 삶의 분노와 절망을 배설하는 곳으로 삼았다. 군산좌(군산극장, 우일씨네마)와 희소관(극도극장) 등이 들어섰고, 그 뒤로는 호남 최대 규모였다는 윤락가가 골목골목 빈틈없이 들어섰다. 개복동 윤락가는 일제가 패망한 후에도 6·25전쟁을 거치며 오히려 더 확장됐다. 미군 영외 거주자들은 시 외곽의 산북동 아메리카타운에서 벗어나 개복동 인근 영화동에 현지처와 살림을 차렸다. 개복동에게 해방이란 일본인이 미군으로 바뀐 것에 불과했다. 박정희 정권에 의한 한·일 국교정상화 이후엔 일본인 기생관광단이 밀려왔다. 정권은 제 나라 딸들에게 몸을 팔아 애국하라고 등을 떠밀었다. 아예 도선장 부근에 세일러하우스를 짓고 성매매 타운을 건설하기도 했다. 하지만 윤락의 전통과 권위에서 개복동을 따라갈 수는 없었다. 2002년 개복동 성매매업소 화재 참사는 개복동 윤락사, 아니 남성 권력자에 의한 여성 침탈의 상징이었다.

요즘 뜻있는 시민들이 예술인의 거리 혹은 예술촌으로 변신시키려 안간힘 쓰는 곳이 개복동 교복거리다. 교복거리를 지나면 창성동이고, 그 초입에 있는 것이 콩나물고개다. 왼쪽으로는 둔뱀이(둔율동)다. 오른쪽 창성동 산비탈엔 조선인 상대의 '은근짜 마을'(주점 골목)이 있었다. 술도 팔고 몸도 파는 골목이었다. 『탁류』에서 고태수가 드나들던 기생 행화네나 200원에 팔려간 명님이가 피눈물을 뿌리던 유곽도 그곳에 있었다. 그곳이 '500고지'로 불린 것은 지대가 높기도 하려니와, 싼값에 몸을 살 수 있었기 때문이었다.

창성동 산마루에 서면 명산동 고개가 발아래다. 고개 북쪽 끝자락에 명산시장이 있다. 점령자들 전용의 고급 유곽이 있던 자리다. 이제 고개는 없다. 산허리를 툭 잘라 월명로를 내었다. 건너편 선양동 말랭이(달동네)와는 고가다리로 연결했다. 다리 중간엔 정 주사의 집터를 알리는 표석이 있다. '탁류' 시절 명산고개 마루쯤 되는 곳이다.

월명동 등 일본인 마을을 둘러싸고 있는 개복동에서 선양동 말랭이까지 주민들은 모두 조선인이었다. 자기 땅에서 쫓겨나 오갈 데 없는 유민이었다. 일제는 병탄 후 토지조사를 핑계로 국유지와 미신고 토지를 총독부 재산으로 거둬갔다. 전국 농지와 임야의 40퍼센트에 이르는 규모였다. 아울러 지주 중심으로 토지소유 구조를 재편했다. 수많은 소규모 자영농들은 농지를 잃고 소작농으로 전락했다. 당시 군산 옥구의 일본인 대농장이 20여 개에 달했다. 넓은 곳은 3,000만 제곱미터에 달했다.

지주들은 42~47퍼센트의 소작료를 물렸다. 이 가운데 악독하기로 소문난 옥구의 이엽사 농장은 1927년 소작료를 현물 75퍼센트로 올렸다. 옥구농민조합 서수면 지부는 즉각 납부 거부를 결의했다. 일경은 지부장을 체포했고, 농민들은 지부장의 석방을 요구하는 시위로 맞섰다. 일경은 36명의 회원을 더 체포했고, 조합원들은 서수면·임피면 주재소를 습격해 구금된 조합원들을 구출했다. 일경이 다시 체포하자, 농민들은 노동자 학생들과 연대해 군산경찰서 앞에서 대규모 시위를 벌였다. 그러나 80여 명이 더 검거됐다. 일경은 조합원 34명을 구속 기소했다.

옥구농민항쟁은 전국적인 소작쟁의와 항일농민운동의 기폭제가 되었다. 그러나 수많은 농민이 고향을 떠나야 하는 계기가 되었다. 호남에서 그렇게 쫓겨난 이들이 찾아든 곳이 바로 군산의 구도심 변두리 개복동·선양동·창성동·둔율동 등이었다. 조선총독부 자료로도 당시 군산엔 전국에서 '불량주택'(가마니로 둘러친 집)이 가장 많았고, 토막집도 경성에 이어 두 번째로 많았다.

지금은 해맞이공원으로 바뀐 선양동 말랭이 정상에 서면 구도심이 한눈에 들어온다. 산 아래 형무소고개 건너편 산기슭엔 우리나라 유일의 일본 사찰 양식의 동국사가 있다. 월명공원에서 해안 쪽으로 장미동과 영화동이 길게 이어지고, 장미동 선창가엔 일제의 조선은행, 식산은행, 세관, 창고 건물 등 수탈시설이 지금도 당당하게 서 있다. 멀리 선창가의 조선은행, 식산은행, 세관, 쌀 창고 건물 등 일제의 수탈시설도 보인다. 그리고 개복동의 '2002년 그 자리'도 어림짐작할 수 있다.

그 사건이 터진 건 일제강점기 시절이 아니었다. 해방이 되고도 반세기를 훌쩍 넘긴 2002년 1월 29일의 일이었다. 음울하긴 하지만 벌건 대낮인 오전 11시 50분께였다. 한낮인데도 개복동 7-13번지 대가-아방궁의 21~24살 여성들은 밖으로 나갈 수 없었다. 감옥처럼 문이란 문은 모두 잠겨 있었다. 건물 출입구에서 불이 났다. 유독가스가 이들의 1층 구석방으로 밀려왔다. 창문을 넘어 탈출하면 간단했지만 쇠창살로 막혀 있었다. 2층 옥상으로 탈출하려 했다. 그러나 2층 계단 출입문도 잠겨 있었다. 그들은 계단 출입구 앞에서 모두 질식사했다. 14명이었다. 그중엔 중풍 걸린 어머니와 늙은 아버지를 위해 '돈 벌어 오겠다'며 집을 떠난 유씨(22세)가 있었고, 대학에 합격했지만 가난 때문에 진학을 포기한 한씨(23세)가 있었다.

"산다는 것이 힘들어. 가슴 한구석이 텅 비어 있는 것 같다. 답답하다. 좁은 공간에서." "정신적으로 힘든 하루였다. 모든 것이 짜증스럽다. 몸으로도 지쳐버렸다. 오늘 따라 집이 그립다. 부모가 보고 싶다. 눈물이 나오려고 그런다." 그들이 남긴 메모였다. 이 가운데 한씨의 메모는 신문지상에 많이 인용됐다. "희망 없는 미래, 어떻게 할까. 순수했던 과거로 다시 돌아갈 수만 있으면 얼마나 좋을까." 하지만 이른바 '윤락녀'였기에 그의 지극히 소박하고도 절실했던 비원은 사람들의 머리에서 곧 지워졌다.

사고 현장 근처에서 길을 잃었다. 동네가게에 들어갔다. 주인이 반갑게 맞았다. "안녕하세요?" "어서 오세요." "말씀 좀 묻겠는데요, 2002년 화재사고가 난 곳이 어디죠?" 주인의 표정이 돌변했다. "몰라요." 찬바람이 쌩했다.

현장은 가게에서 불과 50미터 떨어진 곳이었다. 군산 시민사회는 그곳에 여성인권교육센터를 세우자는 운동을 10여 년째 해왔다. 그러나 시도, 주민들도 외면했다. 그들은 그 흔적을 하루 빨리 그리고 남김없이 지워버리고 싶은 것이었다. 일제강점기 개복동 조선인들의 피눈물과 꿈은 물론, 지금도 순수했던 시절로 돌아가고 싶은 개복동 나비들의 비원까지도 다 없애고 싶었다. 시민단체에선 현장의 남은 벽체에 나무 판자를 덧대어 소원지 등을 붙일 수 있도록 했다. 그런데 젊은 방문객들이 붙인 종이 나비들은 이튿날 아침이면 감쪽같이 사라지곤 한다고 한다. 종이 나비들이 하늘로 날아갔을까? 그럴 리는 없을 텐데…….

'엄니 배나 한가지유,
엄니 배……'

지곡 읍내 큰길에서 꺾자마자 드렁댕이 가느실 가느물이다. 큰어름들 작은뚜지를 거쳐 장현가람물길 망미산길 지나 번두고개를 넘으면 왕산포……. 포구로 가는 길은 그렇게 이름조차 깊고도 깊다. 벌말 대로, 노룡, 도성, 가느실, 호리, 어도, 활곡, 만대…… 가로림의 포구 어디로 가든 마찬가지다. 오죽 유현했으면 가로림만을 어머니의 아기집 같다 했을까.

이원반도에 해가 걸리면 포구마다 내리는 저녁노을, 날새들은 떼지어 날아들고, 밀물에 실려오는 고깃배들. 조선에 실경화풍의 씨를 뿌린 안견安堅, 그가 가로림만을 끼고 있는 서산군 지곡면 태생이 아니었던들, 「소상팔경도」는 그저 그런 중국 그림의 모작에 불과했을 것이다. 어촌석조, 원포귀범, 평사낙안……은 바로 그 가로림만의 실경이었다. 하지만 그곳 사람들은 그 진경 속에서 아무렇지도 않게 하루하루를 살아가고 있나니, 그림과 실제, 꿈과 현실이 따로 없다. 안평대군이 꿈속의 도원경을 이상향으로 삼았다면, 안견은 산·바다·새·물고기·들짐승·초목, 그리고 사람이 한데 어울린 그곳을 이상향으로 삼았을 것이다.

"참 바보였슈. 보상 몇 푼 받는다구 천수만 갯벌이 매립되는 걸 놔뒀은께. 태안읍에서 자전거 타면 15분 거리밖에 안 됐거든유. 가는 길도 아름답지만, 갯가에 서면 말도 못 했슈. 얼매나 뻘은 부드럽고, 갯내음은 향기롭고, 갯것들은 풍성한지……. 시상에 없는 것 없었구만유. 기어다니고 헤엄치고 붙어 살고, 이리 튀고 저리 날고. 갯벌에도 물길이 있어 그리로 물이 들어올 때면 환장한다니께유. 호미 하나만 들고 가면 양재기 하나 채우는 건 일도 아니었슈. 실컷 놀다가 바지락 고동 캐고, 굴 따고, 거북손은 긁고, 살조개는 그냥 주웠쥬. 그렇게 아름답고 부잔데 세상 부러울 게 어디 있간디유. 근데 막고 나니 어떻게 됐대유? 땅은 정씨가 다 가져가고, 갯벌은 모두 죽어버리고, 사람들은 떠돌이가 되었응께. 맨손 어업 하는 사람에겐 80만 원인가 보상 준다 했는데, 그거 받는 데 15년 넘게 걸렸슈. 근데 그걸 누구 코에 붙인대. 우덜 참 바보였쥬. 막힌 사람들만 망했남, 방조제 바깥 천수만 저 아래쪽 사람들까지두 다 망했다구유. 안면도 끝 누동리 사람들도 많이 고향을 떴대유. 해태 양식으로 벌이가 쏠쏠했는데, 갯벌이 없어지고는 유속이 빨라져 양식도 안 되구, 산란장도 없어졌으니 고기도 없구, 뻘에서 살던 조개들 다 사라지구, 이제 떠나야쥬, 도리가 있남유."

"태안에서 개펄 가자면 백화산이 가로막고 있어 천수만으로 댕겼지만, 천수만이 저 지경 되구선 백화산 돌아 가로림만으로 가는구만유. 다행히 가로림만은 예나 지금이나 똑같아유. 요즘 꽃게가 되게 비싸다지만, 그땐 어른 손바닥맨 한 것들이 슬금슬금 개펄로 기어나왔으니 줍기만 하면 됐제. 요즘도 사시랭이(중간 크기 꽃게) 같은 건, 불만 비추면 건질 수 있구만유. 삽 한 자루 들고 가면 낙지두 캐구. 어릴 땐 나무막대 끝에 낫굼댕이(짧은 낫) 묶어서, 갯벌에 박고 뛰어다녔쥬. 그럼 뭔가 딱 하는 소리가 들려유. 영락없이 주먹만 한 대합이었쥬. 지금도 괜찮아유. 물때와 물길만 잘 알면 한 저녁에 한 동이씩 건질 수 있다니께. 갯바위 많은 청산리 어은리 중왕리 바닷가에 가면 낚시로 망둥이, 깔때기(어린 농어), 모쟁이(어린 숭어)를 숱하게 건지구. 봄엔 놀래미, 간재미, 도다리, 쭈꾸미, 꽃게, 여름엔 농어, 도미, 뱀장어, 그리고 6월부터 낙지, 8월부터 민어, 봄가을엔 꽃게, 꽃게 허면 서산 아닝겨? 오징어, 갈치, 겨울엔 굴, 바지락, 동죽, 모시조개, 살조개, 맛조개, 키조개, 소라, 고둥 등 어패류, 권패류가 지천이고 숭어도 물 반 고기 반 아닌가베유. 사철 먹을 게 많으니 황새, 넓적부리도요, 청다리도요 사촌(이상 멸종위기 야생동물 1급), 열댓 종의 도요새, 그만한 종류의 갈매기와 기러기와 각종 백로, 그리고 종다리 지바뀌 등 새들 천지쥬."

"요즘 점백이, 물범 이야기 많이 하는데, 4월부터 늦으면 11월 초까지 벌말 앞 솔섬에서 여나믄 마리 놀다가쥬. 타포닌가 뭔가 땜에 환경부 지정 특정 도서인 옥도 앞 모래톱에서 놀기도 하고, 가로림만 저 안쪽 어은리 쌍도까리에 가서 놀기도 한대유. 옛날엔 그놈들 참 쌨쥬. 30년은 지났을 낀데, 물범들이 얼매나 많았으면 포수들이 떼로 몰려오곤 했구만유. 그때 너무 심했던지 언젠가부터 보기 힘들다가 요즘 동네 사람덜이 잡덜 못하게 하니께 다시 돌아와 놀더라구유."

"그럼 뭐 한대유? 물 막히면 끝인디. 저걸 막는 게 전기 때문이라는데, 그게 태안화력발전소 연간 발전량의 2.7프로, 지금 서산 사람덜 쓰는 전기의 40프로밖에 안 된대유. 그 쥐꼬리만큼 한 전기 맹글려구 가로림만 갯벌을 죽여? 아이구, 참 속 터지유. 저기서 나는 조개니 낙지니 물괴기만 혀두 서산은 뭐유, 충청도 사람덜 죄다 먹구두 남쥬. 우리 같은 늙은이덜 호미만 갖고 나가면 1년에 3,000만 원은 버는데. 굴이니 김이니 양식하는 사람은 말도 못 하쥬. 정부라는 게 워째 그리 실없대유? 2002년 서해안 해안 중 자연성이 가장 좋은 곳이 가로림만이라고 한 게 환경부 아닌감유. 2005년 해양수산부는 우리나라 갯벌 중 가장 건강한 곳이라고 했구, 2007년 전국 습지 환경가치평가에선 가로림만이 1등 했쥬. 한려해상공원 한강하구, 우포늪, 낙동강 하구가 그 댐이구. 작년 정부에서 갯벌의 연간 평균 생산가치가 평방킬로당 63억 원이라고 했으니께, 가로림만 생산가치는 5,040억 원이 되는 거 아닌가유? 쥐꼬리 만한 전기랑 그걸 어떻게 비교한대유. 머리 좋다는 놈덜이 죽자 사자 공부혀서 고시 떡하니 붙고 나면 꼭 저런 지랄하니, 당최 그 까닭을 알 수가 없네유. 열불 나 살 수 없대니께."

"거짓말만 안 했으면 좋겄슈. 물 맥히면 부자들이 떼로 와 요트 타고, 그러면 요트만 닦아도 하루에 10만~20만 원 벌이 할 수 있대나유? 그걸 말이라고 하니, 내 참 우릴 쑥맥으로 안다니께. 설사 그런들 내 몸 놀려 잘 먹고 잘 사는데 우릴 청소부 만들 일 있슈? 관광객 500만 명이라구? 차라리 벌천포에서 만대포까지 다리나 놓지, 뭐 하러 댐을 막는디야. 그럼 갯벌도 살고 관광도 헐 수 있는 거 아닌겨? 물 막아도 갯벌은 그대로라고 하는데, 우릴 천치로 아는감, 갑문 몇 개 남기고 죄다 막아야 하는데, 터빈 돌릴려면 물을 잔뜩 가둬야 하고, 그러면 저 갯벌이 도대체 남아나기나 하겠냐구유. 맨손 어업 신고만 허면 보상한대니께, 읍내 사람덜 눈이 뒤집혀 난

리래유. 그놈의 보상 때메 한 마을에서 서로 싸움이 나고, 상종도 안 하고, 요샌 친목회도 동창회도 갈 맴이 안 생기유. 이웃 마을에선 이장님한테는 낫 들고 덤비기까지 했대유. 그놈의 거짓말 땜에 마을이 절딴나것슈. 할 일 없는 사람덜 관광시켜 줍네 거짓말해서 관제 데모나 시키구."

"천수만 어촌계장님이나 간월도 어촌계장님이 말했쥬. '시작했다 하면, 끝장나유. 지금 보상 앞세워 꼬드기지만, 일단 막기 시작혀 봐유, 저 사람덜 입 싹 씻을 거유. 그거 받겠다고 싸움질한 걸 생각하문, 사람 망가지고 돈 깨지구. 여럿 화병으로 죽었대유.' 그러니 속 안 터지겄슈. 밀양 송전선 문제보담 여긴 백배 더 커유."

"그래두 천수만 땜시 다행 아닝감유. 그걸로 사람들 많이 깨었다니께유. 물론 찬성하는 사람도 있쥬. 대처로 간 자석들 돌아올 생각 없구, 어장 물려줄 사람 없고, 그런 노인덜 중 보상받아 떠날려는 사람들이나, 돈 벌라고 여그로 온 사람들, 펜션 장사나 유스호스텔 장사, 그런 사람들이쥬. 허지만 막아선 안 된다는 사람덜이 열 배는 많아유. 어장 물려줄 자석 없는 노인 중에두 마찬가지유. 조상에게서 물려받은 어장, 아이들 너댓씩 키워준 어장을 어떻게 팔아넘긴대. 그건 양심이고 생명이고 영혼을 파는 짓이라고 하쥬."

"제발 그딴 짓 안 했으면 좋겄슈. 굳이 하겠다면 길 좀 다듬고, 편의 시설 맹글어 사람들 편히 오가게 하면 되유. 도시 나간 우리 애덜 주말마다 오가고, 직장 그만두면 돌아와 아부지, 엄니 자리 채워 일하게만 하면 되지. 여긴 늙어도 몸만 움직이면 밥벌이는 한께, 도시 노인 문제 해결책도 될 수 있쥬."

"갯벌은 날 낳아준 엄니 배나 한가지유, 그걸 어찌 숨통 조이려 한대. 잘났다고 허는디, 따지고 보면 시절들이유, 엄니 같은 바다 그렇게 맹글고 지는 잘 살 수 있겄슈? 여그 사람덜은 그렇게 안 살어유. 삽질도 함부로 않고, 물길 허투루 막지두 않구. 주는 것만도 넉넉한데 웬 지랄들이래, 어구 속상혀."

가로림만으로 드는 여정은 사뭇 조심스럽다. 엄니의 뱃속이나 마찬가지라는데 어찌 찧고 까불고 할 수 있을까. 지요하 님, 정순선 님, 박정섭 님, 지윤금 님, 이평주 님 그리고 서산태안환경연합 식구들…… 바다 닮아 말도 걸음도 계산도 느리지만, 이젠 속에서 열불 터지는데, 그걸 뭘로 끄려나.

원조 대학로, 애국청년들의 낭만과 열정

사시사철 바글대는 인사동 중에서도 가장 번잡한 곳이 인사동네거리다. 공평동과 낙원동을 잇는 길과 관훈동에서 종로로 이어지는 인사동길이 만나는 교차로다. 통인가게와 오라카이인사동스위츠, 종로종합금융센터와 가야옻칠공예사 등 전통과 첨단이 만나는 곳이기도 하다보니 남녀노소 동서양 사람들로 북적거린다.

그러나 낙원동 쪽인 인사동 4길로 몇 걸음만 옮겨도 풍경은 180도 바뀐다. 색깔은 점차 천연색에서 무채색으로 바뀌고, 오가는 이들도 청년에서 중장년으로 그리고 노년으로 바뀐다. 낙원상가 북단에 이르면 돌연 암전, 낡은 흑백사진 속 풍경으로 빠져든다. 하지만 누가 알랴. 불과 60여 년 전만 해도 그곳이 서울의 대학로였으며 80~90여 년 전엔 피 끓는 애국청년들의 거리였다는 사실을.

안국역에서 낙원상가를 거쳐 남산1호터널로 향하는 도로가 삼일대로다. 3·1독립만세운동을 기리자는 것이니 뜻이야 갸륵하긴 하다. 이 그늘지고 한적한 거리를 '대로'라 한 것은 선뜻 이해가 가지 않는다. 하지만 조금만 눈여겨보면 그 이유를 알아챌 수 있다.

편도 4차로는 교통량이 적다보니 과연 대로다. 중앙분리대가 화단으로 이루어져 더욱 넓어 보인다. 서울에선 세종대로 광화문 광장 주변에서나 볼 수 있는 조경이다. 도로 양편 가로수는 서울에서도 가장 오래된 플라타너스다. 파리의 샹젤리제 거리 등 유럽의 낭만적인 도로를 연상시킬 정도다. 거기에 운현궁, 수운회관, 운현궁 양관, 박영효朴泳孝 옛집, 관립교동왕실학교, 덕성여대 옛 캠퍼스, 탑골공원 등 근대사의 명소들이 주변 곳곳에 박혀 있다.

탑골공원은 조선 후기 진취적인 북학파 지식인들의 모임이었던 백탑파가 어울리던 곳이었고 구한말 구국의 열변이 쏟아지던 만민공동회가 열리던 곳이었으며, 일제강점기 3·1독립만세운동이 처음 불붙기 시작한 곳이다. 인근의 기독교청년회YMCA 회관은 일제강점기는 물론 해방 이후에도 청년운동의 중심이었고, 길 건너엔 의협심 강한 주먹들이 웅거했던 우미관도 있었다. 북촌 쪽으로 수운회관은 민족운동의 거점이었고, 그 건너편엔 우리나라 최초의 근대식 초등교육기관인 관립교동왕실학교(현 교동초등학교)가 있으며, 그 옆엔 독립지사 차미리사車美理士가 순수한 우리 자본과 땀으로 건립한 덕성여대 옛 캠퍼스가 있다. 운현궁과 양관엔 구한말의 영욕이 고스란히 담겨 있다. 게다가 구한말에서 해방 공간에 이르기까지 교육구국 및 교육입국운동의 거점이었으며 민립대학들이 태동하던 서북학회회관도 있다. 그곳은 젊은 피가 용솟음치던 대한민국의 심장과도 같은 곳이었다.

서북회관 터 앞에는 이런 안내판만 서 있다. "대한제국시대인 1908년에 국권회복운동을 위하여 평안도·함경도·황해도민이 조직한 애국계몽단체. 1909년 일제의 탄압이 가중되자 만주에 무관학교를 설립하여 독립군 운동으로 전환시키는 데 크게 기여했으나 1910년 강제 해산되었다."

지금은 서울 광진구 화양동에 있는 건국대학교 캠퍼스에는 르네상스 양식 건물 하나가 있다. 반지하 1층, 지상 2층에 건평 300여 평 규모의, 이 학교 설립자인 상허常虛 유석창劉錫昶 기념관이다. 규모는 작지만 붉은 벽돌을 쌓아올린 2층 몸체에 화강암으로 모서리를 장식하고, 중앙에 3층 높이의 돔을 세운 것이 나름 고풍스럽다. 서북학회 터에 세워졌던 서북학회회관이다. 유석창이 일제강점기 말 매입했다가 해방 후 단국대와 건국대 등의 교사로 쓰고, 1977년 해체했다가 1985년 지금의 자리로 옮겨 복원한 것이다.

서북학회는 1908년 초 설립됐다. 1905년 러일전쟁에서 러시아가 패하면서 대한제국의 국권은 일본의 손아귀로 거의 다 넘어갔다. 조선의 지식인 민중 사이에선 교육을 통해 나라를 구해 보자는 운동이 전국적으로 들불처럼 일어났다. 이상재·남궁억·민영환 등은 국민교육회를 조직하고 학교 설립과 신교육 보급 운동에 박차를 가했다. 하지만 을사늑약과 함께 국민교육회는 강제로 해체된다.

이듬해 10월 평안도, 황해도 출신의 박은식·김병도·신석하 등은 서우학회를 설립하고, 11월엔 오상규·이준·이종호 등 함경도 출신들이 한북흥학회를 결성한다. 두 학회는 일제의 견제에 맞설 수 있도록 1908년 1월 통합해 몸집을 불렸다. 서북학회다. 서북학회의 출범을 두고 이동휘는 '독립의 기초'라고 했고, 박은식은 '전국 동포의 무궁한 복지를 가져올 단합정신'이라고 평가했다. 초대 임원은 이동휘·안창호·박은식·이갑·유동열·최재학 등이었다.

서북학회 출범 1년 전 비밀결사체 신민회가 결성됐다. 양기탁·박은식 등 당시 거의 모든 구국활동가들이 참여했다. 독립협회, 만민공동회, 개화당에서 계몽운동을 했던 이들과 상동교회를 중심으로 활동했던 상동파, 국채보상운동 지도자, 미국 등 해외의 활동가, 개혁적인 관료 등을 망라한 단체였다. 서북학회 임원들은 대개 신민회 발기인이었고, 서북학회 발기인 33인 역시 대부분 신민회 비밀회원이었다.

신민회는 창립과 함께 국권회복을 위한 교육구국운동에 나선다. 국민교육회의 정신을 이어받긴 했지만, 이를 체계화하고 전국화했다. 운동의 중점을 학교 설립과 함께 교사 양성에 두었고, 나아가 일제에 무력으로 맞서기 위해 국외에 무관학교를 세우기로 했다. 신민회는 비공개 결사이기 때문에 공개적인 대중조직이 필요했다. 그 역할이 서북학회에 맡겨졌다.

정주의 오산학교, 평양의 대성학교, 의주의 양실학교, 안주의 협성안흥학교, 선천의 신흥학교, 강화의 보창학교, 안악의 양산학교 등 신민회의 직접적인 영향 아래 세워진 학교들이 북쪽에 집중된 것은 그런 성격 때문이었다. 신민회와 서북학회의 활동 결과 1908년 말 전국의 학교는 5,000여 개로 늘었다. 1905년엔 2,300여 개 수준이었다. 이동휘는 개인적으로 강화도에 보창학교와 21개 지교를 세웠고, 고향인 함경남도 단천 등지를 다니며 학교 설립을 호소해 100여 개의 학교를 출범시켰다.

1911년 양기탁 등 신민회 지도부 16인이 보안법 위반 혐의로 피소됐다. 이들에 대한 판결문은 신민회의 교육구국운동 내용을 잘 설명해 준다. "……학교 및 교회를 세우고, 나아가 무관학교를 설립하고, 문무쌍전文武雙全 교육을 실시하여 기회를 타서 독립전쟁을 일으켜 구한국의 국권을 회복하고자 하였다."

서북학회는 창립과 함께 회관 건축에 나섰다. 청나라 건축가를 초빙해 건물을 세웠다. 굳이 르네상스 양식을 취한 것은 새로운 문예 및 학예 부흥의 진원지 구실을 하겠다는 의지에서였다. 그해 말 회관이 준공되자 서북학회는 협성학교를 설립했다. 교사 양성 학교였다. 전국에 분교 63개도 세웠다. 초대 교장이 보성학원 이사장인 이종호李鍾浩였고, 박은식도 한때 교장으로 재직했다.

병탄 후 일제가 이 '불령선인의 온상'을 가만둘 리 없었다. 병탄 1개월 만인 1910년 9월 해산시켰다. 배후였던 신민회는 1910년 12월 안명근사건을 계기로 데라우치 마사타케寺內正毅 총독 암살모의사건을 조작해 해체했다. 지도부와 회원 105인이 기소되는 초대형 조작사건이었다.

신민회의 교육구국운동은 일제강점기 민립대학교 설립운동으로 이어진다. 1920년 6월 이상재·한규설·윤치소 등이 조선교육회 설립 발기회를 열고, 1922년 1월 조선민립대학 기성준비회를 결성했다. 당시엔 민족자본으로 설립된 대학이 하나도 없었다. 연희전문, 보성전문, 이화학당은 2년제 전문학교였다. 일제는 한국인에게 고등교육의 기회를 박탈하기 위해 대학 설립을 원천봉쇄했다. 기성준비회 발기인이 무려 1,170명에 이를 정도로, 한국인에 의한 한국인의 고등교육은 민중의 간절한 염원이었다.

기성회는 '한민족 1,000만이 한 사람 1원씩'이라는 캐치프레이즈 아래 기금 모금에 나섰으며, 경기도 안성의 한 농민은 1년 동안 매일 아침 밥짓는 쌀에서 식구 수대로 한 숟가락씩 모아 판 돈 19원을 기부하기도 했다. 이 움직임은 당시 '최초의 가장 큰 민중운동' 혹은 '우리 민족의 생명운동이요 문화운동'이라는 평가를 받았다.

그러나 이 민립대학 설립 시도는 일제의 물리적 탄압으로 좌초했다.

그들은 기부금 모집을 막고, 기성회 인사들의 지방 강연을 중단시키는가 하면 강연을 듣기 위해 모여든 청중을 강제로 해산시켜 버리기도 했다.

다행히 서북학회회관은 사라지지 않았다. 신민회와 학회는 해체됐지만 교육구국의 약속과 정신은 회관과 함께 유지됐다. 협성학교는 일제의 압력으로 오성학교로 개명했다가 1918년 폐교됐다. 빈 교실로 당시 재정난에 허덕이던 보성전문학교(고려대학교 전신)가 들어와 4년간 학생들을 가르쳤다. 보성학원은 설립자인 이용익李容翊이 1907년 러시아로 망명하고, 그의 손자 이종호마저 병탄과 함께 독립운동을 위해 중국으로 망명하면서 재정난에 빠져 천도교가 대신 운영했고, 이마저 여의치 않자 김성수에게 넘겼다.

1921년 일제의 통제가 느슨해지자 최시준은 회관에 다시 오성강습소를 열었다. 오희원과 허헌이 합류하면서 1927년 협성실업학교로 확대 개편했다. 협성실업학교는 1938년 회관과 함께 화신백화점의 박흥식에게 넘어갔고, 박흥식은 1941년 학교를 이전하면서 회관을 유석창 민중병원 원장에게 넘겼다. 유석창이 창학의 뜻을 펼치기도 전 태평양전쟁이 발발하면서 일제는 회관을 일제의 헌병대 건물로 수용해 버렸다.

해방이 되면서 회관은 독립지사들로 붐볐다. 처음엔 조선공산당이 쓰고 있었다. 만주로 갔던 유석창이 돌아오면서 회관은 '민족사학의 태반'으로 기능하기 시작했다. 일제하에서 시도하다가 좌절됐던 민립대학교 설립운동이 부활했다. 다른 게 있다면 기치가 교육구국에서 교육입국으로 바뀐 것뿐이었다.

유석창이 먼저 사설강습소 건국의숙을 열었고, 1946년 5월 건국대의 전신인 조선정치학관으로 확대·개편했다. 그보다 두 달 전 해공海公

신익희申翼熙와 국민대학설립기성회가 입주했다. 김구·김규식·조소앙 등이 고문 혹은 명예회장을 맡고, 백낙준·이태규·주윤제 등 교육운동가 40여 명이 기성회 임원으로 참여했다. 국민대학이라고 한 것은 지금의 '국민대학'을 염두에 둔 것이 아니라 국민들이 세운 대학교라는 취지를 반영한 것이었다.

당시 미군정은 일제 총독부처럼 고등교육기관에 대한 통제를 쉽게 하기 위해 1946년 6월 경성대학과 경성의학전문학교, 경성법학전문학교, 경성고등공업학교, 경성고등상업학교, 수원고등농업학교 등을 하나의 국립대학으로 통합했다. 미군 대령이 총장을 맡고, 대학 행정의 주요 보직도 미국인들에게 돌아갔다. 학생들은 격렬하게 반대했다. 미군정이 일제와 다른 게 무엇인가! 동맹휴학은 서울대학교 각 대학은 물론 연희, 한양, 동국, 국학대학 나아가 중고등학교로까지 확대됐다. 미군정기 최초의 그리고 가장 큰 규모의 반군정 시위였다. 동맹휴학 학교는 57개교, 인원은 4만여 명에 달했으며, 학생 4,956명이 제적됐고, 교수 380여 명이 해임됐다. 전체 교수의 2/3에 이르는 숫자였다. 이른바 '국대안반대운동'國大案反對運動의 전개과정을 모두 지켜본 곳이 바로 서북학회회관이었다. 학생들이나 교수들이 모일 곳은 이곳뿐이었다.

국민대학 설립운동은 국대안 파동 속에서 더 탄력을 받았다. 기성회의 이사진 중에는 중국에서 독립운동을 하던 장형張炯이 있었다. 그는 독립군에게 군자금을 대주던 대지주 박기홍의 부인 조희재로부터 대학 설립에 필요한 토지를 기증받기로 약조를 받은 터였다.

문제는 신익희가 김구를 떠나 한민당과 이승만 쪽으로 노선을 바꾸면서 불거졌다. 장형은 일제와 가장 비타협적으로 육탄혈전을 벌였던 대종교의 중진이었다. 북로군정서군 소속으로 사선을 넘나들던 그에게, 친일파와 타협해 단독정부를 추구하던 이승만은 민족 배반자였다. 장형은 기성회에서 탈퇴하여 별도의 대학 설립에 나섰다. 그 결과 탄생한 것이 1947년 11월, 해방 후 한국에선 처음으로 4년제 대학 설립 인가를 받은 단국대였다. 대학 이름은 '단군'과 '애국'에서 한 자씩 가져왔다. 홍익인간에 바탕한 구국·자주·자립을 창학 정신으로 삼았고, 설립일을 학생독립운동기념일인 11월 3일로 하였다.

신익희가 주도하던 국민대학설립기성회는 국민대학관을 거쳐 1948년 4년제 대학인 국민대학교 설립 인가를 받았다. 유석창의 조선정치학관은 1949년에야 건국대 설립 인가를 받았다. 한때 서북학회회관엔 건국대, 단국대 그리고 국민대가 동거하기도 했으니, 회관은 민족사립대학의 인큐베이터였다.

회관 건너편엔 1950년 최초의 여자 대학인 초급덕성여자대학교가 들어섰다. 근대 민족교육과 여성교육의 선구자 차미리사가 설립했다. 일제 때 근화여학교를 설립했다가 '무궁화'를 상징하는 학교명을 두고 일제가 물고 늘어져 '덕성'으로 바꿨다. 최초의 운니동 캠퍼스는 1984년 서울 쌍문동 캠퍼스로 학부가 이전하면서 지금은 평생교육원 등으로 쓰이고 있다.

서북학회회관을 중심으로 삼일로 일대가 이 나라의 대학로로 명성을 떨치게 된 배경이다. 최초로 민족 고등교육운동이 시작되었고, 최초의 근대교육시설이 들어섰으며, 우리 민족 스스로가 지은 대학이 4개나 들어섰으니 당연한 일이었다. 어떻게 미군정이 억지로 통합해 설립한 동숭동 서울대학교 주변을 대학로라 할 수 있을까. 그건 일제 제국대학의 후신인 '미군정대학' 거리에 불과했다.

그러나 낙원동은 대학이 들어서기에 비좁았다. 하나둘도 아니고 무려 4개 대학이 있었으니, 곧 포화가 되었다. 대학별 학생 수와 학과가 급격히 늘면서 각 대학은 더 넓은 캠퍼스를 찾아 제각각 외곽으로 빠져나갔다. 그럼에도 1960년대까지만 해도 학생들은 그곳을 잊지 못하고 낙원동 인사동 종로2, 3가 쪽으로 몰려왔다. 종로2가의 열정과 '종삼의 애련'은 그렇게 오랫동안 이어졌다.

그런 곳에 1969년 난데없이 낙원상가가 들어섰다. 박정희 정권이 도심 재개발이란 이름 아래 거대한 콘크리트 덩어리를 낙원동 서북학회 회관과 종로의 파고다공원 사이에 던져놓았다. 목과 몸통이 분단됐고, 그로부터 낙원동 대학로는 급격히 영락했다. 회관 건물도 1977년 도심 개발의 미명 아래 철거됐고 주변은 슬럼화됐다. 이제 그곳은 오갈 데 없는 노인들과 그들을 유혹하는 박카스 할머니, 도시 빈민과 성소수자들의 차지가 되었다. 그나마 생기를 찾게 해주던 가난한 음악인들도 발길을 끊었다.

아무리 그렇다고 해도, 쓰레기 수거 차량까지 그곳으로 불러들여 쓰레기 중간 적치장으로 삼을 건 무언가.

패왕성 귀곡성이 호명하는 것들

한번 건너면 다시는 돌아오지 못하리. 육지의 끝 장평포구에서 거제도의 관문 오양역참은 지척이다. 그러나 유배객들에게 물을 가르는 견내량은 이승과 저승을 가르는 황천.

조선의 폐왕 연산군은 무오년 피바람을 일으켜 스스로 미쳐버린 뒤 모든 시비를 봉쇄했다. 왕이 신하와 함께 경서를 공부하던 경연을 폐지했고, 잘잘못과 옳고 그름을 따지던 사간원을 없애버렸다. 조선의 최고 교육기관인 성균관에서 유생을, 학문과 사초를 관장하던 예문관, 홍문관, 춘추관에서 학자들을 내쫓고, 술청으로 바꿔 기생을 들였다.

갑자년에 이르러 광기는 극에 달했다. 생모인 폐비윤씨의 죽음과 관련된 이들을 주살하고 이미 죽은 이들은 부관참시했다. 그의 비정·폭정·난정을 비난하는 투서가 언문으로 쓰였다 하여 한글 교습을 금지하고, 교재인 '언문구결'諺文口訣을 거두어 불태웠다. 생모인 폐비윤씨에 대해서는 제헌왕후로 추숭追崇하고, 지극한 휘호徽號를 부여하라고 명했다. 폭군의 서슬에 주눅 든 중신들은 머리를 조아리고 '지당하옵니다'를 읊조렸다. 그때 용재容齋 이행李荇과 몇몇 젊은 신하가 나서서 부당함을 따졌다. "추숭이면 됐지 무슨 휘호까지 주느냐"라는 것이었다. 그들은 예외 없이 유배형에 처해졌다.

유배객은 무려 120여 명. 이 가운데 무려 26명이 안치된 곳이 거제도였다고 한다. 이행을 비롯해 김세필·최숙행·홍언승·홍언충·이윤 등 당대의 논객들이었다. 휘호 불가 논의를 처음 꺼냈다는 권달수權達手는 참수당했으니, 거제도 유배는 사형 다음의 형벌이었다.

이행은 충주로, 함양으로 끌려 다니다가 결국 거제도 상동리에 위리안치됐다. 그러나 연산군은 분을 참지 못하고 끝내 그를 장살하도록 명했다. 명이 도달하기 전 중종반정이 일어났기에 망정이지, 이행은 장살을 면할 수 없었다. 연산군의 부아를 뒤집은 이행의 직언은 이랬다. "추숭하는 전례典禮가 이미 지극하니, 휘호를 더할 필요가 없다."

이행이 머물던 곳은 거제시 신현읍 용산마을 계곡. 이행이 소요동이라 이름 짓고 거닐던 곳이다. 거제도의 등뼈를 이루는 계룡산과 선자산 마루금이 만나는 고자산치로 이어지는 길목이다. 고개 너머는 거제읍 동상리, 거제 관아가 있던 곳이다. 동상리엔 역시 갑자사화 때 유배를 당한 십청헌十淸軒 김세필金世弼이 있었다. 『성종실록』 편찬에 참여해 폐비윤씨 대목을 기술한 게 죄였다.

김세필은 성정이 곧았다. 무오사화와 갑자사화에서 피바람을 경험했지만, 연산군을 몰아내고 즉위한 중종에 대해서도 왕의 잘잘못을 면전에서 통박했다. 때문에 쫓겨난 군주와 쫓아낸 군주 모두에게서 유배를 당하는 기이한 기록을 남겼다.

그는 연경에 사신으로 갔다가 돌아오던 중 기묘사화가 일어나고 정암 조광조가 사약을 받고 죽임을 당했다는 소식을 들었다. 돌아와 처음 참석한 경연에서 마침 『논어』 「학이」 편의 '과즉물탄개'(過則勿憚改, 잘못이 있으면 고치기를 꺼려하지 마라)를 놓고 토론하고 있었다.

그는 나아가 말했다. "전하께서 그들(기묘사화 때 희생된 사림)을 적절히 조정하셨다면 반드시 성과를 거두게 되었을 터인데 ……이는 전하의 허물이 큽니다. 그러나 허물을 알아서 속히 고치면 허물이 없는 것이요, 허물이 있어도 고치지 않으면 진정 허물이 되는 것입니다."

그는 1522년 유배에서 풀려났다. 중종은 요직을 내렸지만 끝까지 사양하고, 충주로 돌아가 고향집 앞을 흐르는 개천을 지비천知非川이라 하고, 자신을 지비옹知非翁이라 했다. 지비란 중국 춘추시대 위衛의 대부 거백옥蘧伯玉이 나이 쉰이 되어 "지난 49년간의 삶이 잘못되었다"라고 한 말에서 비롯됐다. 돌아보니 모든 게 부질없고, 잘못이었더란 것이다.

고자산치에서 서편 멀리엔 산방산 암봉이 있고, 그 너머에 우두봉이 있다. 우두봉 너머가 견내량이고 견내량의 거제 쪽 포구가 오양역이다. 우두봉에서 흘러내린 능선이 문득 코처럼 솟은 곳에 성터 하나가 있다. 폐왕성으로 더 잘 알려진 둔덕기성.

고려 때에도 거제는 유배자들의 치소였다. 개경에서 가장 먼 역참이 오양역이었으니, 오양은 유배의 종착지였다. 왕권다툼으로 승통僧統 정竀 등이 유배된 곳이 거제였고, 왕위계승 문제와 연루돼 「정과정곡」의 정서鄭敍가 유배된 곳도 거제도의 오양이었으며, 정서를 내쫓은 의종毅宗 역시 거제로 유배당했다. 정서는 의종의 이모부였으니, 권력 앞에서는 피도 눈물도 없었다.

권력욕은 누구보다 강한 의종이었지만, 행실은 부실하기 짝이 없었다. 마시고 노는 데 빠져, 툭하면 명승지에 이궁離宮과 정자를 짓느라 백성과 군졸을 혹사했다. 풍광 좋다는 정자나 절이 있으면, 문신을 거느리고 찾아다니며 시와 노래와 춤과 술을 즐겼다. 그때마다 왕을 호위했던 장졸들은 굶주림과 추위에 떨며, 이들의 유흥을 밤새워 지켜야 했다.

군왕이 그러하니, 측근과 내시들은 국정을 농단하고 무신들을 희롱했다. 의종이 총애하던 김돈중金敦中은 시위대장 정중부鄭仲夫의 수염을 촛불로 태우며 조롱했고, 새파란 문신 한뢰韓賴는 연로한 대장군 이소응李紹膺의 빰을 때리기도 했다. 이런 행태는 무신들을 뒤집어지게 했고, 무신정변을 초래했다. 의종은 폐위됐고, 거제도에 유폐됐다.

그가 거제도 오양에 도착했을 때, 19년 전 의종이 유배에 처한 정서가 여전히 그곳에 있었다. 고려가요 「정과정곡」의 주인공이다. "……(임의 뜻을) 어기던 사람이 누구였습니까. (나였습니까, 간신배였습니까.)/ (참으로 나에겐) 과실도 허물도 없습니다." 정서는 간신배의 참소에 넘어간 왕에 대한 원망을 지울 수 없었고, 그의 회심을 기다리고 있었다. 그러나 19년 만에 도달한 것은 해배명령서가 아니라, 권좌에서 쫓겨난 의종 자신이었다.

둔덕기성은 해발 380미터의 우두봉 밑 오름에 둘레 500미터의 성벽을 두른 것이니 성이라기보다는 요새 수준이다. 다만 능선 밑 가파른 언덕길에 10미터 가까운 성벽이 돌출했으니, 열 길 스무 길 벼랑처럼 마주한 이를 압도한다. 그러나 어떤 자가 이 외로운 섬, 가파른 봉우리를 공략할까. 그것은 누군가를 보호하기 위한 성이 아니라, 누군가를 겹겹이 가두기 위한 치소였다.

성벽은 남문 쪽 50여 미터만 복원됐을 뿐 대부분 돌무덤이다. 성루와 정자, 누정 따위의 터가 있고, 집수지가 있고, 왕과 군졸, 시녀의 처소가 주춧돌 따위의 흔적으로만 남아 있다. 거기엔 아마도 애첩 무비無比의 거처도 있었을 것이다. 의종이 총애했던 무비…….

무비는 의종을 호가호위한 것이 아니라, 그 자신이 최고의 권력이었다. 한 번은 사위를 요직에 앉혔다. 간관들은 부당함을 따졌다. 그러자 의종은 간관들을 불러 입을 봉했다. 간관은 벙어리나 하는 자리라는 말이 나돌았다. 무비의 콧대는 하늘 높은 줄 몰랐고, 방자함은 "황실의 주인만이 나를 취할 수 있다"라고 하기에 이르렀다. 그러나 무비는 황실의 주인만이 아니라, 왕의 양자인 백선연白善淵과 무신 이의방李義方과도 관계를 맺고 있었다고 한다.

그래도 좋은 걸 어쩌랴. 의종은 유배를 떠나면서도 무비를 포기하지 않았다. 태후에게 울며불며 매달렸고, 태후는 이의방 등 신군부의 실세들에게 간청한다. 신군부의 청년 장교들은 무비를 없애려 했지만, 이의방에게는 죽이는 편보다 의종 곁으로 보내는 게 나았다. 그러면 언젠가는 불러올 수 있을 터이니.

둔덕기성에 갇힌 이 철없는 폐왕의 심사는 굳이 따질 필요가 없을 것이다. 성에서 보이는 풍광만큼은 사시사철, 아침저녁으로 달라지는 그 미색이 절색이었다. 의종이 좋아했다는 작약이 활짝 핀 유월의 아침, 충무만의 한산도, 좌도, 화도 등 섬 사이로 해무는 피어오르고, 붉은 꽃잎엔 햇살 영롱한 이슬 맺히고……. 그 아름다움으로 말미암아 폐왕은 오히려 더 쓸쓸하고 처량했을 법하지만, 그는 유폐를 즐겼다. 곁에 무비가 있으니 이만하면 살 만하지 않은가. 하긴 의종으로서는 갇혀서 즐기나 돌아다니며 즐기나 다를 게 없었을 것이다.

그러나 무비는 한철만 머물고 그의 곁을 떠난다. 이의방이 그를 못 잊어 개경으로 불러들인 것이다. '황실의 주인만이 나를 취할 수 있다'

라고 했으니, 무비로서는 폐왕을 떠나 새 주인 곁으로 가는 것이 자연스러웠다.

그로 말미암은 폐왕의 절망은 컸던가 보다. '이제 더 살아서 무엇할까.' 마침 신군부의 권력다툼에서 밀려난 김보당金甫當이 의종에게 쿠데타를 제의했다. 이판사판! 성공하면 무비요, 실패하면 비루먹는 목숨 하나 내놓은 것뿐인데. 그러나 반란은 진압되고, 의종은 청년 장교 가운데 가장 포악했다던 이의민李義旼에게 참살을 당한다.

이의민은 예를 갖춘다고 의종에게 술 두 잔을 건네고는 허리를 부러트려 죽였다. 그리고 그의 주검을 가마솥에 매달아 경주 곤원사 북쪽 연못에 던지도록 했다. 설마 그렇게까지 할 리 있을까마는, 굳이 의종을 죽이도록 한 것은 무비였다는 이야기가 전한다. 이의민은 이 일로 상장군으로 승진한다.

둔덕기성 북쪽은 견내량, 서쪽은 통영만 그리고 매물도와 소매물도 너머 남쪽은 망망대해. 반면 동쪽으로는 크고 작은 산들이 파도처럼 물결친다. 유배객들은 오양역에서 절골을 거쳐 우두봉 북쪽 고개 너머 상서, 옥동, 옥산재를 거쳐 거제읍 계룡산 기슭에 안치됐다. 더 미움을 산 이들은 계룡산 고자산치 넘어 고현땅으로 보냈다. 읍 쪽에는 우암 송시열과 김진규·김창집 등이 있었고, 고자산치 너머엔 이행이 있었다. 그런 유배객들을 거제인들은 각별하게 모시고 기억했다. 향민들은 십시일반 갹출해 계룡산 기슭에 반곡서원을 세워 이들을 배향했고, 고자산치는 이행의 뜻을 따라 고절령(지조 높은 고개)이라고 부른다.

거제 사람들은 「정과정곡」이 이 섬에서 창작되었다고 믿는다. 기성 아래 숲에 접동새가 많은 것도 그 이유 가운데 하나다. "내님믈 그리ᅀᆞ와 우니다니(내 님을 그리워하여 울고 지내고 있으니)/ 산山 졉동새 난 이슷ᄒᆞ요이다(산접동새 나와 비슷합니다)./ 아니시며 거츠르신ᄃᆞᆯ 아으(님이 나를 아니

[非]라 하시며, 거짓이라 하여도)/ 잔월효성殘月曉星이 아ᄅᆞ시리이다(진실을 달과 별은 알 것입니다)./ 넉시라도 님은 ᄒᆞᆫᄃᆡ 녀져라 아으(넋이라도 님과 함께 있고지라 아)/ 벼기더시니 뉘러시니잇가(충정을 못 믿고 우기시던 이 누구였습니까)." 「정과정곡」은 해배에 대한 탄원보다는 어리석은 군주에 대한 원망이 강하다.

'충정을 못 믿고 우기던' 혼군 의종의 재위 중 조정과 세간 가릴 것 없이 이런 말이 나돌았다. "사간이 되었다고 말하지 말라. 무언無言이 정언正言이 되고, 말더듬이가 간관이 되니, 아서라 무슨 말을 하리오." 침묵이 바른말이라니! 그런 자들의 운명은 비참했다. 의종은 물고기 밥이 되었고, 연산군은 객지에서 주인 없는 주검이 되었다.

하지만 폭군, 혼군이 어디 그들뿐인가. 하와이를 떠돌다 죽은 이승만, 부하에게 피살당한 박정희, 그리고 감옥에 갇혀 있는 박정희의 딸 박근혜, 그리고 이명박……. 사시사철 폐왕성을 휘감고 돌아가는 바람의 쇳소리는 그런 이들을 호명하는 귀곡성이런가.

야옹에서 전우익까지, 반가의 법도

야옹(전응방)은 퇴계(이황)의 권유에 따라 정자를 짓고는 야옹정이라 명명했다. 낙성식 날 반가운 마음에 서둘러 방문한 퇴계는 '야옹의 참 즐거움'野翁眞樂을 찬탄했다. "청산은 집을 감싸고 물은 섬돌을 돌려 흐르는데/ 이곳이 이제부터 새로 정한 보금자리일세/ 안개 서린 숲 사이 길 스스로 열려 있는데/ 한가로운 밭갈이에 호미질도 하고 싶네/ …… 부인은 손님 위해 향기로운 술독을 열고/ 아희는 때 맞춰 싱싱한 채소를 뜯네/ 이제 알겠구나, 야옹의 참된 즐거움을/ 나는 언제나 물가에 앉아, 노는 물고기 희롱할거나."

출셋길 마다하고, 스스로 밭을 일구면서, 고절한 학문과 품격을 지킨 봉화 귀내마을 야옹의 법도에 대한 칭송은 뒤에도 이어졌다. 대사간을 지낸 학사 김응조金應祖는 100여 년 뒤 퇴계의 시에서 운을 따 이렇게 노래했다. "이끼 낀 뜰 새 울고 풀 우거져/ 산골은 여전히 선비의 거처로다……/ 시름을 달래려고 빚은 술 거르고/ 손님 대접하려고 원두밭 채소 뜯어 삶네……." 인조 때의 문신 이래李崍의 소감은 야옹의 즐거움에 격조를 더했다. "인간 만사를 서로 더하지도 덜하지도 아니하니/ 어찌하여 숲속에서 이같이 고요히 살았던고/ 작은 물이라고 어찌 바다에 모여들 뜻이 없으랴/ 그윽한 난초는 본래 사람이 김매어 가꾸기를 원하지 않는 것을/ 가을 깊은 남쪽 언덕에서 누른 벼 거둬들이고/ 비에 젖은 앞산에서 나물 뜯어오는데/ 달빛 쌓인 연못에 참된 즐거움이 있으니……."

퇴계는 어느 봄날 대낮부터 밤이 이슥하도록 야옹과 담소를 나눴다. 봄꽃들이 아름다움을 다투고 새들이 저마다 노래를 자랑하는 정원은 그때 '장춘오'藏春塢라는 이름을 얻었다. 문득 서산에 걸렸던 해는 떨어지고 동산엔 달이 떠오른다. 달은 술잔에도 어렸고, 연못에도 어렸으며, 속 깊은 벗의 눈동자에서도 반짝였다. 시흥이 도저해진 퇴계는 뜰의 작은 연못에, 달을 담아두었다 하여 '저월당'이라 이름했다.

"구성(영주) 동쪽 30리쯤에 구계촌이 있으니, 산은 높지 않게 빙 둘렀고, 물은 깊지 않으나 굽이쳐 흐르는 깊고 외진 골짜기 가운데 일구유장이 있어, 깊숙하게 가려져 넓은 것이 참으로 은자가 머물 곳이다"(경담 이수정, 「야옹정 중수기」). 귀내마을 야옹정은 주소지만 봉화군 상운면 구천리로 바뀌었을 뿐 퇴계와 경담鏡潭 이수정李守貞이 그렸던 당시의 모습과 다르지 않다. 세월의 갈퀴에 건물은 쇠락하고, 저월당엔 물이 마르고, 장춘오는 비었지만, 뼈대는 그대로다.

옛사람이 칭송한 것은 건물의 위엄이나 주변 풍광의 아름다움이 아니었다. 귀내마을은 크고 작은 산이 마을을 겹겹이 에워싸고, 부쳐 먹을 땅이래야 몇 두락 되지 않는 그야말로 한미한 산촌이다. 세속의 소란이 스며들기 힘들겠지만 먹을 것조차 넉넉할 리 없으니, 그곳은 탐욕스럽고 소란스런 세속을 떠난 이들의 은거지일 뿐이다. 아름다움을 희롱할 곳이 아니었다. 옛사람이 칭송한 것은 한마음 오롯이 지키며, 손수 기른 먹거리로 안빈낙도하는 삶이었다.

입향조入鄕祖는 단종 손위 때 벼슬을 버리고 떠난 절의신, 휴계休溪 전희철全希哲의 손자 야옹 전응방全應房. 전희철은 단종 유배 시 호종관으로 수행한 뒤 고향 충북 옥천으로 귀향했다. 세조의 거듭된 부름에 칭병하며 출사하지 않다가, 더는 찾는 소리가 들리지 않도록 부인의 고향인 영주 초곡으로 숨어들었다. 이웃 안동의 노송정(이계양, 퇴계의 조부)이 국망봉에서 단종을 망배하던 것처럼, 그는 칠성산에 단을 짓고 북향 망배했다. 그런 전희철이 세상을 떠나면서 남긴 말은, 단종이 묻힌 장릉에 해마다 참배할 것과 벼슬에 나서지 말 것이었다.

조부의 유언을 따라 더 깊은 산골로 숨어든 이가 전응방이었다. 약관에 사마시를 통과해 출세를 눈앞에 뒀으나, 그는 영주에서도 하룻길이나 더 깊은 산속으로 들어가 정착했다. 호를 아예 야옹(촌늙은이)이라 하고, 조부 때부터 교분이 깊었던 퇴계 집안과 교우하며, 스스로 땅을 일궈 의식주를 해결했다. 야옹정에 걸린 시판에, 농사꾼의 일상이 빠지지 않는 건 그런 까닭이었다. 진성(이만익)이 지은 야옹 묘갈명 서문은 이렇게 맺는다. "일찍이 임천으로 돌아와 숨어, 정자 이름 야옹으로 게시하니, 속진을 벗어났네. 맑은 품행은 밝은 달을 감추는 듯, 애애한 화기는 봄날을 장식한 듯, 시례를 교훈 삼고, 유분을 계승하여, 근검으로 본을 떠서 후손에게 물려주었네."

300여 년 뒤 선성 김휘준도 『야옹정 중수기』에서 이렇게 찬탄했다. "일찍이 더듬어 찾지 못하도록 숨어, 이윤(은 탕왕)이 황무지에서 호미질하는 것과 부열(은 재상)이 높은 축대를 쌓은 일이나 방덕 공(삼국시대 위나라 장수)이 밭 갈고 이랑 치는 일이 얼마였던가, 소후(진 제후)가 오이를 심고 저익(춘추시대 문인)이 쟁기질하여 사나운 세상사를 잊는 것이 이와 같으리라. 퇴계가 야옹공의 참 즐거움을 알게 됐다고 했으니 ……훗날 이 정자에 올라 공을 경모하는 이는 진실로 공의 즐겨하는 바를 얻을 것이다."

후손들은 500년 가까이 청운의 꿈을 접고, 권문에 이름 파는 것을 부끄러워했다. 오로지 스스로 지은 거친 음식으로 몸을 부지하며, 수신과 학문 연구와 후학 양성에 진력했다. 그 좁은 마을에 당과 정과 서재와 서당 등이 즐비했던 것은 그런 까닭이었다.

전응방은 야옹정 외에 마을 동쪽 수림이 울창한 석문동에 석문정사를 지었고, 현손인 시천은 인근 토일에 격양당을 지어 무욕의 즐거움을 구했다. "척박한 밭뙈기 두어 이랑 농사지으며, 집은 거처할 만하고, 샘물은 마실 만한즉 그 즐거움이 진실로 합당하다. 배불리 먹고 흙덩이 치는 즐거움을 스스로 얻었으니 어찌 부귀를 원하며 영화스러운 욕심을 바라겠는가." 격양擊壤이라 이름한 까닭이었다.

11세손 구암龜巖 전수동全秀東은 형제들과 마을 뒷동산 마루 안전이 훤한 곳에 구산서당과 주사(기숙사)를 지어 후학을 양성했다. 문화재로 지정된 주사는 집안의 온습도 조절을 위해 지붕을 까치구멍 형태로 지었다. 정묵재는 전수동의 동생 전수형의 서재이며, 전수동의 둘째 아들 전병열全秉烈은 호를 우직愚直이라 하여 오로지 곧고 바름을 추구했으며, 우직정을 지어 신분의 고하를 떠나 모든 이에게 배움의 기회를 제공했다. 전병열의 넷째 아들 전규명은 직산재를 지었으니, "곧고 바른 성품이 활시위 당기듯 휘어지겠는가, 오직 떳떳하고 바르게 하여 편벽하지 않음"을 추구했다. 이 밖에도 일산재·청간대 등이 있어, 귀내마을은 100가구 남짓했으나 반듯한 건축물들이 청솔 숲처럼 우뚝했다.

그러나 나라와 민족의 위난 앞에서는 은일을 떨치고 분연히 일어났으니, 오죽 비타협적이었으면 일제는 귀내龜川라는 마을 이름을 구천九川으로 바꾸고, 마을의 상징인 거북바위를 폭파해 없앴을까. 일제를 극복하기 위한 신학문 수용에도 열심이어서 이 마을에서만 와세다대, 메이지대 등 일본 유학생이 5명에 이르렀다. 전병열의 현손인 언눔 전우익全遇翊은 서울상대 전신인 경성상업전문학교에 진학했다.

해외 유학파는 해방과 함께 일제 잔재와 봉건 유제의 혁파에 나섰다. 당시 지식인들에겐 피할 수 없는 운명 같은 것이기도 했으니, 많은 마을 청년들도 이들을 따라 혁신운동에 나섰다. 하지만 그것이 민족세력과 친일세력, 좌파와 우파의 대립 속에서 귀내마을을 풍비박산낼 줄이야. 많은 지식인과 젊은이들은 해방 공간을 거치면서 죽거나 잡혀가거나 사라졌고, 6·25를 거치면서 마을엔 노인과 아이들, 그리고 청상의 여인들만 남았다. 전우익은 당시 '민주청년연맹'(민청) 활동으로 말미암아 1년 3개월의 옥고를 치르고, 잦은 예비검속으로 모두 6년 가까이 구금됐으며, 전두환 정권 때까지 보호관찰 대상자로 주거를 제한당했다.

귀내마을의 그때 그 상처는 지금도 선명하다. 야옹정 등 문화재로 지정된 것들마저 쇠락을 면치 못하고 있으니, 다른 유서 깊은 건축물들은 이미 사라졌거나 무너지기 직전이다. 일부는 근본 없는 형태의 가옥으로 개량되고 있다. 지난해에야 귀내 반가의 법도를 다시금 곧추세우고자 옥천 전씨 구천파 500년 세거비를 건립했는데, 해방 공간의 비극이 얼마나 컸으면 취지문에선 '인면수심이 야만의 광란으로 추태를 흘리고 간' 세월이었노라고 기록했다.

악랄한 왜놈이 무력으로 침입하여 공출이라는 이름 아래 강탈하고 강제

삭발과 창씨개명으로 우리말, 우리글도 사용 못하게 압박하던 36년, 그 어려움에도 항거하며 굳건히 지켜 고요하게 살던 마을, 귀내가 해방되어 5년도 못 되어 누구를 위한 사상인지 낮과 밤, 아군과 적군이 대치하여 가산을 탈취하고 옹산을 깨트리고, 건물에 방화하고, 동심을 교란케 하여 동족상잔으로 피비린내가 풍겼다.

하지만 권세와 영화를 멀리하고 오로지 바르고 곧음을 지키려는 귀내마을 반가의 법도만은 여전했다. 전우익은 일제 때까지만 해도 마을 밖 50리 안에서는 그 집안의 땅을 밟지 않고는 다닐 수 없다고 할 정도로 가산이 많았다. 전우익은 그런 재산을 단 한 평도 자식에게 물려주지 않았다. 당신이 부쳐 먹을 땅만 남긴 채 모두 무상으로 내줬다. 고조할아버지 전병열의 뜻을 따라 모든 걸 나누고, '간신히 겨우겨우 사는 것'을 잘 사는 삶이라 여겼다. 그래야 '돌투성이 산에서 자란 붉대(적송, 춘양목) 줄기처럼 오색으로 빛나고 잎은 늘 푸를 수 있다'는 것이었다(전우익, 『호박이 어디 공짜로 굴러옵디까』에서).

그의 삶에서 필요한 것은 '평생 할 공부, 신나게 할 수 있는 일, 그리고 평생을 함께할 여자'뿐이었다. 동화작가 이오덕李五德은 그를 '돗자리 치는 전형'으로 기억했다. 먹는 것은 늘 밥에 찬 한두 가지였다. 세수할 때도 비누를 쓰지 않았으며, 설거지는 매번 하지 않았다. 과일도 껍질째 먹는다. "무얼 했다고 살면서 쓰레기까지 냄기니껴. 쓰레기라도 안 냄기고 살 생각이래요." 가급적 덜 먹고 덜 입고 덜 갖고 덜 쓰고 덜 놀고……. 될 수 있는 대로 간단하고 단순하게 살았다. 그래서 시인 신경림은 "깊은 산속 약초 같은 사람"이라고 소개했다.

"잎을 훌훌 털어버리고 엄동을 맞을 비장한 차비로 의연하게 버티고

서 있는 (나무의) 모습은 고난의 길을 뚫고 가려면 간편한 몸차림을 하라는 가르침인 듯합니다. 그렇게 버릴 줄을 알아야 지킬 줄 알겠는데 버리지 못하니까 지키지 못합니다. 어정쩡하게 목숨만 이어갑니다." 전우익은 말년에 이렇게 썼다.

전우익마저 떠난 지 벌써 십수년. 야옹정은 야윈 노인네처럼 졸고 있고, 저월당엔 물이 마르고, 우직정은 문간이 떨어져 나갔다. 하지만 500년 동안 고샅을 지켜온 노송들은 지금도 그 푸르름이 성성하고, 전우익의 가옥 역시 그가 평소 열심히 심은 산수유·복자기·두릅·닥·함박꽃·녹각·모과 등 50여 종의 나무들로 싱그럽다. 돈에 환장한 자들이 목을 길게 빼고 벼슬자리나 고대하는, 악취 자욱한 세상에서, 나무처럼 살다 나무처럼 가고 싶었던 반가의 법도가 향기롭다.

성유경-성혜림-김정남과 고가古家의 그늘

동남쪽 아득한 곳에 창녕의 진산 화왕산이요, 북쪽으로 가물거리는 건 비슬산이다. 해지는 쪽으로 우포늪이 있고, 우포늪 너머엔 낙동강이다. 그 사이 그리고 강 건너까지는 모두 아득한 들. 화왕산 북쪽 계곡에서 발원한 토평천은 석리로 들어서면서 남으로 활처럼 크게 휘어져 어묵리들을 빚어내고, 낙동강으로 흘러들면서 정지들을 펼쳤다. 토평천을 활대 삼아 팽팽하게 당긴 시위의 중심에 대지면 석리 창녕 성씨 고가가 있다.

고가 뒤로는 솥뚜껑 엎어놓은 듯한 구릉이다. 앉으면 들이요, 서면 산이라, 그 위에 장군죽 늘푸른 대나무가 무성한 숲을 이루고 있으니 녹산이라 이름할 만하다. 아득한 화왕산 넘치는 기운이 길게 흐르다 멈춘 곳이니 풍수인의 눈에는, 멀리 날던 용이 잠시 머리를 돌려 저의 본

향을 쳐다보는 회룡고조의 형국이다. 또는 꿈틀대던 구릉이 멈칫 서서 고개를 치켜든 것이 지네의 머리를 닮았고, 계관을 인 화왕산의 부리가 그곳을 향하는 형국(오공대계)으로 비칠 법도 하다. 풍수에서 재력이 모이는 터인데, 실제 녹산 기슭엔 재물을 상징하는 청석이 켜켜이 쌓여 있다.

과연 녹산을 후원 삼은 성씨 고가는 예사롭지 않다. 130여 칸에서 37칸에 이르는 한옥들이 담장 너머로 이마를 맞대고 있다. 왕조가 정한 사대부 가택의 한계인 99칸을 훌쩍 넘어섰고, 궁궐이나 관청에나 쓰이는 두리기둥이 안채와 사랑채 등을 떠받치고 있으니, 그 또한 왕조의 규율에서 벗어났다. 사주명리학자 조용헌은 강릉 선교장, 구례 운조루와 함께 이 터를 조선 3대 명당이라 꼽았는데, 입향 후 불과 100여 년 만에 일군 그 가세를 보고 그리 꼽은 것인지, 아니면 실제 그 터에 그런 이재의 비기가 숨겨져 있는 것인지는 알 수 없지만 풍수의 설명에 귀가 솔깃해지지 않을 수 없다.

입향조 성규호가 유원면 회룡에서 그곳(석문동)으로 옮아간 것은 1850년대. 탐관오리의 학정이 백성을 도탄에 빠트리고, 왕조의 기운은 날개 꺾인 새처럼 추락하던 중이었다. 뜻 있는 지사에게는 보국안민이 가장 화급한 일이었고, 집안 어른에겐 일족의 안녕이 당면한 과제였다. 입향조의 꿈 또한 그러했던 것 같다.

그는 ㄷ자의 안채와 一자의 사랑채를 짓고, '나 또한 돌처럼 살리라'(아석헌)는 뜻의 아호를 당호로 삼았다. 장남(찬영)에겐 오른쪽 담장에 잇대어 살림집(구연정)을 짓게 했고, 둘째는 왼쪽 담에 잇대어 살림집을 내도록 했다(석운재). 석운재 담 너머엔 찬영의 막내(낙안)가 1920년 초부터 경근당을 짓고 살기 시작했으니, 위로 옆으로 4대가 함께 사는 작은 마을을 이뤘다. 그곳을 두고 고택이라 이름하지 않고 고가(경상남도 문화재자료 355호)라 한 것은 그런 까닭이었다. 장손 찬영에겐 낙문·낙교·낙안 삼형제가 있었다. 둘째 낙교에게 손이 없자 낙문의 둘째(유경)로 하여금 대를 잇도록 했다. 그리하여 증손대에 이르면, 구연정은 윤경, 아석헌은 유경, 경근당은 낙안의 아들 재경이 이어받았다. 형제들은 대문만 달리했지, 담과 담 사이에 문을 내어 왕래했고, 후원은 같이 썼다.

장손 낙문은 가산을 크게 일으켜 가택을 중심으로 반경 6킬로미터의 드넓은 전답을 경영했다. 소출만 쌀 8,000석, 보리 8,000석에 이르렀다. 낙문은 구연정 앞마당에 연못을 파고 별당을 짓고, 솟을대문과 솟을중문을 올리고, 병천정사 강당을 옮겨 고방을 삼았다. 연못은 한반도 모양이었으며, 한양에 해당하는 곳에 돌섬을 두었다. 연못 옆에는 동산을 쌓아 기화묘초를 심어 한옥의 전통 구조에서 일탈했다. 일찍이 신문물에 눈을 뜬 셋째 낙안은 안채에 외창을, 뒤쪽엔 화장실을 붙였고, 사랑채에 별채를 잇대는 등 파격을 더했다. 이를 통해 구연정과 경근당은 개화기 한옥의 변화상을 잘 보여 주지만, 아석헌과 석운재는 전통을 그대로 지켰다.

가문의 법도는 엄격했다. 적선을 가훈으로, 근검과 청렴을 가풍으로 삼았다. 할아버지 뜻을 따라 낙안은 '석문동의 백성'이란 뜻의 석민, 사촌 낙성은 돌구름이라는 뜻의 석운, 석민의 아들 재경은 어리석은 돌이라는 뜻의 우석을 아호로 삼았다. 구연정 일곽 곳곳에는 물을 담은 대형 돌확을 두어, 들고 나며 몸가짐을 청결히 하도록 했다.

낙안 석민과 낙성 석운은 사회사업에 열심이었다. 1920년 고가 앞 신작로 건너편에 3,000여 평의 부지를 내어 건물을 짓고 교사 3명을 두어 신식학교(지양강습소)를 운영했다. 당시로서는 파격적이게도 부녀자에게까지 개방했다. 석민은 고가 가까운 곳에 정면 5칸, 측면 2.5칸의 일신당日新堂을 짓고 일신문고를 운영하며 위당爲堂 정인보鄭寅普 등 명망가들과 교유하며 보국안민의 걱정을 나눴다. 재경은 선친의 길을 따라 해방 후 경근당 앞에 지포중학교를 짓고 한국전쟁으로 교사가 파괴될 때까지 아이들을 가르쳤다.

성씨 일가는 양파 재배의 원조이기도 하다. 성씨 고가 앞에는 양파 시배지 기념탑이 있다. 2대 찬영이 1909년 그곳에서 처음으로 양파 재배에 성공하고, 4대 재경이 채종에 성공해 대량 보급의 길을 연 것을 기념하는 것이었다. 재경은 인근 경작지에 보리 대신 환금성 높은 양파를 재배해 농민들이 가난에서 벗어나도록 도왔다. 재경은 또 김성수·하재호 등 명망가 13인과 함께 경화회를 결성해 농민계몽운동에 나서기도 했다.

해방 전후의 혼란 속에서도 성씨 고가가 손을 타지 않은 건 그런 사회적 책임의 실천 덕이었을 게다. 눈에 띄는 호사로 입줄에 올랐을 법한 구연정만이, 한국전쟁 초기 그곳에 주둔했던 미군 부대가 서둘러 퇴각하면서 서류를 마구잡이로 태우다 소실되는 불운을 겪었다.

아석헌의 너른 품은 후대의 다양한 사상과 사회활동으로도 이어졌다. 4대에 이르러 좁게는 문중의 문제부터 넓게는 식민지 조국의 해방과 이상국가 건설 문제로까지 관심의 범위가 확장된다. 재경이 중간에서 사회사업에 천착했다면 종손 윤경은 오른쪽에서 가문의 일에 몰두했고, 유경은 왼쪽에서 사회운동에 뛰어들었다.

특히 유경은 일찍이 일본에서 국사관중학을 거쳐 일본 외국어 전문학교를 다녔지만 뜻한 바 있어 학교를 중퇴하고 신간회 등 독립운동에 참여했다. 일제강점기 말부터는 사회주의 계열의 독립운동가들과 교유한다. 고향에 첫째 부인과 세 딸이 있었지만, 뜻을 같이하던 김원주를 맞아 딴살림을 차리고 1남2녀를 두었다. 유경의 서울 돈암동, 명륜동 자택은 박헌영·이승엽·이주하·김달삼 등 당대의 좌익 인사들이 회합하는 곳이었다. 반면 고향의 재경은 그곳에서 김성수 등 중도 우파들과 교유하며 농촌계몽운동에 나섰다. 두 사촌 형제의 대조가 뚜렷했다.

김원주는 1948년 남북정치협상 당시 여맹 대표 자격으로 방북했다가, 아예 그곳에 눌러앉는다. 보성중 3년생이던 맏이 일기는 이듬해 어머니가 있는 북으로 간다. 그다음 해 전쟁이 터지고, 인민군이 북으로 퇴각하던 9월 유경은 원주와의 사이에서 난 두 딸을 마저 데리고 북으로 간다. 그 두 딸이 바로 북한 현대사의 풍운과 비극의 주인공 혜림과 언니 혜랑이다.

일기는 강동정치학원을 수료하고, 열일곱 나이에 유격대원이 되어 남쪽으로 내려온다. 그의 직속상관이 바로 그 유명한 남도부(하준수)다. 전쟁이 끝난 뒤 창녕 큰집에 숨어 지내던 중 체포되지만, 가문의 후광 덕에 구속은 피할 수 있었다. 그러나 부모의 행적이 드러나면서 잠적하지 않을 수 없었다.

동생 혜림은 뛰어난 미모와 발군의 연기로 북한의 인민배우급으로 발돋움했다. 비극은 거기서 싹텄다. 혜림은 영화광 김정일의 눈에 띄었다. 혜림은 이미 소설가 리기영의 아들 리평과 결혼해 딸(리옥돌)까지 두고 있었던 터였다. 하지만 김정일의 강청을 이길 수 없어 리평과 이혼하고 김정일과 동거하게 된다. 하지만 다섯 살 연상인 이혼녀 혜림과 황태자 김정일의 사랑은 이루어질 수 없었다. 아버지(김일성)의 책망이 두려워 쉬쉬하던 끝에, 김경희(김정일 여동생)의 강권에 따라 언니 혜랑과 함께 러시아로 떠나야 했다. 맏아들 김정남도 두고 있었지만, 권력은 비정했다. 둘은 다시는 평양으로 돌아가지 못했다.

모스크바에 동행했던 혜랑의 딸 이남옥은 1992년 파리로 망명했다.

이미 모스크바에서 유학 중이던 혜랑의 아들 이일남(이한영)은 1982년 10월 한국으로 망명했다. 혜림은 1996년 잠시 스위스로 잠적했지만, 아들 김정남의 장래 때문에 결국 모스크바로 돌아가야 했다. 하지만 그의 곁을 지키던 언니 혜랑은 망명했고, 혜림은 2002년 5월 모스크바의 한 병원에서 돌보는 이 없이 쓸쓸하게 생애를 마쳤다. 주검은 모스크바 인근의 트로예쿠롭스코예 공동묘지, 스탈린 무덤 옆에 묻혔다. 조카 이한영은 1997년 2월 성남 분당의 한 아파트에서 살해당했다. 아들 김정남은 오랫동안 떠돌이 신세였고, 2016년 이복동생 김정은 체제에서 파란만장한 삶을 피살로 마감했다. 손자 한솔 역시 사실상 유랑 신세다. 조국을 위해 선택한 것이었지만, 북쪽에서 유경 일가의 삶은 그렇게 처절하게 찢겨졌다.

지금 성씨 고가는 낙안-재경-기학으로 이어지는 반쪽의 역사만 들려준다. 낙문-윤경, 낙교-유경-일기로 이어지는 그늘의 역사는 숨겨지거나 지워지고 없다. 물론 감당하기 힘들 만큼 그 그늘이 깊었던 까닭도 있었을 것이다. 쇠락해 가는 성씨 고가를 지키고, 다시 일으켜 세운 것이 재경-기학(영원무역 회장)인 까닭도 있었을 것이다.

하지만 반쪽이 지워진 역사는, 사랑채가 허물어진 것만큼이나 쓸쓸하다. 자신이 택한 조국으로부터 배반당하고 역사의 뒤안으로 쓸쓸히 사라졌지만, 유경의 역사 또한 소중하다. 사실 유경과 그 자식들 역시 국가적 위기 속에서 떨쳐 일어났다가 역사의 소용돌이에 휘말린 것에 불과했다. 빛과 그늘이 떨어질 수 없듯이, 좌와 우, 성공과 실패 모두 공존할 때 개인사든 역사든 바로 선다.

보성의 압해 정씨 정종희 가엔 입향조 정영근으로부터 18대손까지의 가계도가 병풍으로 남아 있다. 종자 돌림부터 해자 돌림, 상자 돌림까지, 해방 공간에서 한국전쟁기를 거쳐 1980년대 보성 가족간첩단사건에 이르기까지 일족이 살아온 처절한 역사가 고스란히 담겨 있다. 빨치산 등 좌익 활동으로 처형당했거나 죽은 7명, 간첩단 사건으로 사형당한 1명, 그리고 체포돼 실형을 살았던 30여 명의 이름이 이 병풍에는 모두 담겨 있다. 위험한 명부이겠지만, 가족사를 있는 그대로 온전히 남기기 위해 끝까지 가계도를 지켜온 의지와 자부심은 더 빛났다.

창녕 성씨 입향조(규호)는 제 아들들을 오른쪽과 왼쪽에 두어, 안정과 변화를 함께 추구하도록 했다. 그의 뜻은 혁신 계열의 유경과 중도 우파의 재경 대에까지 이어졌다. 그러나 지금 창녕 성씨 고가엔 한쪽 역사가 없다. 입향조의 생각은 어떠할까, 그 뜻이 궁금하다.

인위마저 자연이 되었나니……

유홍준은 『나의 문화유산답사기』에서 담양의 정자와 원림을 둘로 나누어 소개하면서 명옥헌을 후반부의 주인공으로 삼았다. "비록 원형이 부서져버리고 말았지만 소쇄원에 비길 만한 조선시대 원림터이기 때문"이었다. 답사 중 시간에 쫓기면 송강정, 면앙정을 건너뛰고 명옥헌으로 직행했다.

그러나 명옥헌 원림苑林에 대한 소개는 "섬이 있는 네모난 연못을 파고, 위쪽에 정자와 서재를 겸한 건물을 지은 단조로운 구성", "연못 주위에 소나무와 배롱나무를 장엄하게 포치하고 언덕 아래로 내려다보이는 시야를 끌어들임으로써 더없이 시원한 공간을 창출한 뛰어난 조원의 원림"이라는 것이 고작이다.

반면 원림 옆 황지우 시인의 집필실에 대해선 길고 까탈스런 소견을 밝힌다. 가령 이런 식이다. "명옥헌에 마련한 자신의 작업실 유리창을 통유리로 끼워 넣고, 주변을 끝까지 점유하려는 모습도 올바른 작태는 아닌 것이다." 물론 그건 비난이 아니라 질투라는 걸 답사기를 읽어 그의 문법에 익숙한 독자들은 안다. '뭔 팔자가 그리도 좋아 그런 곳에 집필실을 마련하고 원림을 독식한담?' 황지우의 시각적 탐심과 집필실을 미끼로 눈 밝은 독자들을 명옥헌으로 끌어들이려는 것이었다.

유홍준은 1989년 처음 그곳을 찾아갔다. '친구' 황지우를 만나기 위해서였다. 이듬해 다시 명옥헌을 찾는다. 그건 오로지 원림의 풍광이 그리워서였다. 소쇄원이 의관 정제한 선비들에게 어울리는 곳이라면, 명옥헌은 흙투성이 농부에게도 자리를 내주는 그런 곳이었다. 소쇄원엔 그만큼 섬세하게 인공이 가해졌다면, 명옥헌은 자연이란 화폭에 두 개의 점을 찍어 그런 풍광을 이뤘다. 손길이 아니라 안목이 섬세했던 것이다.

시인의 집필실은 없어졌다. 한때 동쪽 산기슭에 예닐곱 민가가 감농사를 지었지만, 지금은 담양군에서 모두 사들여 철거했다. 딱히 떠날 곳이 없는 정순자 할머니 집만 남았다. 정 할머니는 그러나 갈 곳 없다는 게 행운이다. "앞으로 얼마나 산다고, 사는 날까지 예서 살면 좋겠구먼……." 명옥헌 원림의 진짜 주인은 정 할머니다.

담양에 정자가 많은 것은 경승지도 많고 재력이 넉넉한 사대부가 많았던 까닭이다. 하지만 이보다 더 직접적인 원인은 반인륜과 패륜이 자행되는 중앙정치에 등을 진 선비들이 그만큼 많았다는 것일 게다. 스승 조광조와 사림을 소탕한 기묘사화에 질려버린 양산보梁山甫가 지은 것이 소쇄원이었고, 식영정은 낙향한 장인 임억령을 위해 서하당棲霞堂 김성원金成遠이 지었고, 김윤제金允悌 역시 벼슬을 버리고 내려와 환벽정을 지었다. 황지우도 사실은 1980년대의 처참한 상황에 낙담해 내려왔다는데, 명옥헌은 궁벽한 시골마을의 한켠을 차지하고 있어 시인은 눈과 마음의 호사를 마음껏 누릴 수 있었다. 정자문화 답사객들이 그곳을 찾기 시작한 것은 유홍준이 소개한 뒤였다.

멀리 유라시아 대륙 서단에 가난한 화가가 있었다. 한 뼘의 정원도 소유한 적 없었지만, 친구에게 보낸 편지엔 '정원은 나를 꿈꾸게 한다'라고 쓰곤 했던 이다. 정치적인 소용돌이와는 무관했지만, 마음에 깊은 병이 있는 화가였다. 언젠가는 친구와 다투고는 귀를 잘라 버렸고, 정신병원과 요양원을 전전하다가 종국엔 자살로 이승의 삶을 마감한 이였다. 그런 그의 기억 속에 떠나지 않던 게 네덜란드 시골 목사였던 아버지의 누에넨 목사관 뒤뜰이었다.

그는 파리에 머물 때도 몽마르트르 언덕 위의 작은 채마밭에서 평안을 얻었고, 프로방스의 아를에선 공원이 내려다보이는 2층집을 빌려 살았다. 발작으로 정신병원에 갇혀 있을 때나, 생레미 요양소에 있을 때에도 담장 안 조그만 정원에서 위로를 받았다. 그곳에서 회랑과 뜰, 오래된 분수대, 민들레꽃과 늙은 나뭇등걸, 돌벤치, 붓꽃, 가지가 잘려나간 소나무, 아이비, 심지어 시든 장미 등을 따듯하게 화폭에 담았다. 이런 편지를 동생에게 쓰기도 했다. "삶이 다른 데가 아닌 정원에서 펼쳐진다고 생각하면 그다지 슬프지 않을 거야." "정원에서 그린 내 작품을 보면 내가 이곳에서 그렇게 우울하지 않다는 것을 너도 알 거야." 마지막 2개월을 보낸 프랑스 북부 오베르 마을에서의 생활은 화가로서 그에게 가장 풍요로웠다. 무려 채색화 75점과 드로잉 50점을 남겼다. 초가집, 이끼 낀 지붕, 닥터 가셰의 정원, 도비니의 정원이 모티프였다. "나는 이 집(가셰의 정원)에서 일주일에 하루나 이틀은 정원에서 일하려고 해. 벌써 정원 그림을 두 장 그렸지." 정원에선 언제나 의기양양했던 빈센트 반 고흐다.

정庭은 건축물 아래부터 대문에 이르기까지의 공간(뜰), 원園은 인위적으로 조영해 관상 가치가 있는 공간을 뜻한다. 정원庭園이란 관상용 수목과 연못 등을 조성한 담으로 둘러싸인 뜰을 말한다. 원림園林도 있는데 원園은 인공의 동산이요 림林은 숲이니, 원림은 인위적으로 조성한 동산과 숲이다. 원림苑林이란 것도 있다. 원苑은 동물까지도 사는 곳이니, 일제가 조선의 정궁을 동식물원과 놀이터로 바꿔버린 창경원이 그 경우다. 따라서 원림苑林은 자연 속에 인공의 정자나 연못을 슬쩍 끼워넣은 정원庭苑이 되는 셈이다. 그곳에서 인공물은 자연의 일부로 스며든다. 창덕궁 후원, 소쇄원, 보길도 윤선도 원림, 그리고 명옥헌 원림 등이 그런 곳에 해당된다고 하겠다.

이 중에서도 명옥헌 원림은 특별하다. 다름 아니라 없는 게 너무 많은 탓이다. 인공이라곤 평범한 정자 하나와 크고 작은 연못 2개가 전부다. 정자는 아래 못과 표고 차 10미터 높이의 기슭에 두어, 고목이 된 목백일홍 숲 위로 지붕선만 간신히 드러난다. 연못 역시 산기슭과 계류의 선을 따라 자연스레 조성한 탓에, 물 밖으로 살짝 드러난 석축을 보고서야 인공임을 알 수 있다. 윗못은 깔끔한 방지원도의 형태를 갖추고 있으나, 목욕탕 욕조의 반 정도여서 굳이 연못이라고 부르기가 미안하다. 하지만 천원지방(하늘은 둥굴고 땅은 사각)이나 방지원도(땅은 사각이되 섬은 원형)라는 동아시아의 우주관을 담는 데 부족함이 없다.

웬만한 정원에는 꼭 조성하는 삼신산도 없고 무산십이봉 괴석도 없고, 대나무나 매화도 없고, 연못엔 흔한 연꽃 한 송이 없이 수초뿐이다. 정자가 앉은 자리도 북향이고, 흙무덤 같은 동산에 시야가 가려 있다.

계류가 흐르긴 하나 실개천에도 못 미친다. 명망가의 정자엔 천장까지 빼곡한 기문, 시, 현판도 이곳엔 명옥헌, 삼고라는 현판 2개와 정홍명鄭弘溟의 '명옥헌기'뿐이다. 전하는 시도 남간南磵 유동연柳東淵의 연작시 5편이 고작이다.

그럼에도 황지우가 남몰래 터를 잡았고, 문화재급 안목을 지닌 유홍준이 그런 황지우를 질투할 정도이니, 명옥헌엔 뭔가 특별한 게 있어야 한다.

요즘 명옥헌 주변은 자미화(목백일홍) 자주색 꽃구름에 잠겨 있다. 자미화는 보통 7월 말 8월 초에 절정에 이르지만, 그곳 자미화는 워낙 노령이어서 만개 시기가 8월 중순에서 8월 말이다. 그 한철 명옥헌 원림은 별유천지다. 그 모습을 담기 위해 출사객들이 구름처럼 모여들지만, 사실 명옥헌 원림의 주인은 목백일홍이 아니었다.

설계자의 구상 속에 목백일홍 숲은 없었다. 가장 오래된 것의 수령이 150년 안팎이고, 20그루 정도가 100살을 넘겼으며 나머지 100여 그루는 20~30년생이다. 담양군이 후일 심은 것들이다. 소나무도 100~150년생이다. 오래 산다는 소나무도 200년 넘는 고목이 없다. 장계藏溪 오이정吳以井에 의해 원림이 조성된 것은 17세기 중반이었으니, 그때 심은 나무는 한 그루도 없다. '명옥헌기'나 유동연의 연작시에도 목백일홍은 나타나지 않는다. 정자와 연못 사이에 지금처럼 나무를 빼곡히 심는 경우도 없다. 정자에서 연못을 관상하기 위해서라도 느티나무 노거수 대여섯 그루는 쳐내야 한다. 목백일홍은 명옥헌 원림에 슬그머니 찾아와 언제부턴가 터줏대감 노릇을 하게 된 것이었다.

명옥헌은 조선 인조 때의 문신 오희도吳希道를 기리기 위해 그 자손들이 5대에 걸쳐 조성했다고 한다. 후산마을에 망재를 짓고 살던 부친이 일찍 세상을 뜬 것을 아쉬워하며, 그 아들 오이정이 아비처럼 초야에 묻혀 학문에 정진하기 위해 조성했다는 것이다. 연못은 그의 손자인 오대경吳大經이 조성했다는 말도 있지만, 오이정과 동시대 인물인 유동연의 연작시 「저녁」 편에 등장하는 걸 보면 오이정이 정자와 함께 판 것으로 보인다. 현판은 오이정의 아들 오기석吳祺錫이 스승 우암 송시열의 글씨('명옥헌 계축')를 받아 계류 옆 바위에 각자하고 목판에 새긴 것이었다.

오이정 집안은 부친이 예문관 기주관으로 잠깐 벼슬살이를 한 것을 제외하고는 위아래 5대 모두 한미한 양반이었다. 송강 정철, 기암 정홍명, 우암 송시열과 교우했다고는 하지만 학문에 천착한 것도 아니요, 특별한 재산가도 아니었으니 소쇄원처럼 풍요한 정원을 조성하지도 않았다. 게다가 명옥헌은 뛰어난 풍광을 자랑하는 위치도 아니었으니 후손들이 인공을 더해 멋지게 가꾸려 하지도 않았다.

하지만 그 소박함과 자연스러움은 오이정의 문우인 유동연으로 하여금 이렇게 찬탄하도록 했다. "부럽구나 그대여, 나 먼저 선경을 독차지 했네./ 한 줄기 물줄기라도 함께하길 허락하시게나"(명옥헌 연작시, 「새벽」 편). 유동연도 유홍준처럼 질투하고 있었다. 그러나 그건 주인장의 안목에 대한 존경심의 다른 표현일 뿐. "……빈산에 달빛 가득하니 푸른 산빛이 보일 듯하고/ 상쾌한 기운은 어리석음 물리치고도 남으니/ 고요히 비운 마음 주인장의 깨달음이어라."

문외한이 그 덕성을 옮기는 것은 결례다. 그저 명옥헌 원림은 사람이 조영은 했으되 사람이 없고, 인공을 들이긴 했으되 자연이 되어버렸다는 사족만 달 수밖에 없다. 배롱나무 숲 또한 자연이 싹틔워 세월이 기른 것이었다. 설계자의 덕이라면 사람의 손길은 모두 자연에 스며들도록 했다는 것뿐. 숨어 있는 곳은 숨어 있게 하고, 드러난 것은 드러나게 한 것이다. '인위를 비워 자연 스스로 이루게 하라.' 이 원칙에 충실했다.

명옥헌은 다른 정자와 달리 마을 바로 곁에 있다. 20~30가구가 올망졸망 모여 있는 후산마을 한가운데를 가로질러 10미터 높이의 둔덕에 올라서면 돌연 보라색 꽃구름 속에 그 모습을 드러낸다. 별세계는 인간세계의 이웃이었다. 가까이 있어 친근하고, 낮아서 그윽하고, 자연 그대로여서 평안하다. 인위와 무위의 경계를 넘어섰으니 고요하고도 고요하다.

제 3 부

망우산과 동구릉 사이,
운명은 그 어디쯤에

인생은 외롭지도 않고,
그저 잡지의 표지처럼 통속하거늘
한탄할 그 무엇이 무서워서
우리는 떠나는 것일까.

망우산 사색의 길을 여는 첫 연도석에 「목마와 숙녀」의 한 구절을 새긴 까닭을 구태여 물을 필요는 없다. 시인 박인환朴寅煥의 묘 가까이엔, 불꽃처럼 살다가 스물일곱에 홀연히 떠나버린 가수 차중락車重樂의 자그마한 묘가 있다. 묘비명은 시인 조병화趙炳華의 추모시로 대신했으니, 거기에 그 뜻이 알뜰히 새겨져 있다.

세월은 흘러서 사라짐에 소리 없고
나뭇잎 때 따라 떨어짐에 소리 없고
생각은 사람의 깊은 흔적 소리 없고
인간사 바뀌며 사라짐에 소리 없다.
아, 이 세상 사는 자, 죽는 자, 그 풀밭
사람 가고 잎 지고 갈림에 소리 없다.

— 조병화, 「낙엽의 뜻」

인간사 사라짐에 소리 없음이야 망우리고개 남쪽 망우산 공원묘지나, 고개 북쪽 검암산 동구릉이나 다를 게 없다. 동산만 한 무덤에 안장됐다고 죽어서 호령할 자 없고, 떠돌이라 하여 죽어서 기죽을 이 없다. 이미 소리를 잊고 근심을 놓았는데, 왕후장상이고 민초고 무슨 차이가 있을까.

왕조를 세우고 궁궐을 신축했고, 장대한 유택의 터까지 손수 찾아낸 태조 이성계였다. 그러나 그는 한평생 근심을 피하지 못했다. 오죽했으면 건원릉 터를 잡고는 "아아 이제야 근심을 잊게 되었구나"吾憂忘矣라고 말했을까. 세상은 군왕이 쉬다가 이런 말을 남겼다고 고개와 그 일원을 망우리라 했다. 군왕의 한마디가 지명이 되었으니 그 위세를 알리는 데 이만한 것이 없다. 하지만 따지고 보면 천하를 호령한 군왕 역시 좁쌀 같은 근심에 평생 속을 끓였음을 보여 주는 표지일 뿐이니, 위세란 것도 부질없다.

건원릉 주변엔 태조 이후 8기의 왕릉이 더 들어서 동구릉, 한양 동편 왕들의 무덤이 되었다. 중전까지 포함하면 17위가 그곳에 묻혔으니 동구릉은 지관이 말하는 천하의 명당이었다. 고개 남쪽 망우산 일대는 백성의 유택이 되었다. 지위 고하, 유명 무명을 떠나 먼저 간 사람이 양지를 차지했다. 고개를 사이에 두고, 남과 북에서 왕과 백성이 죽어서 마주보고 있는 형국이다. 살아서는 상종이 불가능한 거리였지만 죽고 나니 고개 너머 지척이었다. 그러면 천하의 명당에 들어갔으니 왕들은 근심을 털어버리고, 후대 왕들은 평안했던가.

일찌감치 근심을 잊었노라던 태조는 눈앞에서 벌어지는 자식들 간의 칼부림(왕자의 난)을 두 눈으로 지켜봐야 했다. 방원(태종)을 치기 위해 군사를 일으켰지만, 패장이 되어 함경도 고향땅으로 밀려나기도 했다. 그곳에서 그는 한양으로 모시려는 태종의 차사를 차례로 죽이는 몽니나 부리는 늙은이였다. 그의 증손자 문종(현릉) 역시 천하의 길지에 묻혔지만, 제 아들 하나 보호하지 못했다. 아들 단종은 삼촌(문종의 친동생)인 수양대군에 의해 폐위되고 종내 죽임까지 당했다. 선조(목릉)의 경우 두 아들의 비극을 막지 못했다. 후궁 김씨 소생인 광해군은 배다른 동생인 영창대군과 임해군을 죽였다. 그런 광해군도 반정에 의해 폐위되고 강화도, 제주도 등 유배지를 떠돌다 죽었으니, 선조와 그 자식들은 모두 박복했다.

왕비(정순왕후)와 나란히 묻힌 영조(원릉)는 멀쩡한 아들을 뒤주에 가둬 죽이는 짓을 저질렀다. 그로 말미암은 마음의 시달림이 얼마나 컸으면 자식을 묻으면서 사도(思悼, 생각하노니 슬프구나)라는 시호를 내리고, 변명을 줄줄이 늘어놓은 묘지명을 직접 작성해 아들의 주검 옆에 묻었을까? "너의 잘못으로 말미암아 늙은 아비로 하여금 만고에 있을 수 없는 일을 하게 만들었구나……." 정순왕후는 정조에 이어 순조가 어린 나이에 즉위하자, 수렴청정을 통해 영조와 정조 대에 일군 일대 개혁과 혁신의 기틀을 몽땅 무너트렸다. 조정을 삼정의 문란 등 부정부패의 수렁에 빠트린 세도정치로 조선의 멸망을 재촉했다. 왕후장상의 씨가 따로 있고, 양택과 유택이 유별할지 몰라도, 행·불행, 유복·박복의 갈림에선 가난한 민초와 다를 게 없었다.

고개 남쪽 망우리 공원묘지(83만 평)는 동구릉(165만 평)의 절반 규모에 불과하다. 그러나 1933년 개장해 1973년 만원으로 폐장될 무렵 망우리 공원묘지에 들어선 유택은 2만 8,500여 기에 이르렀다. 폐장 이후 적극적인 이장 정책으로 지금은 8,440여 기만 남았지만, 여전히 망자들로 북적인다. 왕족과 정승 판서의 무덤부터 이름 없이 죽어간 천민까지, 혹은 일제에 저항하다가 옥사한 분들부터 일제에 빌붙어 호의호식하던 이들까지, 승려부터 대중 연예인까지 위아래 없이 묻혀 있다. 민초들이 살아서 꿈꾸던 차별 없는 세상은 그렇게 이루어지는가?

사후 영의정에 추증된 남편 김현근金賢根과 묻혀 있는 명온공주의 묘는 이승의 권력 무상이 절절하다. 명온공주는 순조의 맏딸이고, 김현근은 당대 최고의 세도가 집안이었지만, 이제는 돌보는 이 없어 잡초가 봉분을 덮어버렸다. 묘비조차 없지만, 딸이 보낸 편지 한 장 달랑 봉분에 놓인 한 가난한 어머니의 무덤은 그에 비하면 유복하다. "엄마, 현경이가 요즘 많이 아파요. 현우는 얼마 전 반에서 1등 했죠. 엄마가 곁에 계셨으면 좋아하셨을 텐데. 그날 현우에게 떡볶이만 500원어치 사줬어요. 엄마, 그럼 다음 주에는 동생들이랑 같이 올게요. 큰딸 현숙 올림." 그 따듯함에 생사의 옹벽이 스르르 녹아내린다.

함석헌咸錫憲이 무진 풍파에 지칠 때마다 찾은 곳도 망우리였다. 박정희 정권으로부터 온갖 고초를 당했지만, 정권이 조작해 유포한 비열한 추문은 특히 견디기 힘든 것이었다. 그럴 때면 함석헌은 도산 안창호의 망우리 유택을 찾았다. 그곳에서 도산의 삶과 죽음을 상고하며 마음을 맑게 하고 견결히 다졌다. 힘써 진리를 깨치고, 진리의 삶에 온몸을 던져 실천했던(무실역행) 도산의 유택이 함석헌에게 위로이자 향도가 되었던 셈이다.

함석헌·김교신·이승훈 등 일제하 위대한 사상가들의 스승이었던 다석多夕 유영모柳永模는 일찍이 죽음을 통해 삶의 진실을 깨쳤다. 열세 형제 가운데 둘만 세상에 남고 모두 먼저 떠났으니, 그의 삶은 언제나 죽음과 동행하는 것이었다. 특히 그의 나이 마흔아홉 살 때 별세한 사학자 호암湖巖 문일평文一平의 죽음은 자신의 삶을 일대 전환하는 계기가 됐다. "한 마리면 몇 토막, 한 토막은 몇 점인가/ 하루하루 저며내니 어느덧 끝점 하루/ 하루는 죽는 날인데, 만萬날 수壽만 여겼네/ 맛없이도 머리토막 쥐여내어 없이 했고/ 세간살이 한답시고 가운데 토막 녹았으니/ 님에게는 무엇을 바치나, 꼬릴 잡고 뉘우치네/ …… 오십구비 돌아드니 큰 토막은 다 썼구나……"(유영모, 「생선 한 마리」一生鮮 중에서).

이후 유영모는 부인과 부부관계를 끊고 오누이로 지냈으며, 하루 한 끼만 먹는 일종식을 지켰다. 유영모에게 죽음이란 씨알이 깨져 썩는 것이었으니, 영원한 삶으로 들어가는 문과 같았다. 종種의 세계가 깨어지고 유類의 세계로 나아가는, 곧 개체의 삶에서 공동체의 삶으로 건너가는 길목이었던 것이다. 그런 유영모의 생각을 씨알 사상으로 정리하고 또 실천에 옮겨, 이 땅에 생명 평화의 공동체를 일구려 했던 이가 함석헌이다.

문일평은 평생 조선의 마음을 일깨우며 조선학의 기틀을 세웠다. "조선 독립은 민족이 요구하는 정의 인도로서 대세 필연의 공리요 철칙이다." 그런 견결한 신념의 삶을 살아간 문일평의 죽음 앞에서 벽초 홍명희는 이렇게 슬퍼했다. "호암의 조선심이 삼국사기나 고려사에 박혀 있다는 말인가, 그가 사랑했던 압록강에 묻혀 있다는 말인가, 삼각산 바위에 새겨져 있다는 말인가."

문일평은 한 해 먼저 세상을 떠난 안창호 묘소 가까이에 자리를 잡았으니, 유영모와 함석헌에겐 그곳이 삶을 바로 세우고 영성을 깨우는 지

성소가 되었다. 그리고 두 사람이 깨운 생각과 영성의 씨알은 근현대 흑암의 역사 속에서 등불 구실을 했다.

이제는 터만 남은 안창호의 묘 아래에는 그를 아버지처럼 모셨던 의사 유상규劉相奎의 묘가 있다. 안창호는 저보다 두 해 먼저 세상을 뜬 제자가 얼마나 그리웠던지, 저가 죽으면 그의 주검 곁에 묻어달라고 유언했다. 소설가 이광수는 묘비명에서 그를 이렇게 기억했다. "도산의 우정을 그대로 배운 사람이 있었으니 그것은 유상규였다. 유상규는 상하이에서 도산을 위해 도산의 아들 모양으로 헌신적으로 힘을 썼다. 그는 귀국해 경성의학전문학교 강사로 외과에 있는 동안 사퇴 후의 모든 시간을 남을 돕기에 바쳤다."

사제 간의 이 아름다운 동행은 인근의 소파 방정환과 아동문학가 최신복으로도 이어진다. 방정환을 지극히 존경했던 최신복의 유언에 따라 부부는 소파 묘소 밑에, 그리고 부친은 소파 옆에 묻혔다. 최신복은 '뜸북 뜸북 뜸북새……'로 시작하는 동요 「오빠 생각」의 지은이. 방정환의 묘비에 새겨진 '동심여선'童心如仙은 이 모든 이의 마음을 두고 하는 말이었다.

"당신은 나의 죽음 속으로 오셔요/ 죽음은 당신을 위하여 준비가 언제든지 되어 있습니다……"(「오셔요」). 만해 한용운은 일찍이 생사의 경계를 넘었다. '3·1독립선언문' 문안을 논의하는 과정에서 "최후의 일인까지, 최후의 일각까지 정당한 의사를 쾌히 발표하라"는 내용을 관철했고, 그 자신이 최후의 일각까지 일제와 맞섰다. 그건 육신의 죽음을 영원한 삶으로 받아들였기에 가능한 것이었다. "……죽음의 사랑은 무한한 동시에 무궁입니다/ 죽음 앞에서 군함과 대포는 티끌입니다/ ……오셔요. 당신은 오실 때가 되었습니다/ 어서 오셔요"(시 「오셔요」 중에서). 정부에서는 국립묘지로 이장하라고 권고도 했지만, 유족은 한평생 민중 속에서 살다간 그의 삶을 기리기 위해 이 묘역을 떠나지 않았다.

죽산竹山 조봉암曺奉岩의 묘비는 아직 명을 새기지 않은 채 백비로 남아 있다. 이승만 정권은 조봉암이 자신의 영구집권에 걸림돌로 떠오르자, 평화통일을 주장했다는 이유로 간첩 혐의를 뒤집어씌웠다. 대법원은 2011년 그가 사형당한 지 수십 년 만에 이뤄진 재심 선고에서 모든 혐의에 대해 무죄를 선고했다. 조봉암은 지금도 백비를 통해 이 나라 역사를 뒤트는 권력자들에게 경종을 울리고 있다.

조봉암은 일제하 독립운동 당시 이렇게 다짐하곤 했다. "우리가 독립운동을 할 때 돈이 준비되어서 한 것도 아니고 가능성이 있어서 한 것도 아니다. 좋은 일이기에 또 아니하고서는 안 될 일이기에 목숨을 걸고 싸웠지 아니하냐." 비록 분야는 달랐지만, 그런 사생관으로 살다 간 이가 종두법을 개발해 보급한 지석영池錫永이다. 그는 "우리 가족에게 먼저 실험해 보아야 자신하고 쓸 수 있지 않겠느냐"라며 가족을 설득했고 가족들은 그의 뜻을 받아들여 스스로 시험 대상이 되었다고 묘비명은 전한다.

이들과 달리 이승의 짧은 부귀와 명예를 위해 영원한 생명을 포기한 이들도 곳곳에 있다. 한용운 묘소 가까이엔 역시 기독교 대표로 33인에 참가했다가 변절해 내선일체와 학병 지원 및 참전을 독려했던 박희도朴熙道의 묘지가 있다. 일제강점기 말 비슷하게 변절했던 장덕수張德秀의 으리으리한 묘소도 가까이 있다. 한결같이 묘비명엔 항일운동의 사실만 있지, 친일의 기록은 뺐다. 그런 장덕수의 묘비명은 조선 처녀의 일본군 위안부 동원 등에 앞장섰던 김활란金活蘭이 썼다. 무덤은 호사스럽지만 찬바람만 돌아나간다.

김광규 시인은 그런 자들의 거짓된 묘비명 앞에서 이렇게 통탄했다.

한 줄의 시는 커녕
단 한 권의 소설도 읽은 바 없이
그는 한평생을 행복하게 살며
많은 돈을 벌었고
높은 자리에 올라
이처럼 훌륭한 비석을 남겼다.
그리고 어느 유명한 문인이
그를 기리는 묘비명을 여기에 썼다.
비록 이 세상이 잿더미가 된다 해도
불의 뜨거움 굳굳이 견디며
이 묘비는 살아남아
귀중한 사료史料가 될 것이니
역사는 도대체 무엇을 기록하며
시인은 어디에 무덤을 남길 것이냐.

—「묘비명」

죽음 앞에서 드러나지 않는 건 없다. 아무리 호사와 미사여구로 꾸민 유택이라도, 후세의 타액을 피할 수 없는 무덤이 있고, 아무리 초라해도 때마다 들꽃 한 송이 헌화하는 무덤이 있는 법이다.

그곳엔 비운의 작곡가 채동선蔡東鮮의 묘지도 있었다. 그가 생전에 발표한 12곡 가운데 8곡은 6·25전쟁 이후 금지곡으로 묶였다. 노랫말이 모두 월북한 정지용의 시라는 이유에서였다. 특히 해방 후 교과서에도 실렸던 「고향」은 박화목의 시 「망향」으로, 또 이은상의 「그리워」로 노랫말을 바꿔야 했다. 하나의 시에 여러 작곡가가 곡을 붙이는 경우는 있어도, 하나의 곡에 몇 개의 다른 가사가 붙여진 것은 세계 음악사에서도 드물다. 1988년 30여 년 만에 결국 정지용의 시와 함께 해금됐다. 「향수」, 「압천」鴨川, 「고향」, 「산엣색시」, 「들녘사내」, 「다른 하늘」, 「또 하나 다른 태양」, 「바다」, 「풍랑몽」도 마찬가지였다.

갈 것은 가고 남을 것은 남는다. 부귀 권세의 몸은 썩어버리지만, 맑고 높은 정신과 영혼은 망우산 약수처럼 쉼 없이 목마른 이들의 갈증을 씻어준다. 시절이 하수상하고, 마음 또한 어수선하면, 저 동구릉에서 망우리 사이 그 어디쯤에 자리 잡고 한나절 누워라. 그러면 오늘의 피로, 내일의 걱정, 영혼의 갈증이 조금은 사라질 터이니.

동천을 묻지 마라,
띠집이면 될 일을

상주 산간엔 여전히 목련꽃 하얗고, 산수유 노랄 때였다. 산엔 진달래, 들엔 개나리, 화사할 때였다. 마침 산뻐꾸기 목청을 가다듬고, 이삭 팬 보리밭엔 종달새 하늘로 치솟았다.

그러나 대처에선 여전히 권력의 음모가 독버섯처럼 구석구석 포자를 날리고, 아이를 잃은 부모들의 피눈물이 바람에 꽃잎 날리듯 떨어질 때였다. 마침 음모에 걸려 추락한 이의 저주가 권력의 썩은 뒷구녕을 까발리고, 시민의 분노가 끓어오르고 있었다. 그러한 때 벗들과 대처를 벗어나 경상도 멀리 동천洞泉을 찾아 나섰다.

동천의 존재조차 모르면서도 오히려 그보다 더 선하고 진실한 세상을 꿈꾸며 거리에 나섰던 이들이었지만, 심사가 편할 리 없었다. 어디로 가고 있는가, 벗들이여. 그러나 동천행은 가슴속에 접어두었던 꿈의 조각을 하나씩 되살리는 행로였으니, 자책 속에서도 위로가 적지 않았다. 마침 성리학과 종교, 예학과 예술론, 건축사에서 성리학으로 종횡무진하는 김봉렬 교수(한예종 총장)가 길잡이를 했으니, 눈 어둡고 귀 먼 이들을 옛사람이 꿈꾸던 이상향으로 성큼 이끌었다.

경북 상주 우산리 우산동천으로 들어가는 입구는 살짝 기운 청자매병에서 향기로운 술이 흘러나오는 형국이다. 속리산에서 발원해 내서를 거쳐 들어온 이안천은 산과 산 사이에 달항아리처럼 들어앉은 들판에 옥빛 계류로 늙은 매화 한 그루 치고 있었다. 산과 산이 다시 마주칠 듯 다가서 병목을 이루었고, 그곳의 낮은 보를 넘는 물줄기는 잘 익은 술처럼 하얀 포말을 일으키며 떨어진다. 오라, 벗들이여.

옛사람의 동천은 아홉 혹은 일곱 굽이의 물길을 거슬러 올라가야 이르는 석문 너머에 있다고 했다. 입구는 당연히 보일 듯 말 듯 좁은 선문이어야 하나, 우산동천은 무문관이다. 동천의 뜻을 아는 이는 누구나 찾아들 수 있다. 위로는 성주봉과 남산 자락, 아래로는 노악산·채룡산 자락이 감싼 들은 한 마을을 먹여 살리기에 충분했다.

『택리지』의 이중환은 정자를 세울 만한 곳으로 '계거'溪居를 꼽았다. 물은 끊임없이 흐르고, 변함없는 바위가 우뚝하고, 늘 푸른 소나무가 숲을 이루며, 시내 건너편으로 너른 들이 보이는 곳이었다. 권력의 억압도 없고, 전쟁도 없으며, 욕망의 혼란도 없고, 가난의 남루도 없는 그런 곳. 조선시대 영남학파 예론의 총수 우복愚伏 정경세鄭經世, 1563~1633가 우산리 서쪽 계곡을 동천으로 삼은 이유도 그와 같을 것이다. "바위와 골짜기가 기이하며, 시내와 소가 깨끗하고 맑은 것이 매우 좋았다"(신도비문).

그러나 추구하는 이상이 없는 이에게 동천은 좀체 저를 드러내지 않는 법. 서울 시내에 백석동천이 있고, 강화도에 함허동천이 있다. 무수한 이들이 지리산의 화개동천과 청학동, 보길도의 동천석실 등을 찾지만, 그 산수에 담긴 뜻과 옛사람의 이상을 돌아보지 않는다. 문헌 속에 나오는 그런 구곡동천이 150여 개나 된다 하고, 2012년 퇴계연구소가 고증을 통해 43개소를 확인했다지만, 동천은 그저 아름다운 경승지이거나 도학자들의 은거지로만 여겨졌다.

동천의 뿌리는 도교의 선경. 장생불사를 꿈꾸던 이들은 온갖 비방으로 살아서 신선의 경지에 오르려 했다. 수행 수준에 따라 상자·중자·하자가 있는데, 그들이 추구하던 것은 육신을 가진 신선을 뜻하는 중자 혹은 지선. 그들의 거처가 바로 36동천과 76복지福地였다.

유가에서 산수는 단순히 산과 물이 아니었다. 공자는 '지자요수, 현자요산'이라 하여, 군자가 추구해야 할 덕을 산수에서 찾았다. 윤리와 처세에 치우친 유학에 존재의 실상과 생사의 원리를 보강해 철학 체계로 정비한 성리학은 아름다운 산수를 천인합일의 수행처이자 이상향으로 삼았다. 자연은 욕망이 사라진 청정한 도덕, 시비의 소란에서 벗어난 적정 고요, 조화와 합일, 그리고 우주적 순리 그 자체였다. 성리학의 종조 주자朱子의 무이구곡武夷九曲 이외에 도연명陶淵明의 무릉도원武陵桃源, 증점曾點의 기수沂水, 왕유王維의 망천輞川, 소동파蘇東坡의 적벽赤壁 등이 그런 곳이었다.

조선의 선비들은 한걸음 더 나아갔다. 현실에서 거부당한 이상세계를 그 동천에서 구현하려 했다. 안평대군의 꿈을 그린 「몽유도원도」가 불온했던 건 그 때문이었다. 그는 형 수양대군에 의해 저질러진 정난 속에서 무너진 천리와 인륜을 이 그림 속에서 되살리려 했다. 현실의 극복을 꿈꾸는 도원, 곧 유토피아는 언제나 혁명적이다. 중종조 김안로 일파에 의해 밀려난 회재晦齋 이언적李彦迪의 독락당도 그와 같은 이상을 담았다. 그는 왕안석 일파에 밀려난 북송의 사마광이 경영했던 독락원에서 그 이름을 땄다.

그런 이상세계를 꿈꿨으니 정경세의 정치 역정이 평온할 리 없었다. 스물네 살에 대과에 급제하고 출세를 했지만, 2년 만에 서인은 정여립 모반사건을 연출하고 그를 연루시켜 쫓아냈다. 임진란 중 다시 부름을 받아 이조정랑, 동부승지에 올랐지만, 1600년 스승인 서애 유성룡이 서인의 모함으로 쫓겨나자 그 역시 벼슬을 버리고 낙향했다. 1607년 다시 부름을 받았지만, 2년 뒤 이번엔 정인홍 일당의 모함으로 구금됐고, 1612년 김직재 옥사 때 다시 체포됐다. 1615년엔 심경 등의 모함으로 2년 가까이 옥살이를 했다.

두 번째로 낙향했던 서른여덟 살 때 정경세는 우산리에 띠집을 짓고 우산동천을 경영했다. 음모와 협잡이 난무하는 중앙 정계의 혼탁에서 벗어나 저의 이상향을 세우려는 것이었다. 서애의 수제자요, 약관에 급제하여 입신했으며, 임진왜란 때 의병장으로 신명身命을 조국에 바쳤고, 왜병에게 모친과 동생을 여의었으니, 향리에선 이미 존모의 대상이었다.

우산교를 건너면 동천이다. 낮은 언덕 위에 정면 2칸, 측면 1칸의 손바닥만 한 띠집이 시내 건너 들, 들 너머 산을 마주보고 있다. 방 1칸과 마루 1칸이 전부다. 마루 쪽 벽에 쌍영창을 단 걸 보면 단지 가난 때문에 그리한 것은 아니었다. 기둥은 기와지붕도 너끈히 일 만큼 튼실했다. 건축은 곧 주인의 인품이자 철학이라던가. 띠집엔 그의 인품과 이상이 응축돼 있다.

정경세는 이미 이언적의 독락당 계정을 방문한 뒤 이런 시를 남겼다. "계곡물은 맑아 거울과 같고/ 띠집은 좁아 배와 같다네/ 큰 벼슬의 꿈을 비껴 돌아서니/ 소승의 선(깨달음)을 이루었네/ ……사립문은 하루

종일 닫혀 있고/ 홀로 앉아 있노라니 마음은 평온하네.” 처음 물소리 듣는 곳(청간정)이라 했던 당호를 ‘계정’으로 바꾼 까닭을 알 만하다.

계정은 정경세의 사적 공간이었다. 제자들을 가르치던 공적 공간은 7대손 입재 정종로가 지었다는 대산루 터에 있었다. 사람들은 우산동천 하면 대산루를 떠올린다. 한옥으로선 이례적으로, 정면 5칸, 측면 2칸의 一형 1층 건물과 정면 2칸, 측면 5칸의 ㅣ형 2층 누각이 결합해 T자형을 이루었으니 그럴 만도 하다. 그러나 정경세의 구상 속에서 그런 특별한 양식의 건축물은 어울리지 않는다. 계정이 그러한 것처럼, 정경세에게 중요한 것은 인위적 요소가 자연 속에 고스란히 녹아드는 것이었다. 대산루처럼 권위와 위엄을 드러내려 했다면, 아예 계정을 띠집으로 짓지는 않았을 것이다. 종교화된 예론의 독선에서 한 발 물러서, 자연과 인간, 인간과 인간의 조화를 이루는 것이었다.

홍문관 부제학 시절 정경세는 충청도 연산으로 사계沙溪 김장생金長生을 찾아갔다. 김장생은 기호학파 주기론적 예론의 총수였으며, 당파로는 송시열·송준길 등의 스승으로 서인의 대부였다. 그가 평생 존모하던 유성룡을 모함하여 삭출한 당파의 뿌리와 같은 인물이었으니, 그의 행보는 뜻밖이었다.

“대감, 제자 중에서 사위를 고르려 하오.” “학당에 가서 직접 고르시구려.”

정경세는 대뜸 학당의 장지문을 열어젖혔다. 송시열은 그 자세 그대로 책을 읽고 있었고, 이유태는 벌떡 일어나 큰절을 했고, 송준길은 일어나 옷매무새를 가다듬어 예를 표시한 뒤 다시 책을 잡았다. 그는 송준길을 택했다. 김장생에게 밝힌 이유는 이러했다. “송시열은 너무 과하고, 이유태는 너무 급하다.” 그의 안목대로 송준길은 훗날 기호학파 예학의 종장으로 추앙받았지만, 정치적으로는 중용의 자세를 취했다.

동서의 예학이 소통하도록 노력했고, 당쟁에서도 극단의 대립과 처형을 반대했다. 낮추지 못하면 화합할 수 없는 법. 조선 중기 살육이 살육을 부르던 당쟁 속에서 그나마 탕평이 시도될 수 있었던 건 이런 그의 성품 덕이었다.

계정에서 100보쯤 올라가면 솔밭이요, 오른쪽 계곡 끝엔 우산서원이, 왼쪽 둔덕에는 종택이 있다. 종택 역시 과하지도 급하지도 않다. 튼 ㅁ자의 사랑채와 안채는 여느 사대부가와 다르지 않았다. 다만 빠른 경사지에 단을 쌓고 집을 올려 기개가 꼿꼿하고 법도가 엄격하다. 사랑채 당호는 산수헌. 계정, 대산루, 산수헌 모두 동쪽을 향하고 있다.

시내물 너머 들, 들 너머 하늘로 솟구치는 수리 형상의 무명봉과 마주하도록 지은 것이다. 산수가 잘 보이도록 담장은 어른 어깨 높이로 낮췄다. 계정의 담장도 대청에 올라앉으면 산수가 눈에 가득 들어오는 높이다. 산수를 마주하며 무엇을 배우고 느끼라 한 것일까.

정경세는 우산동천을 경영하던 초기 유지들과 이런 뜻을 모았다. "유마힐은 벼슬을 하지도 않았지만 이웃의 병을 제 병처럼 돌보았다. 사람에게 은택을 베풀고자 하는 우리가 어찌 동포의 구제를 생각하지 않아서야 되겠는가." 그때 세운 것이 요즘 무료진료소에 해당하는 존애원이었다.

공자의 제자 증점은 스승에게 이런 꿈을 말했다. 비록 초야에 묻혀 소쿠리 밥을 먹고 표주박으로 물을 마실지라도 선비의 도를 흩트리지 않고 "벗들과 기수沂水에서 목욕하고, 무우舞雩에서 바람 쐬고, 노래하며 돌아오고 싶습니다." 벗들과 동천의 이상을 담아 돌아오는 길 또한 이와 다르지 않았다.

겸손한 모국어로
나를 채우소서

세종 10년(1428년) 진주 사람 김화가 제 아비를 살해했다. 왕은 통탄했다. "모두가 나의 잘못이다." 군왕으로서 만백성의 모범이 되고 성인의 도를 잘 따르도록 했다면 벌어지지 않았을 패륜범죄라는 자괴감이었다. 아버지 태종의 패륜도 생각났을 것이다. 세종은 역대 충신 효자를 가려 뽑아 그 행실을 책으로 편찬토록 했다. 글 모르는 백성을 위해 그림도 곁들여 편집하도록 했다. 그로부터 6년 뒤 발간한 것이 『삼강행실도』였다. 그러나 패륜 사건은 사라지지 않았다. 세종은 이렇게 한탄했다. "그림을 붙였으나, 백성이 글을 모르니 가르쳐주기 전에야 어떻게 그 뜻을 알 수 있을까." 그 후 왕은 칩거하는 시간이 많아졌다.

9년 뒤(1443년 12월), 왕은 듣도 보도 못한 글자 스물여덟 자를 불쑥 제시했다. 『왕조실록』은 그날 이렇게 기록했다. "글자는 간단하고 쉽다.

그러나 변화는 무궁무진하다. 이를 훈민정음이라 일렀다." 편전의 일까지 사사건건 기록하던 사관도 이전까지 글자에 관해 일언반구도 하지 않았다. 그만큼 작업은 은밀하게 진행됐다. 왕은 정음청을 두어 정인지·신숙주·성삼문·이개 등으로 하여금 글자를 다듬고 창제 원리와 해례, 용례를 정리하도록 했다. 사대부와 유생들 분위기는 험악해졌다.

1444년 2월, 부제학 최만리崔萬理는 장문의 상소를 올렸다. 왜 사대事大에 거스르며, 엉뚱한 일로 국정을 혼란에 빠뜨리려 하느냐는 것이었다. 정창손·하위지·김문 등 집현전의 주력 학사들이 그와 함께했다. "모두 옛것에 반대되니, …… 만일 중국에라도 흘러들어가 비난을 사게 된다면 어찌 대국을 섬기고 중화를 사모하는 데 부끄러움이 없다 하겠습니까. …… 새 글자를 따로 만드는 것은 중국을 버리고, 스스로 오랑캐와 같아지려는 것이니 어찌 문명의 큰 흠이 되지 않겠습니까. ……" 왕의 멱살을 움켜쥔 것이나 다름없었다. 중국 운운한 것은 폐위 위협이었다.

당시 문자는 역법·지리·도량형과 함께 중국이 주변 나라들을 통제하는 기반이었다. 이 나라들은 비록 말은 달랐지만 문자와 역법은 중국을 따랐다. 천자에 대한 복속의 표시였다. 그런데 문자와 역법을 독립하겠다고? 그건 천자와 중화에 맞서겠다는 뜻이었다. 사대론자에게 이보다 더 큰 불충이 어디 있을까. 정창손鄭昌孫이 일찍이 제기했다.

세종은 새 글자로 『삼강행실도』 언해본을 편찬하도록 정창손에게 지시했다. "언문으로 삼강행실을 번역하여 민간에 반포하면 어리석은 남녀가 모두 쉽게 깨달아서 충신·효자·열녀가 반드시 무리로 나올 것이다." 정창손은 되받았다. "그럴 리 없을 것입니다. 사람이 행하고 행하지 않는 것이 사람의 자질 여하에 있는데, 어찌 꼭 언문으로 번역한 후에야 사람이 모두 본받을 것입니까." 맞짱 뜨자는 투였다. 그러나 인간의 자질은 교육으로 바뀌고 향상될 수 있다는 유학의 근본 가르침을 부인하는 실수를 정창손은 저질렀다.

왕은 최만리와 그에 동조하는 직제학 신석조, 직전 김문, 응교 정창손, 부교리 하위지 등을 불렀다. 여전히 기세등등했다. 백성이 글자를 알아야 송사에서 억울함을 줄일 수 있는 것 아니냐는 왕의 설명에 "그건 관리의 자질에 달려 있는 것이지 백성이 글자를 알고 모름과 무관하"다고 맞받았다. 왕은 더 단호했다. "지금 쓰는 이두吏讀도 본뜻이 백성을 편하게 하려 함이다. 그러나 이두도 한자에서 따온 것이어서 백성이 알기 힘들다. 내가 만든 문자도 백성을 편하게 하기 위한 것이다. 그런데 어찌하여 너희는 설총薛聰은 옳다 하고, 너희들이 섬긴다는 임금은 그르다 하는가. 너희가 운서를 아는가, 사성칠음에 자모가 몇이나 있는지 아는가." 정창손의 언설을 거론한 뒤 "진실로 아무짝에도 쓸모없는 자들"이라며 의금부에 하옥시켜 버렸다.

문자 창제는 왕위는 물론이고 생명까지 건 사업이었다. 그러나 세종은 28자를 처음 알리고 2년 10개월 뒤(1446년 9월 상순) 백성을 가르치는 바른 소리라는 뜻의 훈민정음을 반포한다. "……백성이 말하고자 할 것이 있어도 마침내 제 뜻을 알리지 못하니, 이를 위하여 가엽게 여겨 새로 스물여덟 자를 만드니 사람마다 쉽게 익혀 매일 써서 편안케 하고자 할 따름이다." 그렇게 탄생한 한글은, 문자 창제의 배경과 원리, 그리고 철학이 분명한 유일한 문자, 가장 과학적인 표기체계(언어학자 라이샤워), 세상에서 가장 익히기 쉬운 문자(소설가 펄 벅)였다. 그래서 유네스코는 1997년 문맹 퇴치에 기여한 이에게 주는 상을 '세종대왕상'이라 이름했다. 표현력은 특히 독보적이어서 자연계의 소리를 거의 모두 표시할 수 있어(8,800여 개), 일본어(300개)나 중국어(400여 개)와는 비교도 안 된다. 영어로는 우리말을 표기하는 데 어려움이 많지만, 한글로는 영어

발음의 90퍼센트 이상을 표기할 수 있다. 게다가 표음문자에 모아쓰기 형태여서 디지털 시대에 정보 전달의 총아다.

여주 영릉, 조카(단종)를 죽이고 왕위에 오른 세조가 정권의 정통성을 세우기 위해 새로 조성한 부왕 세종과 어머니 소헌왕후의 유택. 모란반개형이니 비룡포란형이니 하는 풍수의 설명이 아니어도 땅은 온화하고, 기운은 드높고, 풍광은 단정하다. 남한강은 여전히 넉넉했고, 드넓은 숲은 그 짙은 그늘로 말미암아 더욱 푸르다. 공기마저 향기롭다. 그 기운과 향취에 취한 채 민족사 최고의 명장면을 즐기고 있을 때 누군가의 개탄이 콧잔등을 때린다. 언어학자 유재원(외국어대 교수)이다.

"한글의 과학성, 편리성 그리고 위민정신, 그거 아무리 자랑한들 뭐하는가. 가꾸기는커녕 쓰기도 귀찮아하면서……, 100년 뒤 한글이 살아남기나 할는지." 23년 만에 한글날을 공휴일로 부활시킨 것도 유재원에겐 빛 좋은 개살구다. "도자기에 비교하면 한글은 고려청자와 같고, 일본의 가타가나나 중국의 한자는 종이접시에 불과한데, 청자엔 줘도 안 먹을 음식이나 담겨 있고 종이접시엔 산해진미가 담겨 있다면, 손님들이 어떤 접시를 집어들까?"

세종은 고심참담 끝에 최고의 문자 한글을 창제했지만, 사대부나 학자들은 한자로만 학문을 했고 시를 남겼다. 지금도 가진 자, 배운 자들은 영어를 한자처럼 숭상하고, 학문도 영어로 하도록 한다. 그러다 보니 한글로 된 세계적 저작은 드물다. 굳이 한글을 배울 이유가 없다. 김정희 · 한석봉 등 중국을 능가하는 서예가가 많았다. 하지만 모두 한자만을 쓴 까닭에 한자 서체만 풍부하게 했다. 한글 캘리그래피는 이제야 조명을 받고 있다. 일본과 중국? 그들은 그 누추한 문자로 많은 세계적인 학문 저작과 문학 작품을 남겼다. 그들 문자는 이제 중요한 디자인 요소가 되기도 했다.

강영환 시인은 어느 날 일제 때 규슈 탄광으로 끌려간 동포들이 수용소 숙소 담벼락에 써놓은 글을 보았다. "고향에 가고 싶어요." "배가 고파요." 그 핏빛 선연한 모국어의 절규 앞에서 그는 한탄했다. "……내가 수없이 뱉어내는 말들이/ 그들의 절실한 말에 비하면 아무 소용없는 것/ 서투른 붓끝으로 밝히는 내 가슴은/ 아직 모국어의 깊은맛에 닿지 못하고/ 껍질만 벗기고 있는 것인지"(「모국어」). 징용노동자들에게 모국어는 그 지독한 고통과 슬픔과 염원을 담아내는 그릇이었다. 고향이요 조국이요 어머니였다. 그런데 시인이라는 사람이……. 프랑수아 미테랑 전 프랑스 대통령은 이렇게 말했다. 한글날만 되면 식자들이 한번씩 읊조리는 경구다. "모국어를 잃은 민족에게 귀 기울일 사람은 없다."

왕비를 지극히 사랑했던 세종. 체통을 염려했을 법도 한데 그는 조선 왕으로는 처음으로 왕비와 함께 한 봉분 아래 누웠다. 훈민정음 반포 6개월 전 소헌왕후가 세상을 뜨자, 그의 명복을 빌기 위해 둘째 아들(수양대군)로 하여금 석가의 일생을 쓰게 하고, 김수온金守溫으로 하여금 증보케 하고, 이를 다시 한글로 번역한 것이 『석보상절』 언해본이다. 목숨 걸고 창제한 백성의 문자로, 죽어서도 함께하려 했던 사람을 위해 편찬한 책이었으니, 그 애틋함이 절절하다. 그 길을 따를 순 없다. 하지만 이 정도의 꿈은 꿔야겠다. "가을에는/ 기도하게 하소서……/ 낙엽들이 지는 때를 기다려 내게 주신/ 겸허한 모국어로 나를 채우소서//……"(김현승, 「가을의 기도」).

느릅나무야,
너는 알고 있겠지

산은 자하산紫霞山 / 봄눈 녹으면
느릅나무/ 속잎 피어나는 열두 굽이를
청靑 노루/ 맑은 눈에
도는/ 구름

박목월 시인의 「청노루」가 태어났던 일제강점기 말, 어딜 가나 '불안하고 바라진' 땅뿐이었다. 시인은 어딘가 은신할 수 있는 어수룩한 천지가 그리웠다. 그러나 어디에서 찾을까, 시인은 마음속에 이런 지도를 그렸다.

"가장 높은 산이 태모산太母山, 태웅산太熊山. 그 줄기를 받아 구강산

九江山, 자하산紫霞山이 있고 자하산 골짜기를 흘러내려 와 잔잔한 호수를 이룬 것이 낙산호洛山湖, 영랑호永郎湖. 영랑호 맑은 물에 그림자를 잠근 봉우리가 방초봉芳草峰, 그곳에서 아득히 바라보이는 자하산 보랏빛 아지랑이 속에 아른거리는 낡은 기와집 청운사靑雲寺"(「보랏빛 소묘」). 시인은 그곳에서 청노루의 '핏발 한 가닥 서리지 않는 눈'으로 임을 그리워하고 자연을 사모하고 싶었던 것이다. 그런데 하고 많은 나무 가운데 왜 느릅나무일까?

김규동 시인도 나이 여든을 넘겨, 북녘에 두고 온 고향집을 그리며 '느릅나무에게' 편지를 보낸다. 50년 전 작별한, 우물가 늘어진 머리채 흔들며 희멀건 하늘 떠받들고 있던 느릅나무는 '우리 집 가족사와 고향 소식을 그만큼 잘 알고 있는 존재가 없는' 나무였다.

> ……그래 맞아/ 너의 기억력은 백과사전이지/ 어린 시절 동무들은 어찌 되었나/ 산목숨보다 죽은 목숨 더 많을/ 세찬 세월 이야기/ 하나도 빼지 말고 들려다오/ 죽기 전에 못 가면/ 죽어서 날아가마/ 나무야/ 옛날처럼/ 조용조용 지나간 날들의/ 가슴 울렁이는 이야기를/ 들려다오/ 나무, 나의 느릅나무

고즈넉한 열두 굽이 산속에서든, 마을의 온갖 이야기 다 모이는 우물가에서든, 느릅나무는 우리 곁을 지켜왔던 것이다. 대들보나 기둥 따위로 혹은 울타리 나무로 우리의 집이 되었고, 개울을 넘나드는 다리도 느릅나무로 엮었다. 신라 때는 5두품 이상 관리들이나 재목으로 쓰게 했다지만, 느릅나무는 신분을 따지지 않았다. 누구나 말린 껍질을 꽈서 밧줄을 만들고, 옷을 지어 입었다.

수분이 많고 부드러운 속껍질은 전분이 많아 가난한 이들의 구황식

품이었다. 고구려 평강공주가 찾아왔을 당시, 집을 비웠던 온달은 어머니의 식사를 위해 느릅나무 속껍질을 채취하러 나갔었다고 『삼국유사』는 전한다. 조선시대의 『구황촬요』는 백성들이 흉년을 대비해 비축할 비품으로 느릅나무 껍질을 앞자리에 두었다. 속껍질과 잎은 쪄서 먹고, 열매는 술이나 장을 담글 때 썼다. 느릅나무 장은 맵싸한 맛으로 하여 생선회와 잘 어울렸다.

특히 느릅나무가 서민들에게 친근했던 건 손쉽게 구할 수 있는, 웬만한 질환에 잘 드는 약재였기 때문이다. 『동의보감』은 "배설을 도와주는 작용이 있어서 대소변이 통하지 못하는 병에 쓰이고, 위장의 열을 없애며 부은 것을 가라앉힌다"라고 했다. 그 진액은 뱃속의 염증을 없애고, 장 기능을 개선하고, 각종 부종을 가라앉히며, 알레르기성 피부염이나 습진, 무좀 그리고 여드름에도 효과가 있다고 하니, 백성의 응급약이었다.

새순을 갈아 먹으면 숙면을 할 수 있다고도 했으니, 박목월 시 속의 자하산 청노루의 눈이 그렇게 맑을 수 있던 것은 느릅나무 새순 덕이었을 것이다. 소의 코뚜레를 느릅나무로 쓴 것은 상처를 쉽게 낫게 하고 새살을 돋게 하는 덕성 때문이었다. 게다가 어디서나 자라는 것이 꼭 민초를 닮았다. 습기 많은 비옥한 땅을 좋아하지만, 표토가 부족한 암반층에서도 잘 자라고, 양지 · 반양지 가리지 않는다. 바람은 물론 추위에도 강해, 산을 지키고 마을을 지키기에 안성맞춤이다. 다른 나무들과 달리 껍질을 대부분 벗겨내도 죽지 않고, 오히려 곧 수피를 다시 회복하는 놀라운 복원력을 발휘하는 것도 그렇다.

중국 당나라 때의 문장가 한유韓愈가 엽전 모양의 느릅나무씨가 바람에 날리는 것을 보며, 가난한 이웃들의 시름을 떠올린 것은 그 때문이었을 것이다. "느릅나무 생울타리에서 파란 동전 흩뿌리네/ 그 돈이 마당에 가득하지만, 가난을 면할 길이 없구나." 강원도 정선 사람들은 그 열매를 맹맹이라 하여 식용했으며, 씨가 많이 맺히면 풍년이 든다고 믿었다.

수형 또한 당당하고 의젓해 양반나무(학자수)라는 회화나무 못지않게 사대부의 사랑도 받았다. 대구 사람들은 달성공원의 참느릅나무를 구한말 우국지사 석현石峴 이용익李容翊의 혼이 서린 것으로 믿어, '이용익 나무'라고 부른다. 이용익은 경북관찰사 시절인 1905년 대구 시민의 자존심인 달성에 일왕을 기리는 요배전을 짓겠다는 일본인들의 드센 압력을 단칼에 거부했다. 그 일로 일제에 밉보여 경질되기도 했다. 수령 400여 년의 삼척 하장면 갈전리 느릅나무는 천연기념물 272호로 지정돼 있고, 영월 공기리 느릅나무는 가장 아름다운 고목으로 꼽힌다. 경복궁 민속박물관 앞에도 한 그루 서 있으니, 왕실 또한 귀히 여겼다.

양의학이 밀려오면서 잊혔던 느릅나무의 덕성이 세상에 다시 알려지게 된 것은 한의사 이환용李桓容의 덕이 컸다. 7전8기 재수 시절부터 돌팔이 한의사로 통했던 그는 서울 노량진 좌판 할머니들과 학원 교사의 아픈 곳을 돌봐주며 밥도 얻고, 학원 수강도 공짜로 했다. 이때 맺은 한복집 할머니에게서 '코나무'로 통하는 참느릅나무의 성질을 알게 됐고, 훗날 한의사가 되어 느릅나무의 약성을 바탕으로 개발한 비염 치료제 청비환은 그 인생의 전환점이 되었다. 알레르기성 비염이나 축농증 혹은 체질적으로 약한 호흡기 질환에 특효가 알려지면서 그는 '강남을 싹쓸이할 정도'로 느릅나무의 은총을 입었다.

아토피형 피부질환 치료제 아토순도 개발했다. 해진 살을 되살아나게 하고, 몸의 열을 내려주며, 몸속의 노폐물을 빨아내거나 배출을 촉진해 체질을 개선하는 느릅나무의 약성을 이용한 것이었다. 의대생까지 목숨을 끊게 하고, 30대 주부가 여섯 살배기 딸의 극심한 아토피를 비관해 동반자살한 것이 자극이 되었다.

느릅나무로 하여 가난을 벗어나자 시작한 일이 어릴 적 친구들과 뛰어놀던 고향(충남 서산시 운산면) 뒷산을 생태적으로 재현하려는 것이었다. 1997년부터 이미 번 돈, 그리고 장래 벌어들일 돈까지 쏟아 경기도 포천에 평강식물원을 조성했다. 그런데 일단 손을 대고 보니, 유실수와 꽃나무로 뒷동산을 재현하는 데 그칠 일이 아니었다. 너도나도 나서던 화려한 꽃 중심의 원예 식물원을 하나 더 보탤 일도 아니었다. 나아가 한택식물원이나 자생식물원 등 생태식물원을 추구하되, 이들과도 다른 것이어야 했다.

그래서 평강식물원만의 암석원, 이끼원, 고사리원, 고층습원, 고원습지까지 포함시키기로 했다. 암석원은 일반 산지를 2미터 정도 파고 마사토, 모래, 자갈 그리고 바위 등으로 고산지대와 비슷한 환경을 만들고, 그 속에 풍혈을 뚫어 통수는 물론 통풍이 원활하고 습도도 조절할 수 있도록 해야 했다. 노랑만병초, 에델바이스, 넌출월귤, 섬백리향, 바위솔 등 백두산이나 히말라야, 알프스에서 자라는 고산식물이 그래야 살 수 있었다. 지금 그곳엔 수목한계선 이상에서 서식하는 고산식물이 1,000여 종에 이른다.

이끼원 조성 때는 연구자를 뉴질랜드에 보내 다양한 이끼의 생존 조건을 연구하게 한 뒤 계곡에 바위를 채우고 온습도 유지 장치를 설치했다. 고층습원과 고원습지는 인제의 대왕늪을 재현하는 것이니 암석원 못지않게 힘들었다. 이탄층을 깔고, 계곡물을 끌어들이고, 온도와 일조량을 맞춰야 했다. 멸종 위기종인 개병풍, 노랑만병초, 단양쑥부쟁이, 독미나리, 조름나물 등이 서식하게 됐고, 서식지 외 보전기관으로 지정된 것은 그런 정성 때문이었다. 김규동 시인의 고향마을 고샅 같기도 하고, 박목월 시인의 이상향 같은 동산은 그렇게 해서 만들어졌다.

개장하던 2006년 노무현 대통령이 문득 식물원에 들렀다. 그는 퇴직하면 고향 뒷산을 자연생태원으로 조성하고 싶어 했었다. 이환용은 느릅나무 이야기부터 풀어놓기 시작했다. 그러자 노 대통령이 당신의 기억 하나를 풀어놓더란다. 아버님이 낫질을 하다가 허벅지를 깊게 베었다. 피가 철철 흘리는 다리를 끌고 온 아버지는 다른 말은 일절 하지 않고 느릅나무 껍질을 구해 오라고 하셨다. 어찌어찌 물어 참느릅나무 뿌리의 껍질을 구해 왔다. 아버지는 그것을 짓찧어 개어 붙인 뒤 헝겊으로 싸맸다. 그것으로 끝이었다. 안절부절하며 병원에 가자는 가족들의 법석에 손사래만 쳤다. 어머니의 걱정은 이만저만이 아니었다. 며칠 뒤 가족들이 보는 가운데 아버지는 헝겊을 풀렀다. 놀랍게도 상처가 아물고 생살이 돋아났더란다. 이야기를 마친 노 대통령은 느릅나무한테 가 보자고 성화였다.

그러나 일반인의 눈에는 여느 뒷동산이나 다를 게 없는 식물원이었다. 세계의 60여 개 식물원과 종자교환협정을 맺을 정도였지만, 모르는 이의 눈에는 그 나무에 그 풀이었다. 암석원은 뙤약볕 내리쬐는 돌밭이었고, 고사리원과 이끼원은 그저 을씨년스러운 계곡이고, 고층습원 습지는 그저 모기나 꾀는 웅덩이로만 비치더란다. 사시사철 형형색색의 꽃과 나무를 기대하며 찾아왔으니 그럴 만도 했다. '아는 만큼 보이는 건데…….' 그러다 보니 조성에서 유지까지 이 원장이 충당해야 할 비용은 눈덩이처럼 불어났다. 국립수목원장도, 경기도지사도 만나기만 하면 옆에서 걱정만 할 뿐이었다. 비용은 온전히 이 원장의 몫이었고, 이 원장은 온전히 느릅나무에 기대 조달했다.

2008년 재정난을 버티다 못해 생태식물원을 접어야 하는 것 아니냐는 이야기가 나올 때였다. 이명박 정부가 들어서고 얼마 뒤 한의원에 대한 세무조사가 덮쳤다. 한의원으로 수입이 들어오는 족족 식물원에 쏟아붓던 때였으니 걸릴 게 많았다. 이환용은 막대한 규모의 세금을 추징당했다. 추징금 마련을 위해 급전까지 쓰다 보니 가계마저 휘청거렸다. 유지하자니 집안살림까지 거덜나고, 접자니 생태식물원의 꿈을 이어줄 사람이 없고……, 진퇴양난이었다.

암석원 초입에는 다음의 에피소드를 전하는 안내판이 있었다. "노 대통령이 인기 바닥일 때 찾아오셨지요. 2006년 늦가을이었습니다. 참 소박하고 따듯한 분이셨습니다. 식물원에서 직접 담근 콩잎장아찌를 좋아하셔서, 그 뒤로 몇 번 구하러 사람을 보내곤 하셨는데……, 꼭 다시 오겠다고 하셨는데 서거하셨다는 소식에 가슴이……." 이 때문이었을까? 당시 이명박 정부는 노 대통령과 참모는 물론 지지자까지도 이 잡듯이 뒤졌다.

이환용 부부는 저들이 믿는 신의 음성이 식물을 통해 세상에 전달된다고 믿었다. 요즘 느릅나무에 기댄 채 하늘을 바라보는 일이 많아졌다. '새롭고 아름다운 세상'(노무현 전 대통령)이라던 평강식물원의 운명에 대한 신의 뜻은 무엇일까. 느릅나무는 알까?

'못 다 핀 꽃' 도라지꽃

15년 전쯤이었을 것이다. 대구에서 한 모임의 뒤풀이, 막걸리 잔이 제법 오가고 나서야 문득 흰 바탕에 보라색 꽃을 그려넣은 동그란 배지가 여럿 눈에 띄었다. 대학 재학생이거나 갓 졸업한 이들이었다. 북한이나 재벌 기업 종사자들 외에는 가슴에서 배지가 사라진 지 언젠데…….

대구 중심을 가로지르는 신천의 한 둔치에 2차 술자리를 벌여놓고야, 배지를 단 까닭을 물었다. 그들은 대구·경북 정신대할머니와 함께하는 시민모임 회원들이었다. 배지는 일본의 한 시민단체에서 할머니들 후원금 마련을 위해 팔고 있는 것이며, 도라지꽃은 할머니들의 상징이라고 했다. 어둔 강 물결에 불빛은 어지럽게 흩어지고, 나는 잠시 혼란에 빠졌다.

나는 할머니들에 대해 그동안 건조한 글로만 이해하고, 추상적인 숫자로만 따지고, 자료가 되어버린 사진과 서류로만 알려고 들었다. 굳이 그 상처를 만져봐야 아는가, 오열이 굳어버려 쉬어버린 그 목소리를 들어야 느끼고, 그 깊은 주름살을 뜯어봐야 그 고통의 깊이를 확인할 수 있는가?

짐짓 이렇게 점잔을 떨었지만, 사실 나는 두려웠다. 살아 있는, 용광로처럼 지금도 펄펄 끓고 있는 저 고통의 진실에 상처 입고 델까 봐 가까이 가는 것을 피했던 것이다. 아무리 비극적인 사실을 담고 있다 해도 글이란 건 얼마나 편안한가. 마음이 델 리 없다. 아무리 많다 하더라도 숫자란 얼마나 추상적이고 가벼운가. 숫자가 상처를 입히지는 않는다. 굳이 불편한 진실, 불편한 현장을 지켜야 할 이유는 없다.

그리스 신화엔 '라오콘'의 비극이 있고, 그것을 형상화한 조각도 있다.「1808년 5월 3일」등 고야가 그린 전쟁의 참상도 있고, 현대엔 뭉크의「절규」, 피카소의「게르니카」도 있다. 이들 작품 속에서 고통은 끔찍하지만, 마음에 상처를 주지는 않는다.「쉰들러 리스트」,「아름다운 인생」등 유대인 학살을 소재로 한 여러 영화를 보며 분노하고 눈물 짓고는 하지만, 부담으로 남지는 않는다.

왜 그럴까? 굳이 답할 필요도 없다. 그건 실재가 아니기 때문이다. 가공된 고통이고, 그려진 절망이기 때문이다. 아무리 훌륭한 작품이라도 보는 이에게 부작위에 대한 부채를 남기지도, 특별한 행위를 요구하지도 않는다. 작품 앞에서 짓는 눈물은 관객의 풍부한 감수성과 덕성을 드러내는 것일 뿐이다. 살아 있는 역사, 진행 중인 비극이 주는 것과는 다르다.

2천 년 동안 수많은 이를 죄의식에 잡아둔 예수의 십자가 수난. 그러나 그것도 시간만 따진다면 한나절의 고통이었다. 빌라도에게 넘겨진 것부터 따져도 기껏해야 사나흘이었다. 그러나 할머니들이 짐승처럼 당해야 했던 고통은 하루도 아니고 이틀도 아니고, 서른 삼백 천수백의 길고 긴 날들이었다. 그들의 몸과 마음에 찍힌 낙인은 그들을 평생 수치스런 기억의 감옥 속에 감금했다. 그것을 어느 누구의 고통과 비교할 수 있을까. 가까이만 있어도 그 고통과 절망과 악몽과 원망에 화상을 입지 않고 어떻게 온전할 수 있을까.

그러나 그 구김살 없는 청춘들은 그 상처와 절망 속으로 들어갔다. 그 일부를 가슴에 달고 다녔다. 나는 염치없게도 그중의 한 명이 건네는 배지를 냉큼 받아들었다. 그 뒤 할머니들의 수요집회에도 가고, 일본 대사관 앞 소녀상 주변을 어슬렁거리기도 했다. 그러나 정작 할머니들이 함께 살아가는 '나눔의집'에는 갈 생각도 하지 않았다. 팔당 호반, 호수와 숲이 맞닿은 실금을 따라 이어진 꿈 같은 길, 경기도 광주 퇴촌의 언제나 반쯤 잠든 사람과 마을, 그리고 무성한 갈대와 연 등으로 일렁이는 경안천 습지……, 그 아름다운 풍광 속을 몇 번씩이나 오갔지만 원당리 무갑산 가새골 입구에 이르러서는 번번이 고개를 돌린 채 초월읍 서하리 쪽으로 냅다 속도를 내는 것이었다.

7월 어느 날, 비로소 역사관 입구에 섰을 때 나를 주저하게 했던 이유가 거기에 언어로 혹은 조각으로 각인되고 세워져 있음을 알게 되었다. 입구 쪽 벽에 설치된 「누가 이들에게」를 두고, 작가(임옥상)는 이렇게 말했다. "누가 이들의 아픔을 알까, 고통을 그리고 절망을 알까. 누가 감히 이들 앞에서 역사에 대하여, 민족과 국가에 대하여 말을 할 수 있을까, 우리 모두는 다만 그들 앞에서 죄인일 뿐." 피카소는 스케치 「강간」에서 육체만이 아니라 머리부터 발끝까지 오장육부에서 사지까지, 영혼과 세포 하나까지 유린하고 난자된 것을 그렸다. 「누가 이들에게」에선 착검한 소총 다섯 자루가 여인의 가슴에서 정수리까지 관통하고 있었다. 손은 잘렸고, 새는 추락하고 있었다.

가만, 그런 짓을 저지른 게 어디 일제만일까. 김순덕 할머니, 문필기 할머니, 이옥선 할머니, 배초희 할머니, 박옥선 할머니……, 대부분 일제가 강제로 끌고가 성노예로 삼았다. 하지만 일부는 이 땅의 남정네들에 의해 넘겨지기도 했다. 집안 빚을 갚는다며 딸을 기생으로 팔아넘기고, 그 딸이 빚을 갚고 돌아오자 다시 위안소로 팔아넘긴 아비도 있었다. 관동군 장교 출신인 박정희는 청구권 자금 몇 푼 얻어 쓰기 위해 할머니들의 난자당한 인생과 피눈물을 피해자들 몰래 팔아먹었다. 일본은 지금도 그걸 빌미로 배상을 거부한다. 박정희의 졸개들은 대동아전쟁 때 조선 처녀들을 노리개 삼았던 바로 그자들을 기생관광단으로 불러들여, 또다시 누이들을 넘겼다. 그걸 두고 당시 국무총리란 자가 다른 사람도 아닌 이화여대생 앞에서 히죽거리며 한다는 소리가 "달러를 벌어들이는 게 애국이야"였다.

할머니들이 그 치욕의 기억을 공개하고 전 세계가 공분했음에도, 박정희 후예들은 더 뻔뻔하게 이죽거렸다. 특히 아비에 이어 딸에게까지 충성하던 한승조, 지만원 같은 자들은 "전쟁 때는 다 있는 것 아닌가", "그 사람들 돈 벌려고 몸 판 것 아냐?", "돈 몇 푼 더 챙기려고 가짜 위안부 노릇이나 하고……" 따위의 저주를 퍼부었다. 맞다, 나는 죄인이었다. 아직도 그런 자들과 함께 살아가는 것만으로도, 죄인이었다!

차라리 '트로이의 여인들'(에우리피데스의 비극)은 행복했다. 전쟁에 패해 전리품으로 끌려간 여인들, 오디세우스의 종이 된 왕비 헤카베, 강간당한 뒤 아가멤논의 시녀로 끌려간 공주 카산드라, 아킬레우스의 하녀가 된 공주 프리크세네, 어린 아들은 죽임을 당하고 자신은 원수의 아들에게 성노예로 끌려간 안드로마케. 그러나 그들은 자살하거나 제물로 희생되거나 미쳐버렸다. 운명은 더 이상 그들을 고통 속에 가둬둘

수 없었다. 고향으로 돌아가 저들을 팔아먹은 자들에게 오히려 수모를 당하지 않아도 되었다.

환향녀라고 있었다. 조선 인조 시절 양대 호란의 와중에서 중국으로 끌려간 60여만 명 가운데 절반이 여인들이었다. 많은 여인들이 온갖 수치와 모욕을 이겨내고 꿈에도 그리던 고향땅으로 돌아왔다. 그러나 이 땅의 남성 권력자들은 그들에게 절개를 버린 년, 곧 화냥년이라는 낙인을 찍었다.

선양瀋陽, 훈춘琿春, 지안集安, 투먼圖們, 싱가포르, 양곤, 오키나와 등의 전선에 일본군 성노예로 끌려 다니던 여인들도 마찬가지였다. 해방은 됐어도 많은 여인들은 만리 타향에서 외롭게 떠돌다 주인 없는 고혼이 되었다. 돌아온 이들은 몰래 숨죽이며 살아야 했다. 낙인이 두려웠다. 숨기며 결혼한 이는 끝내 버림을 당하거나 미쳐 죽었다.

1937년 7월 7일이었다. 일본은 만주를 집어삼킨 뒤 루거우차오盧溝橋 사건을 조작해 중국의 중심인 베이징과 톈진天津 등 화북 지역으로 침략의 손길을 뻗쳤다. 러시아가 참전하면서 전선은 흑룡강 북쪽으로 확대됐다. 1941년 일제는 관동군을 24만 명에서 75만 명으로 대폭 증강했다. 그해 7월 관동군 사령부는 조선총독부에 '도라지꽃 3만 개'를 주문했다. 7월은 반도의 산과 들에 도라지꽃이 지천으로 피어나는 계절. 그러나 관동군이 요구한 것은 산천의 도라지가 아니라 저들의 성노예로 삼을, 때 묻지 않은 이 땅의 처녀들이었다. 그해 납치되고 징발된 1만여 명의 처녀가 전선의 일본군에게 넘겨졌다. 민중과 애환을 같이 해 왔던 도라지꽃은, 그리하여 일본군 성노예의 은어가 되었다.

일제가 일본군 전용 위안소에 조선 처녀를 강제로 끌고 가게 된 것은 전투력 손실을 막기 위한 조처였다. 흔히 말하듯 일본군에 의한 현지 부녀자 강간을 줄이기 위한 '인도적 조처'가 아니다. 1917년 러시아

볼셰비키혁명이 일어나자 일본은 러시아의 백군을 지원하기 위해 7만 5,000명의 대병력을 시베리아에 파견했다. 혁명의 확산을 막으려는 것이었다.

당시 전선에서 일본군의 전투력을 약화시킨 가장 큰 요인은 적군이나 게릴라의 공격이 아니었다. 속수무책으로 확산되던 매독이었다. 무려 1개 사단 규모의 병력이 무용지물이 되었다. 한 병사가 매독이 심해 보행 능력을 상실하면, 그냥 버리고 갈 수도 없어 멀쩡한 병사 두세 명이 부축하거나 들것으로 옮겨야 했다. 때문에 일본이 만주를 침략한 뒤 중국과 전쟁을 일으킬 때 국가적 차원에서 '깨끗한 성노예'를 보급하는 관리매춘제도를 실시했다. 중국이나 동남아 현지에서 부녀자를 납치할 경우 반일감정을 더 자극할 우려가 있어 식민지 조선의 처녀를 집중적으로 징발했다. 게다가 조선 처녀들은 순결의식 때문에 걱정할 게 없었다. 그렇게 끌려 간 조선의 도라지꽃은 '8만~20만 본'에 이르렀다.

장대비 뒤끝이어서인지, '나눔의집'은 고즈넉했다. 하긴 학생들이 자원봉사 시간을 채우기 위해 왔다가 떠나는 주말을 제외하곤 사람 소리가 날 까닭이 없는 곳이다. 박물관과 생활시설을 꼼꼼히 챙기는 것은 오히려 일본인 단체인데, 연간 2,000여 명이라고 하니 웬만해선 마주치기도 어렵다. 나와 같은 한국인 남자는 직원 외에는 씨도 찾아보기 힘들다. 그래서 평소 나눔의집은 적막강산!

그곳의 적막을 더욱 깊게 한 것은 두 팔로 감싸 안은 무갑산 가새골의 뻐꾸기 울음이었다. 보리 이삭 팰 때도 한참 지났으니 이미 남의 둥지에 탁란을 했을 텐데, 저렇게 혼자 울고 있는 걸 보면 그놈은 필경 짝을 찾지 못했거나 짝을 잃었거나 아니면 이제껏 짝을 기다리는 것이 분명했다. 끝끝내 기다리다가 돌아가신 지돌이 할머니처럼.

지돌이 할머니는, 징용당해 끌려가면서 "반드시 살아서 올 테니 기다려 달라"던 신랑을 한평생 기다렸다. 먹고살 일이 막막하던 중 꾐에 만주의 위안소로 팔려 갔고, 하루에도 수십 번이나 자살을 생각했다. 하지만 그때마다 돌아오리라는 신랑의 목소리에 이를 악다물었다. 해방과 함께 몸은 풀려났지만, 아…… 무슨 염치로 찾아 나설까. 허깨비처럼 부랑하다가 말년에야 나눔의집에 정착했고, 얼마지 않아 치매가 찾아왔다. 가슴에 꼭꼭 묶여 있던 사연이 할머니 밖으로 나오기 시작했다. 치매가 깊어질수록 그 사연은 더 자주 그리고 더 구체적으로 세상에 나왔다. "신랑이 돌아온다고 했어. 꼭 돌아온다고 했지. 잘생긴 우리 신랑." 그렇게 기다리던 할머니는 2008년 2월 설 전날 세상을 떠나셨다. 할머니가 도착한 그곳엔 그 멋진 신랑이 계셨을까?

이용수 할머니가 어디론가 끌려가던 중 경주의 한 개울가에서 손을 씻다가 문득 본 한 송이의 꽃. 함께 끌려가던 친구는 '도라지꽃'이라고 했다. 꽃말은 영원한 사랑. 할머니들에겐 영원한 기다림에 불과했지만, 할머니들의 사랑은 영원했다. 김순덕 할머니의 그림 '못다 핀 꽃'은 그 염원의 상징이 되었다. 피기도 전에 모가지 채 꺾였으니 그 꿈만은 아직 순정한 소녀 그대로인 꽃. 그림 속 소녀는 그 맑고 깊은 눈으로 영원한 사랑을 꿈꾸지만, 끝도 밑도 모를 기다림뿐이었다.

크로스오버의 디바, 소피아 킴은 2013년 2월 28일 나눔의집, 할머니들 앞에서 한돌 작사·작곡의 신곡 「도라지꽃」을 발표했다. 노래하는 이도 울고 듣는 이도 울었던 노래 가사는 이렇다.

"슬픔을 접어서 강에 띄워본다/ 너무나 무거워서 가지도 못하네/ 몇 만리를 헤맸던가 고향 가는 길/뒷산에 도라지꽃 어른거리네."

"이 바다가 마르면 가게 될는지/ 파도에 휩쓸리는 슬픈 도라지꽃/ 휘영청 밝은 보름달, 고향 그리운 달/ 꿈에 본 어머니, 내 고향이여."

그 꽃,
이제야 피었네

2016년 들어 가장 추웠던 1월 11일 밤, 서울 종로구 율곡로2길. 30층 가까운 고층 빌딩 사이를 바람이 귀곡성을 내며 훑고 지나갔다. 평소에도 빌딩 사이는 길 잃은 바람이 소용돌이 치는 곳이었다. 추위는 뼛속을 파고들었다. 그 속에서 노숙농성을 13일째 이어가는 학생들. 담요로 손과 발, 몸을 감싸고 있었지만, 추위에 드러난 얼굴들은 하얗게 얼어 있었다. 그럼에도 가끔 하늘로 날아오르는 웃음소리, 그리고 반짝이는 눈. 그것은 동토에 내려온 별이었다. 작은 별들.

대학생들 좌우로는 의경 10여 명이 2열종대로 늘어서 있고, 그 뒤로는 기동대 버스가 배기가스를 뿜어대며 웅웅거리고 있었다. 버스 안에는 무전기 든 사복경찰들이 노려보고 있겠지? 미증유의 여성 인권 유린을 단돈 10억 엔에 말소하려는 자들과 그 하수인들. 12·28합의 폐기와 '인간에 대한 예의'를 촉구하는 작은 펼침막들이 떨고 있었다. 평화는 하늘의 별처럼 멀었고, 소녀상은 춥고 외로워 보였다. 초현대식 빌딩이 마천루를 이루었지만, 이 나라의 시계는 여전히 그때에 멈춰 있었다.

마침 그날 낮 외교부 관리들은 혼자 사는 위안부 할머니를 몰래 찾아가 감언이설을 늘어놨다던가. 처녀 공출 실적을 올리기 위해 혈안이었던 일제 앞잡이들도 그때 그랬다. 명망가들은 조선의 청년과 소녀들을 전장에 내보내는 선동에 열을 올렸고, 이장·구장 등 일선의 부역자들은 마을 처녀들을 속이고 꾀어 일본군 위안소로 송출하는 데 앞장섰다.

경주의 한 여관 앞 개울가에서 본 도라지꽃을 잊지 못하던 이용수 할머니는 평안도 안주를 거쳐 중국 다롄大連에서 군용 화물선에 태워져 대만으로 실려갔다. 거기엔 '수송 중 배 안에서는 사용 금지'라는 경고가 붙어 있었다. 무엇을 사용하지 말라는 것이었을까? 소녀는 바로 그 경고판 뒤 화물칸에서 처음 짓밟혔다. 그때 할머니의 눈앞에 떠오른 도라지꽃 다섯 갈래의 꽃잎에는 고향, 엄마, 아버지, 친구들이 하나씩 박혀 있었다. 그는 이제 인간이 아니라 '천황이 충성스런 전사들에게 하사한 보급품'이었다. 군수물자 중에서도 소모품으로 분류되었기에 인적 사항조차 남기지 않았다.

공교롭게도 일제 관동군 사령부는 할머니가 끌려가기 3년 전인 1941년 조선총독부에 '도라지꽃' 3만 개를 주문했다. 군수 참모 하라는 직접 총독부를 방문해 공출을 재촉했다. 도라지꽃은 16~19세의 경험 없는 조선 처녀들을 부르는 암호였다. 총독부는 모든 행정력을 동원해 처녀 공출에 나섰다. 이장, 반장까지 동원해 산간벽지까지 이 잡듯이 뒤졌다. 학교에선 교사들이 앞장서 '가난하지만 건강한 아이들'을 선별했다. 서울 방산초등학교의 한 일본인 교사는 제 반에서 어린아이 6명을 보냈다. 민간 알선업자들은 '많은 보수, 좋은 음식, 편한 일자리 제공'이라고 여성들을 속였다. 요리사, 청소부, 비서, 연예인 등.

일본군의 징발 목표는 군인 29명당 처녀 1명. 계산대로라면 30만여 명에 이르는 규모. 본토 여성은 매춘 여성 외에는 공출 대상이 아니었고, 교전 중인 나라의 여성은 현지인의 저항을 초래할 수 있어 제외됐다. 식민지 조선이 주요 공출 지역으로 지목된 것은 그 때문이었다.

대만의 한 위안소에 도착한 이용수 할머니는 저항했다. 관리자는 전화기 코드로 전기고문을 해댔다. 몇 차례 실신을 거듭했다. 중국 훈춘으로 끌려간 김군자 할머니는 일본군 장교의 요구를 거절했다가 구타당해 오른쪽 귀 고막이 찢어졌다. 저항하던 정서운 할머니에게는 모르핀 주사를 강제로 투여했다. 그렇게 성노예가 된 할머니는 하루 평균 30명, 많게는 100명까지 일본군을 받았다. 상습적인 폭력에 시달리기도 했다. 성기를 담배로 지지거나 대검으로 찌르는 자도 있었다. 문옥주 할머니는 칼 들고 달려드는 군인을 피하다 떨어진 칼로 그 군인을 찔러 죽이기도 했다.

그렇게 유린당하다 기진하면 '폐기'됐다. "(모르핀) 주사마저도 소용없다 싶으면 거적에 싸서 내다버렸지"(이옥분 할머니). 중국 목단강 전선으로 끌려갔던 강일출 할머니는 장티푸스로 고열에 시달려 일본군을 받지 못하게 되자, 군용 트럭에 실려 산속에 버려졌다. 일본군이 짚을 덮고 태우려던 순간 천우신조로 조선인 게릴라들이 나타나 목숨을 건졌다.

패주할 때는 증거를 없애려 학살했다. 방공호에 모아놓고 폭탄을 터트리거나, 고향에 보내준다고 배에 실었다가 배를 폭파해 몰살하기도 했다. 패주하기에 바쁜 부대는 밀림에 버려두어 짐승들의 밥이 되게 했다. 살아남은 사람이 4명에 1명꼴인 것은 그 때문이었다. 일본 군인 생존율보다 낮았다.

요행히 돌아와도 고향은 옛 고향이 아니었다. 친척들은 '가문의 수치'라며 내쫓았고, 이웃들은 '화냥년'이라고 손가락질했다. 1991년 8월 김학순 할머니가 처음으로 자신의 경험을 증언했을 때, 힘깨나 쓴다는 자들은 '민족의 수치'라고 빈정거렸다. 그래서 윤순만 할머니는 '정상적인 여자가 될 수 없는' 자신을 혐오하며 살았다. 노수복 할머니나 훈 할머니는 귀향을 포기하고 중국이나 캄보디아 현지에 주저앉았다. 결혼? "무슨 염치로……." 할머니들은 그렇게 스스로를 쥐어뜯었다.

이용수 할머니가 돌아왔을 때는 열여덟. 위안소에 끌려간 사실은 철저히 숨겼지만, '정상적으로' 살 수는 없었다. 그래도 여자로 태어나 면사포 한번 써보지 못하는 게 억울했다. 환갑이 되던 해 일흔다섯 살 할아버지와 결혼했다. 가슴속 그 피지 못한 꽃을 한번 피우고 싶었다. 일부러 노인을 택한 건 남성이 싫어서였다. 열여섯 살에 끌려갔던 강일출 할머니는 나눔의집에 입소한 뒤 매일 열 손가락에 빨간 매니큐어를 칠했다. "한창 멋 부릴 나이에 끌려간 게 한이 되어서……." 문옥주 할머니는 1993년 일본에서의 증언 때 연분홍 치마저고리를 입고 보도진 앞에 섰다. 일본 기자들이 대뜸 그 이유를 추궁했다. "일본군에 유린당한 소녀의 꿈은 아직 할머니의 마음속에 있습니다." 할머니 대신 한국정신대문제대책협의회(정대협) 실무자가 답변을 했다.

2001년 1월 17일 나눔의집에서는 단체 결혼식이 열렸다. 신부는 할머니들이었고, 신랑은 자원봉사자들이었다. 결혼식이 끝난 뒤 할머니들은 젊은 신랑들과 에버랜드로 신혼여행을 떠났다. '웨딩드레스 입어보는 것이 평생 소원'이던 할머니들을 위해 나눔의집 자원봉사자 최정권 씨가 마련한 이벤트였다. 일흔 중반의 할머니들 얼굴에 어린 홍조가 마치 활짝 핀 해당화 같았다고들 입을 모았다.

1991년 8월 16일 김학순 할머니가 "나는 일본군 위안부였노라"고 증언했다. 이후 할머니들은 용기를 냈다. 죽기보다 더 끔찍한 실토였지만, 김덕자·이영숙·황금주·문필기·이용수 할머니 등이 잇따라 증언했다. 그렇게 세상에 나온 할머니들은 과거의 그 자책에서 벗어나기 시작했다. 당신들의 한을 푸는 게 문제가 아니었다. 세상의 딸들이 다시는 그런 성노예 같은 전쟁 범죄에 희생되어선 안 됐다. 정대협은 1992년 1월 8일 첫 수요시위를 열었다. 할머니들은 처음엔 수치심 때문에 전면에 나서길 꺼렸다. 하지만 7회 때부터 서서히 시위의 중심에 서기 시작했다.

한국이든 일본이든 권력자들은 일회성으로 끝나리라 낙관했다. '위안부'라는 그 치명적인 수치를 전면에 세우고 얼마나 더 거리에 서겠는가. 나아가 권력이 담합하면 그들의 요구도 외침도 잠재울 수 있을 것이라고 믿었다. 2007년 미국을 방문한 아베 신조 일본 수상은 당사자도 당사국도 아닌 부시 미 대통령과 이런 수작을 벌였다. "위안부들이 큰 고통과 어려움을 겪은 데 대해 마음 깊이 동정심을 갖고 있다. 위안부들이 그런 상황에 놓였던 사실에 대해 사죄한다"(아베). "당신의 사죄를 받아들인다"(부시). 동정이라니! 그리고 부시가 뭔데 사과를 받아들이는가.

하지만 그건 착오였다. 할머니의 한이 얼마나 컸는지 간과했고, 이 땅의 딸들을 보호하겠다는 할머니들의 의지가 얼마나 강했는지 무지했던 결과였다. 할머니들의 행진은 24년째 계속되었다. 지구촌 곳곳으로 확산됐다. 1,000번째 수요시위였던 2011년 12월 14일엔 9개국 43개 도시에서 시위가 동시에 이루어졌고, 24년째 되던 1,212차 시위(2016년 1월 6일)엔 16개국 42개 도시의 시민들이 함께 행동했다. 박근혜와 아베의 담합 이후 더 많은 세계 시민들이 참여하고 있다.

수요시위가 이어지는 동안 1992년 아시아연대회의가 결성됐고, 1996년 유엔인권위원회는 여성폭력문제 특별보고서를 채택했고, 1998년엔 조직적 강간, 성노예, 노예적 취급 관행에 관한 특별보고서를 채택했다. 두 보고서는 일본 정부에, 일본군 성노예제에 대해 범죄를 인정하고 사죄와 법적 배상, 책임자 처벌을 권고했다. 국제노동기구는 일본군 위안소 운영을 성노예제로 규정했다. 2000년엔 일본군 성노예 전범 여성국제법정이 열렸고, 2007년엔 '위안부 결의안'이 미국 의회를 통과했다.

2015년 12월 28일, 8년 전 미 대통령에게 사과했던 그 아베는 한국의 박근혜와 기이한 담합을 했다. 박근혜는 이 담합을 두고, '최종적이고 불가역적인 합의'라고 떠벌였다. 그 아비는 5억 달러(무상 3억 달러, 유상 2억 달러)에 36년간의 약탈과 유린을 눈감아 주더니, 그 딸은 성노예로 끌려간 이 땅의 10~20만 여성의 한을 단돈 10억 엔에 팔아버리려 했다.

한 사회의 고통은 약자에게 전가되고, 최종적으로는 가장 약한 이들에게 넘겨진다. 일제는 만만한 식민지 조선을 수탈했고, 조선에선 일제에 기생했던 권력이 민중을 수탈했다. 민중의 고통은 더 약자인 여성, 더 약자인 어린 소녀에게 넘겨졌다. 식민지의 가난하고 나이 어린 소녀들은 그 모든 고통을 짊어져야 했다. 일본군 성노예가 그것이었다. 그 소녀들이 아흔을 바라본다.

그들은 이제 세상의 딸들을 지키는 '세상의 할머니'가 되었다. 권력과 총칼의 폭력으로부터 약자들을 지키는 설문대 할망, 인권의 존엄성과 생명의 평화를 지키는 마고할미가 되었다. 종로구 중학동과 수송동 사이 이면도로의 행정명은 율곡로. 할머니와 시민들이 평화로라고 이름한 이 길의 중간쯤 수송동 쪽엔 좌상 하나가 있다. 침묵으로 일본의 야만적인 전쟁 범죄를 증언하고, 침묵으로 '그 꽃을 꺾지 말라'고 웅변하는 '소녀상'이다. 박근혜 정부는 일본 정부의 요청을 받아들여 이 소녀상까지도 이전하겠다고 약속했다. 건너편엔 주한일본대사관이 있다.

'평화로' 그 소녀의 침묵

일부러 그 앞을 지나치곤 했지만 정면에서 마주하진 못했다. 코앞은 차량 통행이 빈번한 도로인 데다, 건너편은 경찰이 통행을 제한하는 주한일본대사관인 까닭에 공연한 의심을 받는 게 싫었다. 그 소녀의 시선이 궁금하긴 했지만, 그래서 지레짐작으로 만족했다. 굳이 가서 봐야 아나, 그들의 입처럼 굳게 닫힌 철문을 향하고 있겠지…….

1,004번째 수요시위를 앞두고 용기를 냈다. 건너편으로 건너가자 전경의 경계하는 눈초리가 따가웠다. 소녀의 시선과 마주한 순간 움찔했다. 예상과 달리 정면을 주시(분노)하지도, 비스듬히 하늘을 향(원망)하지도 않았다. 가지런하게 맞댄 무릎, 그러쥔 손과 다문 입술, 그리고 코끝을 스치는 시선. 나를 움츠러들게 한 것은 단정하지만 범접할 수 없는 그 단호함과 침묵이었다.

한이라면 오열, 염원이라면 기도, 분노라면 절규가 내연하겠지만, 그 소녀는 그저 고요했다. 주변엔 분노와 절규와 원망이 웅웅거리며 맴돌았지만, 그 단호한 침묵은 블랙홀처럼 모두 빨아들였다. '우레 같았다'는 유마의 침묵. 성속, 진위, 유무, 생사, 너와 나 등 그 모든 분별을 넘어 진리로 들어서는 이치(불이법문)를 우레처럼 웅변했다는 그 침묵이 떠올랐다.

2012년 일본인 마쓰바라 마사루松原勝는 '문화방송'과의 인터뷰에서 이렇게 말했다. "시상대에서 금메달을 목에 건 김연아 씨를 볼 때 문득 그들이 떠올랐다. 그들에게도 저렇게 빛나는 청춘이, 아름다운 꿈이 있었겠구나. 그러나 그 꿈을 한번도 펼쳐보지 못하고……." 66~67년 전 남태평양 트루크 섬에서 군무원으로 일했던 그였으니, 그가 말하는 이들은 거기 위안소에 끌려온 열예닐곱 조선인 처녀들이었다. 처절하게 유린당한 소녀의 꿈은 평생 그의 머릿속을 떠나지 않았다고 했다.

박목월은 그 또래의 꿈과 호기심, 그리움과 수줍음을 이렇게 표현했던가. "송홧가루 날리는 외딴 봉우리, 윤사월 해 길다, 꾀꼬리 울면 문설주에 귀 대이고 엿듣고 있"는 산지기 외딴집 눈먼 처녀.

"1942년, 열여섯 나이의 봄이 왔다. 그러나 따듯하지도 설레지도 않았다. 일제는 인간 사냥을 벌였다." 조윤옥 할머니의 꿈은 그해 봄을 끝으로 파쇄됐다. 그때쯤 "나물 뜯으러 갔다가 언니와 함께 머리끄덩이 잡혀 끌려간" 심달현 할머니는 상하이·대만·필리핀·파푸아뉴기니의 전장으로 끌려다녔다. 차라리 불에 타 연기로 사라졌다면 회한도 없었을 터, 난자된 누더기로 남은 삶은 한평생 그들을 수치와 공포 속에서 허우적거리게 했다. 김윤심 할머니는 어렵게 결혼했지만, 장애를 가진 아기가 태어나자 야반도주해야 했다. 과거가 드러날지 모른다는 공포가 그렇게 그리웠던 가정을 포기하게 했다.

그렇게 조선 처녀들은 처절하게 짓밟혔지만, 전쟁이 끝나도 그들이 돌아갈 곳은 없었다. 꿈에 그리던 고향이고 부모였지만 허망한 꿈이었다. 화냥년! 일본군 군홧발에 이어 밀려들던 손가락질 탓에 훈 할머니는 지구 한 귀퉁이에 병든 짐승처럼 웅크리고 살아야 했다. 조국은 위로는커녕, 유린당한 제 나라 처녀의 꿈과 인생을 단돈 몇 푼에 팔아버리고 그 대금마저 절취했다.

엊그제 한 중국인이 일본대사관에 화염병을 투척했다. 외할머니가 중국에서 일본군 위안부로 끌려갔다는 사람이다. 철창행을 각오하고 사죄를 요구하며 던진 화염병이 나의 뒤늦은 자책을 자극했지만, 사실 마음속 부채감은 지난 연말부터 쌓여 있었다. 온갖 매체와 단체들이 올해의 인물을 선정했다. 김진숙, 나꼼수, 박원순, 스티브 잡스, 시위자, 투표자, 심지어 석해균까지 올랐다. 하지만 그 소녀는 어디에도 없었다.

그 작은 침묵으로 저 뻔뻔한 일본 정부를 똥 마려운 강아지처럼 전전긍긍 떨게 한 소녀. 그들과 한통속으로 굴었던 이 정부를 변화시키고 움직이게 했던 소녀. 지금도 그의 침묵은 우레보다 더 큰 울림으로 두 나라 국민과 세계인의 양심을 움직이고, 이 세상 어느 누구의 꿈도 짓밟지 말라고 절규한다. 그 얼굴에 수줍은 미소가 아침 햇살처럼 번지는 날은 언제나 올까.

오 피에타,
슬픔의 빛이여

철학이 세상에 기여할 수 있는 일이 있다면 그것은 무엇보다 잊지 말아야 할 것을 잊지 않도록 상기시키는 일일 것이다. 존재의 근거라 할 그것은 지금의 나로서 존재하기 위해 타인에게 져야만 했던 슬픔의 빛이다.

— 김상봉, 『그리스 비극에 대한 편지』에서

안산은 아름답다. 특히 그 속살과 서사는 더욱 아름답다. 도시의 영고성쇠도 그러하거니와, 멀리 아우라지 탄광에서 떠밀려온 이들이 마을부터 다시 세우는 이야기부터 동남아시아, 중앙아시아, 멀리 아프리카에서까지 꿈을 찾아온 이들의 슬픔과 기쁨, 꿈과 절망의 이야기 또한 그렇다. 개발의 칼날에 죽었다가 인간의 참회 속에서 살아나고 있는 시화호 또한 그렇고, 그 모든 이야기를 지켜보고 또 함께 울어준 시화호 갈대밭이 그렇다. 사람들은 '안산 9경'이라 하여 볼거리를 모아놓고 있지만, 그건 덤이다. 도시의 서사를 장식하는 소품일 뿐이다.

이곳에 지고 있는 슬픔의 빚을 상기하기 위해 굳이 난해한 철학의 가르침에 기댈 필요는 없다. 만추의 거리를 거닐면 안다. 하늘에서, 바람에서, 천변에서, 가로수에서, 갈대밭에서 그 비극적 서사는 파노라마처럼 흘러간다. 잿빛일 것만 같은 안산은 놀랍게도 캐나다에서도 가장 풍요롭고 아름다운 도시 캘거리를 본떠 계획된 도시다. 비록 세상에서 가장 부유하다는 캘거리와 비교할 순 없지만, 공원과 숲과 호수는 그에 못지않다. 녹지가 70퍼센트에 이른다. 상징적인 녹지가 화랑유원지.

그런데 화랑유원지 한 편에 피에타 상들이 거대한 군상을 이루고 있다. 케테 콜비츠Käthe Kollwitz의 「죽은 아이를 안고 있는 어머니」처럼 떠나지 못하는 아이들을 안고 있는 안산의 어머니 아버지들, 형제자매와 친구들이다. 아리스토텔레스는 타인의 고통에 동참함으로써 나의 고통을 극복할 수 있다고 했다. "비극은 타인의 연민과 공포를 통해 내 안의 슬픔과 고통을 정화한다." 그러나 우리는 그곳에서 정화를 말할 수 없다. 눈앞에서 애타게 부를 때 우리는 아무런 응답도 하지 않았다. 버둥대는 손길을 누구 하나 잡아주지 못했다. 그저 지켜만 봤다. 카타르시스 문법은 적용될 수 없다.

혹자는 미켈란젤로의 「피에타」를 감상하러 로마로 가고, 콜비츠의 조각상을 찾아 베를린으로 간다. 그 앞에서 인류가 진 거창한 슬픔의 빚을 기억하려 한다. 그러나 지금 이곳에서 깊어지고 있는 슬픔을 외면한다면, 그것은 가식이고 감정적 사치일 뿐이다. 이제는 찾아오는 이도 많지 않다. 한때 한두 시간씩 줄지어 서 있다가 영정 앞에서 간단히 묵념하고 돌아 나와야 했다. 그러나 지금은 우리 시대의 탐욕과 어른들의 무능 때문에 스러진 그 많은 아이들, 많은 사람들의 얼굴을 한 명씩

꼼꼼히 살펴보고, 그 이름을 호명하는 데 아무런 시간적 제약이 없다. 그 속에서 내 안의 그리움과 슬픔을 모두 불러내도 등을 떠미는 사람은 없다.

분향소 출구 쪽엔 아이들이 수학여행을 위해 단원고에서 출발하면서부터 구명조끼를 입고, 기울어져 가는 배 안에서 우리를 부르기까지, 아이들이 휴대전화에 남긴 사진들이 시간대별로 전시되어 있다. 밝고 맑음은 오래였고, 비극은 순간이었다. 분향소 외벽에선 세월호 추모 만화전 '메모리'가 전시되고 있다. 작가들이 한 편씩 마음에서 길어올린 하늘에서 온 편지가 유가족 텐트 주위를 두르고 있다. 영정사진과 그림 속 아이들은 대부분 만추의 하늘처럼 맑고 밝고 붉다. 꿈도 재능도 저마다 색색이 아름답다.

분향소를 나오면 미술관, 그 뒤엔 널찍한 호수다. 도열한 느티나무가 저마다 다른 색깔로 물들고 있다. 화정천 옆 가로수엔 아이들 어깨너비의 노란 걸개가 하나씩 걸려 있다. "내 아이 다시 돌아온다면, 따듯한 밥 지어 함께 먹고 싶어요. 다시 만날 수만 있다면." 2학년 9반 보미의 아빠 엄마가 걸었다. "단 한번만이라도 아이 잃은 부모라면 어떨까, 생각해 보세요. 그러면 지금 유가족이 얼마나 많이 인내하는지 알 거예요." 침을 뱉는 자들에게 전하는 민경이 부모님의 마음이다. 2학년 7반 건호의 엄마와 아빠는 이런 소망을 적었다. "그들을 위해, 우리를 위해, 천개의 바람이 되어주세요."

걸개는 시청 앞 시민농성단에서 시작됐다. 주저앉아 있는 것만으로는 부끄러움을 가릴 수 없다. 오가는 시민들도 아파만 할 순 없었다. 그래서 이심전심으로 나온 게 노란 걸개다. 시민들이 남기고 싶고, 말하고 싶은 것을 소략한 제작비와 함께 내면, 농성단에서 걸개 제작을 대행한다. 만추의 안산을 물들이는 것은 단풍만이 아니다. 천개의 바람으로 나부끼는 노란 걸개가 하늘로 수학여행을 떠나버린 아이들을 배웅한다.

화랑교 옆엔 2학년 10반 김소희 학생의 소망이 있다. "잊지 말아주세요. 다시는 이런 일이 일어나지 않도록, 제발……."

소희도 그런 아이들 중 하나였을 것이다. 친구들은 대부분 학교 인근의 와동, 고잔1동, 선부3동에 살았다. 살아서 돌아온 아이들은 등교하다가도 친구집만 보이면, 정신없이 달려가 대문을 두들겼다. 이름을 부르다 철퍼덕 주저앉아 울었다. 그런 아이들이 광명체육관에서 하룻밤 묵었을 때의 일이다. 한밤중 갑자기 정전되자, 어른들은 체육관 밖으로 나왔다. 그러나 아이들은 겁에 질려 서로 부둥켜안고 떨고만 있었다. 단원고의 먼저 간 친구들 책상에 놓인 국화꽃은 시들지 않는다. 슬며시 찾아와 떨어트리고 간 눈물 때문이라고들 믿는다.

죽은 아이 앞에서 비통해하는 어머니. 세상은 그런 아이의 희생 위에서, 그리고 아이를 먼저 보낸 어머니의 슬픔 위에서 조금씩 인간다워졌다. 십자가의 죽음을 당한 예수와 피투성이가 된 아들을 무릎에 안고 있는 성모 마리아의 피에타 상, 서구인의 가슴에 문신처럼 새겨진 이 도상은 지금까지 다양한 변주로 탄생한다.

물론 그런 희생의 기억 속에서도 세상은 끊임없이 무죄한 이들의 희생을 요구했고, 그때마다 수많은 어머니들은 전 존재를 흔드는 슬픔에 빠져야 했다. 제1·2차 세계대전이 그랬고, 한국전이 그랬고, 베트남전 등이 그랬다. 9·11테러가 그랬다. 세월호 참사 또한 그런 희생 가운데 하나였다. 예루살렘, 아우슈비츠, 팔레스타인, 뉴욕, 사라예보, 난징, 히로시마처럼 안산도 피에타의 도시가 되었다. 자신의 아이들이 죽어가는 것을 발만 구르며, 가슴만 치며 속수무책으로 지켜봐야 했던 처절한 도시.

콜비츠는 70년 전 전쟁의 광기 속에서 아들과 손자를 잃고 이렇게 울부짖었다. "이 지구상에서 벌어지고 있는 살인, 거짓말, 부패, 왜곡 이 모든 악마적인 것들에 질려버렸다." 지금 이 땅에선 가련한 이를 위해서 눈물 흘리는 신마저 조롱당하고, 아이를 잃은 어머니의 슬픔마저 희롱당한다.

화정4교를 지나면 오른쪽에 와동체육공원이 있다. 희망교회 김은호 목사는 세월호가 침몰하던 날 초조하게 구조 소식을 기다렸다. 해가 지도록 구조의 소식이 더는 들어오지 않았다. 그는 그곳에서 촛불을 들었다. 가난한 아이들을 위해 그가 컨테이너 박스로 지은 작은 도서관(와리마루) 앞에서였다. 이후 와리마루의 촛불은 아이들이 많이 살던 고잔1동, 와동, 선부3동으로 이어져 나갔다. 그 작은 마을 촛불집회에선 먼저 간 아이들을 위해 기도하고, 남아 있는 아이들을 위로하며, 준비해 온 다과를 나눈다. "오리라, 반드시 오리라. 꿈으로라도 오리라."

공원을 끼고 주민센터 쪽으로 5분쯤 가다 보면, 길 건너 홍원빌딩 3층 오른쪽 유리창에 노란색 두 글자가 선명하다. '이웃.' 그 밑엔 보일락 말락 '치유공간'이란 글씨도 붙어 있다. 이웃이 되려고 불원천리 찾아온 이들이 마련한 유가족들의 사랑방이다. 서울의 병원도, 양평의 집도 닫고, 아예 안산으로 이사 온 심리치유 전문가 정혜신 박사와 심리기획자 이명수 부부가 맨 먼저 달려왔다. 이후 전국 각지에서 봉사자들이 앞서거니 뒤서거니 찾아왔다.

"유가족들은 집에서 밥 한 끼 지어 먹을 수 없어요. 자식을 그렇게 보내고 어떻게 따듯한 밥 지어 먹을 수 있겠느냐는 거예요. 차라리 노숙하는 게 덜 아프다고 생각하는 분들입니다. 애들이 그 차가운 바닷속에 갇혀 있는데, 어떻게 이불 펴고 잘 수 있겠냐고 합니다. ……그분들에게 따듯한 밥 한 그릇, 잠시 쉬어갈 따듯한 아랫목을 나누는 게 이웃입니다. 여기는 상담하고 치료하는 곳이 아니에요. 밥을 먹고, 뜨개질도 하고, 이야기도 나누며 쉬는 그런 이웃들이 모여 있는 곳이죠." 그래, 보미의 엄마 아빠의 소망은 이랬다. "내 아이 돌아오면, 따듯한 밥 지어서 함께 먹고 싶어요."

십자가에 달린 예수는 신의 아들이 되었다. 그 어머니 마리아의 슬픔은 이 세상 어머니의 지극한 사랑과 존경으로 보상을 받았다. 콜비츠의 「죽은 아이를 안고 있는 어머니」 역시 평화의 아이콘이 되었다. 그러나 안산의 어머니들은 아직 아이들을 부둥켜안고 있고, 그 오열은 더 깊어지고 있다. 눈부신 만추의 가을, 그 그늘은 너무도 깊고 무겁다. 오, 피에타.

이제는 가려무나, 새처럼 갈꽃처럼 하얗게……

시화호는 물고기 한 마리 살 수 없고, 찾아온 철새는 주검이 되는 곳이었다. 인간의 탐욕은 물길을 막아 저들의 재산을 늘리려 했다. 물길이 막히며 호수는 썩었고, 물짐승 날짐승 그리고 사람도 그곳을 떠났다. 주검의 늪. 결국 둑 일부를 허물었고, 물이 유통되면서 호수는 살아나기 시작했다. 호수 기슭에 갈대숲이 조성되기 시작했고, 갈대는 죽어가는 물과 펄을 조금씩 정화했다. 이제 물고기가 돌아오고, 새들이 돌아왔다. 끝없이 펼쳐지는 갈대밭, 함께 있어 행복한 갈꽃. 안산의 고통받는 이웃들을 닮았다. 서로 기대어, 서로 부비며, 함께 울며, 함께 빛나며, 함께 웃었다.

고잔1동, 와동, 선부3동은 통곡의 거리였다. 이웃들은 마주치면 울었고, 돌아서서는 오열했다. 『신약성서』의 기자 마태오는 헤롯의 욕망에 의해 두 살 이하 어린이가 몰살당하는 것을 보고는 일찍이 선지자 예레미야가 예언했던 라헬의 통곡을 떠올렸다. 그 슬픔이, 그 통곡이 어떠했는지는 알 수 없지만, 희생된 아이들이 모여 살던 세 마을은 지금도 통곡의 땅이다.

'이웃'에서 10분 거리의 안산 와동 일치의모후성당. 희생된 아이들 대부분이 다녔을 와동초등학교와 와동중학교 중간쯤에 있다. 이 성당에선 고등부 학생 13명이 돌아오지 못했다. 사고 후 119에 가장 먼저 신고했던 최덕하 군도 활기차고 명랑한 고등부 학생이었다. 최 군의 신고는 희생자를 줄였지만, 그는 빠져나오지 못했다. 그 옛날 유다 땅의 어머니들이 그랬을까, 이후 일치의모후성당은 눈물의 성당이 되었다. 아이들을 생각하며 통곡했고, 그 부모의 고통을 안타까워하며 눈물지었다. 매일 계속된 미사는 눈물로 진행됐다.

고 김웅기 군의 아버지, 고 이승현 군의 아버지와 누나가 십자가를 지고 팽목항을 거쳐 대전까지 순례의 길을 떠난 건 그런 배경에서였다. 살아 숨 쉬는 것조차 고통스러워 견딜 수 없었다. 무엇이든 해야 했다. 하느님의 뜻은 도대체 무엇인지 묻고도 싶었을 것이다. 두 아버지는 팽목항을 거쳐 대전에 도착해, 마침 아시아청년대회에 참석했던 프란치스코 교황에게 십자가를 전했다. "주의 고통을 잊지 않듯이 저희들 고통도 잊지 마소서."

성당 전면엔 '주님, 세월호 참사로 희생된 모든 이들을 기억하소서'라는 펼침막이 있고, 눈물의 성모상이 그 위에서 굽어보신다. 와동성당은 모든 이웃이 함께 쉬고, 위로하고 위로받는 공간을 조성해 문을 열었다. 이웃들의 따듯한 마음을 모으려는 것이었다.

단원고등학교까지는 걸어서 15분 거리. 주변은 낮은 집, 좁은 골목으로 이어진다. 안산중앙공원 기슭에 새로운 둥지가 하나 더 생겼다. '우리 함께.' 참사 이후 안산의 사회복지사들은 밤잠을 이룰 수 없었다. 무엇보다 살아 돌아온 아이들과 남은 가족들에 대한 걱정이었다. 구조된 뒤 자책감에 교감 선생님은 스스로 목숨을 끊었다. 걱정은 현실이 되었다. 남은 이들은 벼랑 밖으로 한발 내밀고 있었다. 돌아온 아이들과 가족들을 2차 침몰로부터 막아야 했다. 각자 맡은 가정을 매일 방문해 유가족, 형제자매들과 생활을 함께하다시피 했다. 밥 짓고, 함께 먹고, 함께 차 마시고……. 이제 그들은 누구보다 더 가까운 이웃, 형제자매가 되었다. 그런 이들이 부대끼는 공간이 '우리 함께'다.

단원고 정문 앞엔 안산 명성교회(감리교)가 있다. 괴이하기 짝이 없는 서울의 명성교회와는 전혀 무관하다. 그곳 고등부 학생도 8명이나 희생됐다. 관리 담당 안수집사의 아이도 돌아오지 않았다. 그날부터 교회의 모든 예배, 모든 순서는 통곡에 묻혔다. 교회는 밤새도록 불을 밝혔고, 기도는 새벽부터 계속됐다. 김홍선 담임목사는 먼저 교회를 이웃들에게 개방했다. 추도하고, 기도하고, 치유하고, 위로하는 것이라면 어떤 모임도 할 수 있도록 했다. 그리고 힐링센터 '0416 쉼과 힘'을 열었다.

"시간이 지날수록 일반 가정의 이웃들이 지치기 시작했습니다. 그들은 이제 고통과 슬픔의 그물에서 벗어나고 싶어 했습니다. '결국 보상을 받고 나면 이곳을 떠날 것 아니냐'면서 마음의 문을 닫으려 하는 이들도 생겼죠. 힘들어하는 이웃들의 모습은 유가족들에게 더 큰 고통이었죠"(임남희, '쉼과 힘' 사무국장). 이웃들의 온기를 되살려야 했다. 결국 어렵고 힘들 때 가장 먼저 도와줄 사람은 이웃이고 마을 아닌가. 추운 겨울 밖에서 돌아온 이들이 가장 먼저 찾는 것이 따듯한 아랫목이듯, 유가족이 돌아올 때 가장 필요한 것은 이웃의 배려와 온기다. 그런 이웃을 되살리는 공간이 '쉼과 힘'이다.

단원고는 비록 가난했지만, 다양한 특기적성 활동을 지원하고, 그래서 동아리 활동이 특별하고 선생님들도 자상하기로 소문이 났다. 박예슬, 빈하영, 이보미 등 희생당한 아이들의 다재다능은 그런 토양에서 나왔다. 기억저장소의 오혜란 씨는 단원고에 가겠다는 딸아이의 성화 때문에 이곳으로 이사 왔다. 그러나 지금 단원고에선 동아리들의 부산스러움이나 웃음 따위가 들리지 않는다. 선부른 이들이 찾아와 아이들 마음을 헤집지 않도록 항상 출입을 엄격히 단속한다. 그런 학교 안을 훤히 볼 수 있는 곳이 교회 부속 건물 옥상이다. 그곳에서 이웃들은 아이들의 축 늘어진 어깨, 혼이 빠져나간 얼굴, 돌연한 눈물과 오열을 숨죽이며 지켜본다.

고잔공원을 왼쪽에 끼고 10여 분 걷다보면, 삼두빌라가 나오고 상가 건물 한켠에 '416기억저장소(1호)'가 들어서 있다. 탐욕스런 사람들, 탐욕을 버릴 수 없는 사람들은 잊자고 하지만, 그 탐욕의 먹이가 됐고 또 먹이가 될 이들은 잊을 수 없다. 그래서 관련된 모든 기록, 영상, 그림, 자료, 리본, 만장, 대화 등을 모으기로 했고, 시민들이 한푼 두푼 모아 40평 작은 공간에 1호 저장소를 마련했다.

김종천 사무국장은 참사 소식을 듣고는 아무 일도 할 수 없었다. 그날 저녁부터 촛불 들고 거리로 나가는 게 고작이었다. 그러던 중 잊지 않게 하는 것, 그 모든 걸 남기는 게 저의 일이라는 생각이 들었다. 그는 영상 제작자였다. 3등 항해사였던 김태옥 씨는 참사 당시 제주항에 정박했던 거제~제주 여객선 브리지에 있었다. 무전기에선 뜻하지 않게 참사 현장에 있던 민간 선박 탑승자들의 목소리가 흘러나왔다. "왜 승객들이 안 나오는 거야." "저러다가 다 죽는 거 아니야." "해경은 뭐하는 거지." 구조하러 접근했던 어부들은 발만 동동 구르고 있었다. 이후 김씨는 배에서 내렸고, 기억저장소의 궂은일을 도맡았다.

"그분들의 시간은 아직 4월 16일에 멈춰 있습니다. 아이들이 19일 돌아오기로 했는데, 아무리 해와 달이 뜨고 져도 19일은 오지 않습니다. 오히려 갈수록 멀어집니다. 그분들은 아이들처럼 아직도 차가운 바닷속에 갇혀 있습니다. 가족도 이웃도 친구도 없는 그 적막 속에"(이명수 실장). "쌍용차, 용산참사의 피해자들과도 함께 있었습니다. 이곳에서도 잘 이겨낼 줄 알았습니다. 그러나 버티기 힘들었습니다. 다시는 이런 참사가 일어나지 않게 해달라는 유가족의 호소에 돌아오는 것은 온갖 거짓과 왜곡과 욕지거리였습니다. 그로 말미암아 더 깊은 상처를 입고 돌아오는 유가족을 바라보기 힘들었습니다"(정혜신). 그러나 버텨야 했다. 유가족은 한 발은 벼랑에 두고, 다른 한 발은 허공으로 내민 상태였다. 겉으로는 모든 손길을 뿌리치고 있지만, 실은 누군가 잡아줄 손길을 애타게 찾고 있었다.

'이웃'엔 한의사도 있고 요리사도 있고 말동무도 있지만, 더 특별한 사람이 있다. "내 곁에 사람이 있음을 느끼게 해주는 건 신체적 접촉을 통해서입니다. 유족들에게 처음으로 체온을 전해 주는 사람, 악몽에 허덕이는 저희들의 손을 잡아주는 일을 하는 이웃이 그들입니다."

치료 공간 '이웃'엔 흰 가운에 이름표를 단 의사는 없다. 이물 없이 다가가 기대고, 부대낄 수 있는 이웃이 치유하는 사람이다. 그래서 누구나 편안하게 쉴 수 있는 사랑방처럼 꾸몄다. 사무실 공간을 한 단 높여, 현관에서 신발을 벗고 거실로 올라가는 형태로 바꿨다. 툇마루에 올라 사랑으로 드는 모양새다. 거실은 비어 있다. 흔한 소파 하나 없다. 유가족이나 후원자, 자원봉사자들이 여기저기 제 앉고 싶은 데 앉아 이야기하고, 리본을 만든다. 한여름엔 정자 같고, 한겨울엔 안방 같은 느낌이다.

한 귀퉁이에 쌓여 있는 1인용 소반 20여 개가 이 공간의 유일한 가재도구다. "이곳은 먹는 공간입니다. 집에서 밥 한 끼 지어 먹지 못하고, 밥 한 끼 지을 수 없는 분들이 따듯한 밥을 함께 먹고 나눌 수 있는 곳입니다." 그들은 집에서 밥을 해먹을 수 없었다. 잘 수도 없었다. 차라리 노숙이 더 편했다. 그런 이들이 집밥 한 그릇 편히 먹을 수 있도록 하는 게 '이웃'의 일이다. 상을 1인용으로 준비한 것도 아직은 여럿이 둘러앉아 먹을 자신이 없어서다. 1인용 상은 붙이면 겸상이 되고, 떨어지면 독상이 된다.

기억저장소 앞길을 따라 내려오면 다시 화정천이고, 건너는 화랑유원지 호수다. 온통 갈대밭이다. 하얀 갈꽃이 붉은 저녁놀 속에서 흔들린다. 바람이 불어도 흔들리고, 불지 않아도 흔들린다. 서로 기대어 몸을 부비며, 수수대고 속살거린다. 갈꽃이 흩어져 날린다. 떨어지는 눈물처럼 슬프다. 만추의 서늘한 햇살은 흔들리는 갈꽃 위에서 부서진다. 천진한 웃음처럼 눈부시다. '이웃'이란 저러한 걸까.

갈대숲이 우수수 떠는가 싶더니, 한 무리 새들이 날아오른다. 끼룩끼룩, 꾸우꾸우, 호수를 한 바퀴 돌고는 날아간다. 하늘로 수학여행을 떠나는가? 언제나 자유로웠고, 비상하고 싶었던 아이들. 그들은 돌아올 수 없는 하늘 먼 곳으로 여행을 떠났다. 부모, 형제, 친구들은 남은 이웃에게 맡기고. 철새들 줄지어 날아가는 곳 아래로 분향소 지붕이 보인다. 갈꽃이 하얗게 손을 흔든다. 안녕.

소릉의 노래
'못난 얼굴, 보기만 해도 흥겹구나'

못난 놈들은 서로 얼굴만 봐도 흥겹다./ 이발소 앞에 서서 참외를 깎고/ 목로에 앉아 막걸리를 들이키면/ 모두들 한결같이 친구 같은 얼굴들……

— 신경림, 「파장」

흑백사진 속에서나 볼 수 있을까, 현실의 풍경이 아니다. 영화 세트인가? 하지만 안산역 지하도 건너 원곡본동에 발을 딛는 순간 시인의 장터는 기적처럼 현실이 된다.

못난 사람들……. 노동으로 하루해가 짧아도 가난은 더 깊어가고, 아이들 월사금 제때 주지 못하고, 아픈 어머니 지켜만 봐야 하고, 아내 박하분 한번 사주지 못하는 사람들. 그 원수 같은 돈 벌러, 고향 떠나 하루도 이틀도 아니고 열흘 한 달 장터를 쫓아다니던 장돌뱅이, 이 마을 저

마을 돌아다니며 이 집 저 집 기웃거리다 사립문 두드리는 방물장수, 한여름 불볕더위 속에서 불가마를 안고 만들어낸 옹기를 짊어지고 돌아다니던 옹기장수, 논흙이 덕지덕지 묻은 손으로 신문지에 연초나 말아 피우던 농사꾼들…….

그들보다 아득하게 더 먼 곳에서, 아득하게 밀려온 이주노동자들이 원곡동 파장 무렵의 주인공들이다. 오죽 못났으면, 새벽부터 밤까지 뼈빠지게 일하고도 임금 떼이고, 항의하면 눈두덩이 밤탱이 되도록 두들겨 맞고, 그렇게 맞고도 할 말은 할 수 없고, 다른 일자리라도 알아보면 미등록 혹은 불법체류라 하여 고발당하고, 돌이라도 잘못 걷어차면 폭력으로 입건되고……. 참으로 못난 사람들.

그러니 고향은 얼마나 그리운가. 부모, 형제, 애인, 친구……. "……호남의 가뭄 얘기 조합 빚 얘기/ 약장사 기타 소리에 발장단을 치다 보면/ 왜 이렇게 자꾸만 서울이 그리워지나// 어디를 들어가 섰다라도 벌일까/ 주머니를 털어 색시집에라도 갈까……." 시 속의 '호남'을 파키스탄·우즈베키스탄·미얀마·몽골·지린 등으로 바꿔 읽으면 된다. 실제로 호남은 이 나라 안에서도 그와 같은 신세였다.

하지만 멀다, 멀어도 너무 멀다. '파키스탄 이슬라마바드 4,818킬로미터, 나이지리아 아부자 1만 1,874킬로미터, 미얀마 양곤 3,763킬로미터, 방글라데시 다카 3,770킬로미터, 스리랑카 콜롬보 5,803킬로미터, 타이 방콕 3,675킬로미터, 인도네시아 자카르타 5,241킬로미터, 필리핀 마닐라 2,580킬로미터, 캄보디아 프놈펜 3,591킬로미터, 키르기스스탄 비슈케크 4,416킬로미터, 우즈베키스탄 타슈켄트 4,883킬로미터, 몽골 울란바토르 1,999킬로미터, 중국 베이징 947킬로미터.' 외국인주민센터 앞 방향탑의 화살표가 가리키는 고국의 서울은 차라리 절벽이다. 뱃속의 허기야 장터 국밥이나 빵으로 채운다지만, 돌아가지 못하는 서러움은 어찌할 건가.

> 아버지 어머니는/ 고향 산소에 있고// 외톨배기 나는/ 서울에 있고// 형과 누이들은/ 부산에 있는데// 여비가 없으니/ 가지 못한다//저승 가는 데도/ 여비가 든다면// 나는 영영/ 가지도 못하나?
>
> — 천상병, 「소릉조」

중국 당나라의 시성 소릉少陵 두보杜甫는 안녹산의 난 때 징집되어 전선에서 전선으로 끌려다니다가 적군의 포로가 되었다. 1년여 만에 구사일생 탈출했지만 하급 지방관으로 기용되어 지방을 떠도는 바람에 귀향의 날은 점점 멀어지고 향수병은 깊어만 갔다. 전란의 참화 속에서 고통을 당하는 동포들의 참혹한 모습은 고향의 가족과 부모형제에 대한 걱정과 그리움을 더욱 깊게 했다. 그런 두보가 세상을 뜨고 1,200여 년 뒤 시인 천상병은 소릉을 불러내어, 저의 고향 부모형제에 대한 그리움을 토로했다. 그것이 「소릉조」다. 고향 그리던 소릉의 노래라는 뜻일 게다.

저승 갈 여비조차 걱정하는 가난한 이들이 모여 살고, 주말이면 그런 이들이 전국 각지에서 모여드는 곳이 원곡본동이다. 원곡본동 한가운데를 가로지르는 중앙로에 사람도, 물건도 그리운 것들은 모두 모이고 쌓이니 어찌 장터가 이뤄지지 않을까. 1차선 좁은 도로는 행인 차지이고, 인도는 행상 차지이고, 행상 뒤로는 온갖 나라 음식점, 식료품 가게들이 즐비하다. 그리고 귀에 익은 말, 익숙한 소리, 손님 부르는 소리, 흥정하는 소리 그리고 온갖 정겨운 냄새들. 비록 이발소 앞 걸상은 없지만, 장터 중간 다문화공원에 둘러앉아 오가는 사람만 쳐다보아도, 점포에서 들려오는 노랫소리에만 귀 기울여도, 마음은 벌써 고향이 지척이다.

제 이름 놔두고 '외국인', '다문화', '짱깨', '깜씨' 혹은 '어이……'로만 불리던 사람들. 그러나 그곳에 서면 비로소 친숙한 억양으로 후세인, 아짐, 산주 등 제 이름을 부르는 소리가 들린다. 똠얌까이, 쌀만두튀김, 브리야니, 양꼬치, 베르미첼리 등 고향의 온갖 음식이 반기고, 그 냄새만 맡아도 어머니의 체취를 느낄 수 있다. 조금 비싸긴 하지만, 사마르칸트의 보드카, 월남 맥주, 옌볜 고량주로 헛헛한 가슴을 채울 수도 있고, 그러다 보면 고향의 아이돌 가수의 노랫가락까지 들을 수 있으니, 도대체 이렇게 값싼 귀향이 어디 있을까. 쾌활한 호명과 반짝이는 웃음 사이로 드러난 하얀 치아들이 한겨울 양지 녘 바글거리는 햇살처럼 포근하다.

돌아가면, 한겨울 황소바람 들어오는 컨테이너 박스, 임시 옥탑방 혹은 사무실 한 켠, 날바닥 위에 전기장판 한 장 깔아놓은 기숙사, 그곳에서 개처럼 웅크리고 잠들어야 한다. 친구들과 자취를 하고자 해도, 도망갈 염려가 있다고 강제로 합숙생활을 강요한다. 하지만 지금 왜 고향 같은 이 원곡동에서 그런 걱정을 해야 하나.

상주 외국인 150만여 명, 안산에만 74개국 6만여 명, 그중에서도 원곡본동은 전체 주민 1만 6,000여 명 중 1만 1,000여 명이 외국인 주민. 그곳은 이미 국경이 사라진, 아시아의 원곡동이다. 출신지별로는 한국인이 5,000여 명으로 숫자가 가장 많지만, 고향이 그리운 이들을 한 무더기로 하면 비교가 안 된다. 올해로 13번째가 될 안산월드컵이 해마다 열리고, 스무개 가까운 나라별 공동체가 있어, 공동체별로 작은 축제가 끊이지 않고, 동네 청소, 자율방범, 불우이웃돕기가 이뤄진다. 그곳을 스리랑카의 캔디요, 시베리아의 옴스크요, 중국의 옌볜이고 네팔의 카트만두라고 한들 누가 시비를 걸까.

거기엔 한국인 엄마가 두 아이를 놔두고 떠난 조이(필리핀)네가 있고, 아빠가 방글라데시로 떠난 뒤 파키스탄인 아빠를 맞아들여 새 가정을 꾸린 알리네가 있다. 캄차카 반도에 두고 온 아이 때문에 틈만 나면 훌쩍이는 러시아의 타냐가 있고, 한국에 산업연수생으로 와 심장병을 얻어 방글라데시 가족 곁으로 돌아가지도 못하는 카말이 있다. 누나는 저녁 8시에, 엄마와 아빠는 9시가 넘어서야 돌아오는 인도네시아 뜨구네도 있다. 그러나 모두 건강·행복·귀향의 희망을 버리지 않는다.

한국인 남편이 아내와 어린 아들을 남기고 떠난 뒤 쌀국숫집을 운영하며 어렵게 살아가는 궁미네가 있고, 한국 국적을 얻을 수 있다는 기대에 베트남 국적을 포기하고 한국에 왔지만, 지금까지 무국적자로 생활하는 라이따이한 김민수 씨가 있고, 한국 공장에서 처음 배운 '빨리 빨리'가 지금도 가장 부담스럽다는 방글라데시의 모하메드가 있다. 영화 「마이 리틀 히어로」의 주인공으로 800:1의 경쟁을 뚫고 캐스팅돼 백상영화예술대상 남자신인상까지 탄 대한이는 지금도 그곳에서 친구 알리와 함께 초등학교를 다닌다. 스리랑카인 아빠와 한국인 엄마 사이에 언어와 문화적 차이로 두어 차례 위기를 겪었지만, 이제 아빠는 새벽에 나가 밤 10시에 돌아오고 휴일도 없이 일하며 가정을 지켜준다.

그런 작은 평화와 희망이 불편한 이들은 지금도 많다. 방귀깨나 뀐다는 이 사회의 권력자들은 그 기적의 마을을 달리 우려먹을 궁리에 몰두한다. 결과는 우범의 낙인을 찍어 사회 통제의 빌미로 삼는 것. 중앙통 광장 초입엔 컨테이너 박스 다문화거리 치안센터라는 것이 있다. 원곡동에 오는 외국인들은 반드시 들르는 곳이다. 거기엔 이런 안내문이 3개 국어로 걸려 있다. "칼 등 흉기 소지는 금지됩니다. 범죄 없는 사회를 만들기 위해 지속적으로 단속 중이니 많은 협조 바랍니다." 비록 무표정하게 지나가지만, 법 없이도 살 그곳 사람들에겐 참담한 모욕이다.

그러나 참아야 한다. 항의하면 범죄자가 된다.

지난해 여름, 인도네시아, 동티모르 출신의 친구들 사이에 사소한 다툼이 일어났다. 담뱃불이 발단이었고, 장난으로 던진 맥주캔에 머리를 맞은 게 고작이었다. 경찰은 민족 감정에 의한 패싸움으로 규정했고, 선정적인 매체들은 3년, 6년 전 일까지 끌어들여 그곳을 범죄 온상으로 그렸다. 인터넷의 하이에나들은 '바퀴벌레, 원숭이' 따위의 모욕적인 언사로 외국인 혐오감을 자극했고, '해 지면 각오하고 다녀야 할 곳'으로 각인했다. 치안센터는 이런 터무니없는 왜곡 속에서 세워졌고, 그런 낙인이 됐다.

그러나 그들도 잘 안다. 원곡본동이 있는 안산시 단원구의 이주민은 단원구 전체 인구의 10퍼센트, 이들의 범죄율은 3.4퍼센트, 내국인 범죄율의 3분의 1밖에 되지 않는다. 이주민이 70퍼센트 가까운 원곡본동은 차라리 범죄 없는 마을에 가깝다. 하긴 권력이란 것이 언제는 안 그랬나. 가난하고 억눌리고 착취당하는 이들이 모여 있으면 불안하다. 자신들이 그들에게 한 짓 때문에 지레 마음이 찔리는 것이다. 혹시 그들이 분노를 터트리고, 그 분노가 확산되어 마침내 폭발하면 자신의 돈과 권력은 어찌 되나. 그래서 관리 통제가 용이하도록 우범지대로 낙인부터 찍는다. 이를 통해 경찰과 군대, 정보기관 등의 존재 가치를 높이고, 사회적 통제와 인권의 제약을 불가피한 것으로 인식하게 한다. 게다가 원곡동 이주노동자에 대한 낙인과 통제는 가난한 내국인의 불만과 분노를 그곳에 배설하도록 하는 효과가 있다.

하지만 이제 아랑곳하지 않는다. 여비가 없어 저승도 못 갈 사람들끼리 모여 있으니 다툴 게 어디 있을까. 젠체하는 이들이 줄었으니 오히려 다행이다. 두셋이 모이면 캄보디아·방글라데시 노사분규 이야기, 결국 고향으로 쫓겨간 친구 소식 따위를 나눈다. 서너 명 더 모이면 기막힌 발재간으로 제기 족구를 하고, 그만큼 더 모이면 남녀노소 차별 없는 배구 경기로 광장을 들었다 놨다 한다.

겨울 휴일의 해는 왜 그리도 짧은지, 찬바람과 함께 어스름 밀려오면 하나둘 자리를 뜬다. 저희들 피부색을 닮은 검은 비닐봉투가 서너 개씩 들려 있다. 구제 파카 등 옷가지, 월남쌈·옌볜순대 등 먹거리, 향채·두리안·용과 등 과일과 식재료가 든 봉지들.

하지만 기쁨도 있다. 부모님 힘든 게 걱정은 돼도 친구들과 헤어지고 싶지 않아 귀국하고 싶지 않은 뜨구, 배우가 되어 아빠가 고향을 그리워할 때 비행기표 사주고 싶은 대한이, 남편을 닮아 호수같이 맑고 큰 눈을 가진 아이들만 바라보면 모든 시름 잊는다는 아내가 기다린다. 하지만 그곳을 떠나는 이들의 마음은 모두 조금씩 절뚝인다. 다시 시작될 저 고단한 일상. 벌써 그리움이 밀려온다. "…… 학교 마당에들 모여 소주에 오징어를 찢다/ 어느새 긴 여름 해도 저물어/ 고무신 한 켤레 또는 조기 한 마리 들고/ 달이 환한 마찻길을 절뚝이는 파장."

그 한 풀 테니,
극락왕생하소서

떠난 자는 남은 자의 가슴에 묻히고, 산 자는 죽은 자를 안고 살아간다. 산다는 게 한순간씩 죽음으로 다가가는 것이라지만, 주검을 제 가슴에 안고 살아가는 삶은 끔찍하다. 제 꼬리를 먹으며 살아가는 것이나 무엇이 다를까. 그러면 삶이 이런 죽음의 구조에서 빠져나올 수는 없을까. 죽은 자가 안식을 찾고, 산 자도 자유로워, 삶과 죽음이 서로를 복되게 할 수 있는 방법은 없을까. 다른 어느 곳보다 많은 죽음 속에서, 주검과 함께 살아온 진도 사람들의 오랜 고민이었다.

창포리 바닷가에 제상이 차려졌다. 언저리엔 긴 종이깃발이 매달린 네 개의 대나무가 꽂혀 있다. 동해청제용왕 강인왕 씨, 남해적제용왕 강예왕 씨, 서해백제용왕 강의왕 씨, 북해흑제용왕 강덕왕 씨, 중앙황제 도솔천중

제일용왕……. 제상 옆엔 5미터 높이의 신대가 휘청인다. 꼭대기엔 대나무 가지가 묶여 있고, 망자의 생년월일과 이름이 적힌 베가 바람에 나부낀다. 신대 중간쯤엔 긴 질베가 묶여 있고, 그 끝에 종이로 오린 망자의 넋과 쌀을 담은 놋주발이 묶여 있다.

단골이 술과 밥을 버무려 바다에 뿌린다. "슬픔도 원통함도, 꿈도 한도 오늘 모두 씻을 텐께 어서 나오시오. 어서 나오시오. 나와서 한을 말해야 하지 않겠소." 연신 버무린 술밥을 뿌려 사해四海 용왕을 달래며 혼을 부른다. 복쌀을 상 주변에 뿌린 뒤 놋주발이 묶인 질베를 제물과 함께 바다 멀리 던진다. 징소리는 높아지고, 단골의 소리 또한 더욱 애절해진다. "에, 에이에, 서해용왕 남해용왕 동해용왕……."

단골은 신대를 쥐고 나비처럼 춤을 춘다. 신대는 망자의 넋이 타고 내려오는 길. 유족을 골라 신대를 잡힌다. "해동조선 전라남도 진도군 의신면 사천리 불쌍하신 망자씨 영험 있는 말소리 듣고 곤대각시님 모셨습니다. 영험 신령타키로 손대각시님을 모셨으니, 훨훨 내리소사 훨훨 내리소사……."

질베를 천천히 끌어낸다. 신대는 조용하다. 다시 질베를 던진다. "불쌍하고 가련하신 완산 이씨 망자 씨가 수중에 잠겼으니 삼혼구백을 맞아다가 해갈천도시켜 새왕극락 보내자고 삼혼구백을 맞으러 왔으니 싸게 오시오. 싸게 오시오, 서러워 말고 오시소서. 내 집 찾아오시소서. 저기 오는 저 망자 게 어이 서럽던가. 옥 같은 두 미간에 구슬 같은 눈물짓고……." 징과 장구, 피리소리가 헐떡인다. 신대 끝 대나무 가지들이 흔들린다. 신대잡이 유족의 표정이며 눈짓이며 목소리가 망자로 바뀐다. 한바탕 망자의 한풀이가 이어진다.

제인들이 돗자리를 말아 세운다. 단골은 돗자리 위에 주발을 올린다. 영돈, 망자의 형상이다. 향물과 쑥물로 영돈을 씻긴다. "불쌍헌 망제님 가신 길이 있어도 오시는 길 없다기에 옷 지어 영돈 놓았으니……, 상탕에 향물로 목욕하고 중탕에서 쑥물로 목욕하고 하탕에 청계수로 목욕하고 시왕전에 가옵소서."

— 곽의진, 『꿈이로다, 화연일세』 중 넋건지기굿 장면

급창둠벙, 18세기 말 간척 이전 그 주변은 바닷가였다. 지금은 손바닥만 하지만, 1271년 삼별초 전쟁 때는 커다란 연못이었다. 삼별초는 진도 용장산성에서 몽골과 고려 연합군에 일격을 당하고 퇴각하다 돈지리 벌판에서 떼죽음을 당한다. 아녀자들은 급창둠벙에 몸을 던졌다. 소설 속 완산 이씨가 급창둠벙 옆 창포리 바다에서 죽은 것은 진도 여인의 그런 한 맺힌 삶을 상징하는 것이었다.

위로는 해남 우수영이 지척이고, 아래로는 상하조도가 손에 잡힐 듯하다. 하지만 북의 울돌목은 물살 세기로 한반도 제일이요, 남의 맹골수도는 두 번째다. 날고 기는 어부라도 한번 휩쓸리면 용궁행이다. 그러나 섬사람들은 가난에 떠밀려 그곳을 건너 너른 바다로 나아갔고, 한날한시 수중고혼이 되곤 했다.

바다만이 아니었다. 진도땅은 육지에서 패배한 이들이 저들의 요새삼아 재기를 꿈꾸곤 했던 곳이다. 말하자면 패배한 육지의 권력자라도 그곳에선 왕처럼 군림했다. 삼별초 외에도 백제 왕족들이 저항지로 삼았다. 게다가 왜구는 중앙에서 소외된 그곳을 상습적으로 노략질했다.

유일한 예외가 동학농민군 잔병이었다. 그들은 육지에서 밀려왔지만, 재기를 꿈꾸는 게 아니라 그곳 섬사람들 틈에서 명줄이나마 부지하기 위한 것이었다.

삼별초의 난은 섬사람들에게 특히 재앙이었다. 무인정권의 특수부대와도 같았던 그들은 그곳에 행궁까지 세우고 반몽항쟁에 나섰지만, 불과 9개월여 만에 진도를 피바다로 만든다. 1차로 떼죽음당한 논수리 벌판을 흐르는 개울은 지금도 핏기내로 불리고, 돈지리의 떼무덤은 그 처절한 최후를 증언한다. 전쟁 후 진도 사람 1만여 명이 몽골의 전리품으로 끌려갔으니, 진도는 육지 것들이 죽음을 몰고오는 땅이었다.

조선조 정유재란 중에도 진도는 또 피바다가 됐다. 이순신 장군은 울돌목에서 일본의 수군을 대파(명량대첩)했지만, 열악한 군비를 확충하고 진용을 다시 정비하기 위해 통제영을 신안 당사도로 옮긴다. 이 사실을 안 왜군은 진도로 밀려들어 와 주민들에게 보복의 살상극을 벌였다. 그때 순절묘역이 고군면 도평리에 남아 있다. 6·25의 참극 또한 그곳을 비켜가지 않았다. 인민군의 공세에 밀려 진도를 떠나던 경찰은 체포했던 보도연맹원 십수 명을 바다로 끌고 나가 수장했고, 진도를 접수한 인민군은 피의 보복을 벌여, 군내면 세등리 곽씨 집성촌에서 73명을 처형했다. 처형지는 지금도 칠삼골이라 불린다. 다시 국군이 수복하면서 역시 보복의 피바람이 불었다.

진도의 비극은 그렇게 되풀이됐다. 주민들에게 죽음은 일상이었고, 삶에 붙어다니는 그림자와 같은 것이었다. 따지고 보면 죽는다는 게 비극은 아닐 터. 남아서 삶과 죽음의 무게를 온전히 감당해야 할 산 자야말로 비극의 주인공이다. 그 무게의 상당 부분은 여인들에게 전가됐다. 남정네가 바다에서 땅에서, 전쟁으로 혹은 부역으로 죽임을 당해 다랑이논 벼이삭처럼 귀했으니, 여전한 가부장제의 숨막히는 통제 아래서 종족 유지와 생존의 문제를 떠맡아야 하는 건 여인들이었다. 논밭, 갯벌 일은 물론 때론 뱃일까지 감당해야 했다. 심지어 상여까지 멨다. 상여 나갈 때 지금도 앞뒤에서 긴 질베 끈 두 가닥을 여인들이 앞에서 끌고 뒤에서 잡아당기며, 여인의 만가에 따라 후렴을 메기는 건 그 흔적이다. 이승과 저승을 잇는 건 당연히 여인네 몫. 한 맺힌 이가 다른 이의 한을 알고, 원통함을 겪어야 맺힘을 풀 수 있나니.

시시처처가 그런 고난이었고, 고비마다 죽음과 함께했으니, 민속은 깊고도 질펀하다. "씨엄씨 잡년아 잠 깊이 들어라/ 느그 아들 엽렵함사 내가 밤마실 돌이// 시압씨 호령은 갈수록 더하고/ 어린 가장 품에 안고 잠잔둥 만둥"(「진도아리랑」에서). 시집살이가 오죽했으면 며느리도 시어미도 즐겨하는 사설이다. 그러나 더 큰 고통은 남편의 외도나 죽음 등 사랑의 상실이었다. "임 떠난 그날 밤 달은 왜 이리 밝든고/ 우지마라 저 두견아/ 임 이별한 나도 있다……"(「홍타령」에서).

그래서 여인들은 가는 곳마다 노래로 이 한을 풀었다. "노다 가면 정분인가/ 오늘 밤을 가지 말고/ 자고 가야 정분이지// 내 미쳤네 내 미쳤네/ 님의 사랑 님의 님을/ 내 사랑 맺으려니/ 내가 정녕 미쳤구나"(「사랑가」에서). 그 정한은 도홧빛이다. "서방님 오신 줄 알고 깨벗고 잤더니/ 문풍지 바람에 설사병이 났네/ 보고도 못 먹는 것은 그림의 떡이요/ 보고도 못 사는 것은 남의 님이로다/ 놀다가 가면은 친구가 되고요/ 자다가 가면은 정든 님 된다네."

진도 남쪽 모도와 마주한 고군면 회동리 해변엔 뽕할머니 상이 있다. 호랑이가 으르렁거리는 가운데 할머니는 모도를 바라보며 애절하게 기도한다. 호동마을 사람들은, 그악한 호환을 피해 모도로 떠났다. 배가 작아 남겨진 할머니는 매일 뿔치바위에 올라 눈물로 가족과의 재회를 기도했다. 감복한 용왕은 음력 이월 그믐날을 점지했다. 마침 모도의 가족들이 식수가 떨어져 돌아와야 할 때였다. 그날 뽕할머니가 다시 눈물로 기도하자 바다가 갈라지면서 길이 드러났다. 가족들은 그 길로 돌아왔지만, 할머니는 기진해 쓰러졌고, 가족 품에서 하늘로 올라갔다. 영등이다.

설화의 상징은 자못 심각하다. 호랑이는 왜구, 혹은 삼별초의 난 등 외지에서 밀려온 각종 환난일 것이고, 할머니는 그 고통을 온전히 져야 했던 여인들일 것이다. 하늘로 올라간 할머니는 영등할미가 되었고, 남은 여인은 그 영을 받아 단골이 되었다. 그는 갈 수 없는 곳, 닿을 수 없는 곳으로 가게 하고, 만날 수 없는 이들을 만나게 하고, 죽은 자를 씻겨 평안히 떠나게 하고, 산 자는 자유롭게 한다. 씻김굿이다.

> 불쌍한 망제 씨 이 굿 받어 잡수시고 천고에 맺히고 만고에 맺혔던 마음 천고를 풀고 만고를 풀고 백천고를 풀었으니 포부에 맺힌 마음 순중에 풀고…….
>
> — 씻김굿 중 「길닦음」

무금천에
돌탑 하나 쌓은 이유

바다를 떠나 산으로 갔네. 부서지는 파도 뒤로하고, 반짝이는 신록 속으로 들어갔네. 통곡은 털어버리고, 대신 온갖 새소리로 마음을 채웠네. 하늘은 투명하고 바람은 자유로웠네.

소원 하나 있었지. 백담사 무금천, 과거도 현재도 없는 물길 옆에 돌탑 하나 세우는 것. 얼마나 그리웠을까. 그 맑은 공기와 찬란한 햇살, 포근한 녹음, 그리고 반짝이는 새소리. "……무심한 강물이 영원에 이르고/ 텅 빈 마음이 충만에 이른다"(오세영, 「강물」)던 그 물가에 무심하고 텅 빈 돌탑 하나 보태고 싶었네.

시간과 맞서고 있다는 백담사 무금선원 수좌들은 이미 보았겠지? "내려올 때 보았네, 올라갈 때 못 본 그 꽃"(고은, 「꽃」). 덧없이 살아온 이 사람은 아이들이 떠나고서야 알았네. 얼마나 그들이 아름다웠고, 얼마나 충만한 기쁨이었는지. 이제는 돌아오지 못할 그 천진과 웃음과 노래를 하나둘 쌓아올리려는 것이었네. 이제 잘 가시라, 평안하시라. 더는 돌아보지 마시라, 남은 이들 걱정하지도 안타까워하지도 마시라.

하여 설악 무산스님께 법문 한마디 청했네. 이미 들어온 바 있어 '설악산 물소리 새소리, 동해바다 해조음이나 듣고 가시게' 할 줄은 알았지만 그래도 채근했네. "시키는 대로 새소리 물소리 해조음 한 나절 들었어도 아이들 소리만 들려요, 아무리 골똘히 귀 기울여도 그 애들 웃음소리만 들리더이다, 어찌해야 합니까?" 따졌네.

스님의 눈은 한참이나 서성였네. 먼 데 하늘을 쫓는 것이, 구름을 잡으려나, 바람을 잡으려나, 나비 노란 날개에 실려 떠나는 영혼을 잡으려나. 문득 망월동에 다녀와 남긴 스님의 글 한 줄이 떠올랐네. "……죽을 일이 있을 때는 죽은 듯이 살아온 놈/ 목숨이 남았다 해서 살았다고 할 수 있나/ 내 지금 살아 있음이 욕으로만 보여."

살다보니 또 이런 일이 일어날 줄이야. 그땐 권력과 언론이 눈과 귀를 막아 그 참혹한 죽음 몰랐다고 변명할 수 있었지만, 이번엔 눈앞에서 아이들 몸부림치다가 떠나가는 것까지 속수무책으로 지켜봤으니, 더 이상 무엇으로 핑계를 삼을까. 금강경 사구게로 위로나 삼을까? "일체 만물의 생멸은 꿈 같고 허깨비 같고 물거품 같고 그림자 같고, 이슬 같고 번개처럼 일순이니, 마땅히 그렇게 볼 것이니"一切有爲法 如夢幻泡影 如露亦如電 應作如是觀. 그러나 그건 깨친 자나 기대할 수 있는 일.

"슬퍼도 어쩌겠는가. 원통해도 어쩌겠나. 어른의 탐욕과 비굴을 욕하고, 권력의 무능과 무책임을 규탄하고, 제 가슴을 아무리 치며 통곡한들, 아이들이 돌아오겠는가, 그 죽음 대신할 수 있겠는가. 아이들이 그렇게 들이쉬고 싶었을 그 맑은 공기, 누가 대신 들이쉴 수 있겠는가. 그렇게 토하고 싶었을 저 짜디짠 바닷물, 누가 대신 마실 수 있겠는가. 살아남은 게 욕이고 죄라고, 아무리 자책한들, 아이들의 죽음을 어찌 대신할 수 있겠나……. 셰익스피어는 사람을 걸어다니는 허깨비라고 했지. 『금강경』은 아지랑이라고 했으니 동서양이 다르지 않다네. 과거도 없고 오늘도 없고, 삶도 죽음도 없는 법인데, 무엇에 집착할 것이며 무엇을 잡으려 할 것인가. 붙잡으면 사라지고, 움켜쥐면 빠져나가는 게 세상만사, 돈도 권력도 명예도, 하물며 자식도 배우자도 그러한 법. 붙잡으려 말고, 오로지 지극한 정성을 쏟고 또 쏟을 뿐."

하여 염장이 이야기는 시작되었네. "……사람들은 시신을 무섭다고 하지만 나는 외려 산 사람이 무섭지, 시신을 대하면 내 가족 같기도 하고, 어떤 때는 나 자신을 보는 듯하고, ……극락을 가겠다는 느낌이 드는 시신은 대강대강 해도 맘에 걸리지 않지만, 죄가 많아 보이는 시신을 대하면 내가 죄를 지은 것처럼 눈시울이 뜨뜻해지니더. 이렇게 갈 것을 왜 그렇게 살았소? 하고 물으면, 영감님 억천 년 살 것 같아서, 가족들 기쁘게 해주고 싶어서, 그랬니더……. 그렇듯 시신과 정을 나누다가 보면 어느 사이 시신 언저리에 남아 있던 삶의 때라 할까, 뭐 그런 것이 걷히고 비로소 내 마음도 편해지거든요. 결국 내 마음 편안하려고 하는 짓이면서, 남 눈엔 시신을 위하는 것으로 비치니, 나는 아직 멀었습니다"(조오현, 「염장이와 스님」). 얼마나 정성을 기울여야, 주검에서 나를 보고 내 가족을 느낄 수 있을까.

> 선지식이고, 팔만대장경이 어디 따로 있겠나. 염장이 말엔 제행무상의 진리, 화엄경 법화경의 진수가 다 들어 있었지. 팔만대장경이 별건가. 그건 문자이고 말일 뿐. 그것이 가리키는 건 학교를 나오지 않아도 알 수 있는

것들이라네. 착하게 살아라, 부모님 공경하고, 네 이웃을 네 몸처럼 사랑하고, 그들 뜻을 네 뜻처럼 존중하라. 팔만대장경에 수천수만의 수행자들이 빠져 죽었지만 어찌 말과 글에 진리가 있고 부처가 있겠나. 절에는 부처가 없고, 진리가 없다네. 지금 여기 고통스럽게 살아가는 이들, 고통스럽게 죽어가는 이들 속에 진리가 있고 부처가 있는 법이지.

— 조오현, 「염장이」

스님은 답답해 하는 나를 보고, 혀를 차며 안타까워했네. 제 맘속의 불도 못 끄면서, 어찌 남의 불길을 끄겠다고……. "한나절은 숲속에서/ 새 울음소리를 듣고// 반나절은 바닷가에서 해조음 소리를 듣습니다// 언제쯤 내 울음소리를 내가 듣게 되겠습니까"(조오현, 「내 삶은 헛걸음」). 이렇게 말을 이었지. "삶의 즐거움 모르는 놈이/ 죽음의 즐거움을 알겠느냐/ 어차피 한 마리/ 기는 벌레가 아니더냐// 이다음 숲에서 사는/ 새의 먹이로 가야겠다"(조오현, 「평화를 위하여」).

부처님도 예수님도 실은 그런 염장이였지. 부처님은 한 무더기의 뼈를 보고는 걸음을 멈추고 큰절을 올렸네. 제자들이 궁금해하자 이렇게 답했네. "그런저런 뼈 같지만 이 뼈의 주인은 과거 전생 나의 부모일 수도 있고 형제 또는 일가친척, 이웃, 제자, 도반 내지 스승일 수도 있네." 부처님은 그 뼈 무더기를 화장하시고 주위를 깨끗하게 청소했지. 공생활 중 세 번 울었다는 예수님은 나사로의 주검 앞에서 비통하게 눈물 흘리며, 무덤 문을 열고 나사로를 불러일으켜 세웠지.

봄철 농부는 논도 뒤집고, 밭도 뒤집고, 곱게 써레질도 하는 법. 씨가 고이 뿌리내리고, 싹을 내어, 좋은 결실을 맺도록 하기 위해서지. 농부가 아니라도, 그렇게 저와 세상의 묵은 마음, 굳은 성정, 썩은 제도를 뒤집고 갈아엎고, 써레질도 해야 하지 않겠나. 그래야 우리 아이들 튼실하게 기를 것 아닌가. 미당 말대로 '청산이 그 무릎 아래 지란芝蘭을 기르듯' 말일세. "가난이야 한낱 남루에 지나지 않는다/ 저 눈부신 햇빛 속에 갈매빛의 등성이를 드러내고 서 있는/ 여름 산 같은/ 우리들의 타고난 살결 타고난 마음씨까지야 다 가릴 수 있으랴// 청산이 그 무릎 아래 지란을 기르듯/ 우리는 우리 새끼들을 기를 수밖엔 없다// ……어느 가시덤불 쑥구렁에 누일지라도/ 우리는 늘 옥돌같이 호젓이 묻혔다고 생각할 일이요……"(서정주, 「무등을 보며」).

무설설無說說 무문문無聞聞이라, 말하는 바 없이 말하고, 들은 바 없이 듣는다고 했으니, 다시 귀 기울여 보게나. "칼산지옥 가면 칼산지옥 저절로 무너지고, 화탕지옥 가면 화탕지옥 저절로 무너지고, 지옥 가면 지옥도 저절로 고갈되고, 아귀들 사는 곳으로 가면 아귀들 저절로 배부르게 하소서. 수라들 사는 곳을 가면 투쟁심은 저절로 무너지고, 축생들 사는 곳 가면 스스로 큰 지혜 얻게 하소서……"(천수경, 「별원품」).

그대 맑은 영혼 닿는 곳, 어둠은 밝아지고, 불길은 꺼지고, 엉킨 것 풀어지고, 쌓인 것 녹아지고, 미움은 스러지고, 슬픔은 사라지고, 그저 맑고 향기롭고 아름답게 하소서. 자본귀신 탐욕 벗고, 권력귀신 욕망 벗고, 명예귀신 허명 벗고, 불통귀신 귀 뚫리고, 오만귀신 겸손하고, 독불귀신 낮추게 하고……, 풍랑은 물결 되고, 폭풍은 미풍 되고, 폭우는 곡우 되어, 배고픈 이 배부르고, 아픈 이 건강하고, 외로운 이 사랑 찾게 하소서. 저절로 칼산지옥 무너지고, 화탕지옥 무너지고, 평화의 땅, 존중의 땅, 배려의 땅 이루소서…….

바다를 떠나, 산으로 갔네. 설악산 백담사, 무금천 물가에 돌탑 하나 쌓았네. 돌 하나 올리고, 별 하나 얹고, 돌 하나 올리고 꿈 하나 얹고, 돌 하나 올리고 바람 하나 얹고, 돌 하나 올리고 시 한 편 얹고, 그 위에 눈물방울 떨어뜨려 소망의 돌탑 하나 쌓았네. 봄이 오고 꽃이 피면 날아와 그 위에서 쉬어 갈 벌과 나비, 새와 바람이여……, 그대가 "이 세상에서 사라진다 해도/ 저 물속에는/ 산 그림자 여전히/ 홀로 뜰 것"이라네(이성선, 「나 없는 세상」).

가리라, 내 고향 끝내 돌아가리라

유년에 고향을 떠나 향수병이 깊었던 소월은 "아아, 꿈에서는 언제나 고향입니다"(김소월, 「고향」에서)라고 하소연하곤 했다. 윤이상尹伊桑, 1917~95도 향수병은 깊었다. 소월과 달리 돌아갈 수 없었기에 그 병은 더 깊었다. 그래서 갈 수 없는 조국, 돌아갈 수 없는 고향을 아예 독일의 자택으로 옮겨놓았다. 집기만이 아니었다. 집안에선 가족들에게 한국어만 쓰도록 했다. 통영과는 생면부지인 딸이었지만, 아버지의 사투리만 따라 배우다 보니 통영 원어민이 되었다. 독일의 지인들은 베를린 그의 집을 '작은 한국'이라고 했다.

통영 출신 최정규 시인은 그의 그런 비원을 한눈에 알아봤다. 집 구조는 한반도 관문을 통해 저의 고향으로 진입하는 구조였다. 대문을 들어서면 마당에 작은 연못이 조성돼 있었다. 한반도 모양이었다. 그 주위엔 대나무가 심어져 있었다. 그건 남도를 상징하는 것이었다. 게다가 통영산이었다. 거실로 들어서면 통영의 소목장이 만든 가구들이 주인과 객을 맞이했고, 침실 침대 머리맡엔 1960년대 후반 서호에서 강구안까지, 통영의 전경 사진이 걸려 있었다. 거기엔 어부들이 뱃일을 하며 부르던 노래, 밤에 아버지와 함께 낚시하던 서호 등 유년의 기억이 오롯이 담겨 있었다. 평양 강서고분의 사신도를 제외하고 거실을 장식한 건 고향의 정취가 물씬한 공예품들이었다. 윤이상은 매일 어딘지 모를 한반도 관문을 거쳐 통영으로 들어갔고, 고향집에서 잠들었던 것이다.

그의 기억 속 고향의 정경은, 언제나 나전칠기에 박힌 자개처럼 영롱하게 빛났다. "맑은 별하늘 아래 어부들 노랫소리가 배에서 배로 흐릅니다. 아침이면 어시장의 좁은 길에서 수천의 은빛 고기가 바구니 속에서 웅성대고, 때로는 은빛을 뿌리며 높이 날아올라 길바닥으로 튀어나왔습니다. 귀항한 어선에선 고기가 부려지면 새벽인데도 사람들은 고기 사이를 피해 다녀야 했지요. 우리 바다에선 특별한 종류의 대구가 잡혔는데, 담백하고 아름다운 맛이 일품이었습니다."

언젠가는 고향이 너무 그리워 통영과 가장 가깝다는 대마도와 통영 사이 공해상 어딘가 뱃전에서 '만선으로 돌아오는 어부들의 아련한 뱃노래, 어머니와 부르던 민요 가락……'을 환청으로 듣기도 했다. 그러고는 베를린으로 돌아와 정신 나간 사람처럼 중얼거리곤 했다. "새벽 바다를 삐걱대며 멀어지는 목선, 저녁에 돌아오는 어부들의 노랫소리, 물결 위로 스치는 바람, 밤마다 밤하늘의 별들에서 들려오는 신비한 우주의 소리……."

뱃노래, 들소리, 무가, 범종과 목탁소리, 파도소리 그리고 쏟아지는 별빛과 밤바다의 정적. 이 모든 것은 그의 음音이 되었고, 음은 그의 영혼 속에서 살아 움직이며 음악이 되었다. "나는 일생 동안 목숨을 걸고 가능한 일을 다할 것이고, 그리고 어느 날 은퇴해 고향으로 돌아가, 그저 조용히 바닷가에 앉아 낚시를 하고 싶습니다. 마음속으로 음악을 들으면서 그것을 써두려고도 하지 않고 위대한 고요함 속에 내 몸을 맡겨두고 싶었습니다. 또 나는 그 땅에 묻히고 싶습니다. 내 고향땅의 온기 속에 말입니다."

귀향은 허락되지 않았다. 그는 조용히 낚싯대를 드리울 수도, 고요함 속에 몸을 내맡길 수도, 그 땅의 온기 속에 묻힐 수도 없었다. 한때 김영삼 정부는 그의 귀향을 용인할 듯했다. 꿈에 부풀었던 그는 이렇게 외쳤다. "나 돌아가면 고국의 흙에 입 맞추며 말하리라, 사랑합니다, 사랑합니다." 그러나 그건 사술이었다. 30년 전 박정희 정권이 온갖 고문으로 조작한 범죄를 인정하는 반성문을 쓰라고 했다. 가당키라도 한 일인가. 벌써 한 해 전의 일이었으니, 그로 말미암은 절망은 윤이상의 때 이른 죽음을 재촉했을 것이다. "하물며 짐승도 죽을 때는 제집으로 돌아가는데, 인간인 내가 조상이 살았고 그들이 우리에게 물려준 땅에 돌아가지 못하고 있다니……." "나의 고국은 이제 북한도 남한도 아닌 독일입니다." 죽기 전 그의 비원은 이렇게 처절한 원망이 되었다.

11월 4일은 그렇게 떠난 윤이상의 기일. 아직 혼의 귀향마저 허락되지 않는다. "고향 선산 묘지기나 되어/ 남은 생 보내고 싶다던 당신/ 당신의 가슴에 비하면/ 조국의 가슴이란 건 얼마나 작고 옹졸한가"(시인 유귀자).

산청군 덕산면, 상처받은 용

"지리산은 평범한 산이 아니었습니다. 성스러운 곳이었죠. 용처럼 굽이치는 지리산의 능선을 마주 보는 곳에 제가 태어난 집이 있었습니다. 어머니는 저를 잉태했을 때 용이 지리산 위를 날고 있는 꿈을 꾸었죠. 그러나 용은 몸부림만 칠 뿐 비상하지 못하고 있었답니다. 용은 깊은 상처를 입고 있었습니다."

어머니의 태몽은 그의 현실이 되었다. 훗날 그는 알 수 없는 이끌림에 청룡·백호·주작·현무 등 강서대묘 사신도를 애타게 찾았다. 1963년 북한 당국의 호의로 사신도를 직접 볼 기회가 생기자 주저하지 않고 평양을 방문했다. 그러나 그것이 그의 날개를 묶어버릴 줄이야.

1967년 군사정권은 동백림(동베를린)간첩단사건을 조작해 발표했다. 그는 모진 고문 끝에 간첩단 수괴의 일원이 되어 있었다. 검찰은 그에게 사형을 구형했고, 법원은 무기징역을 선고했다. 용은 비상은커녕 옥에 갇혔다. 사형 집행 소리가 또렷이 들리는 옥사에서, 그는 사신도에서 받은 영감을 음보로 옮겼다. 「이마주」(영상)였다. 용꿈을 꾼 어머니는 그의 나이 열여섯 살 때 출산 중 돌아가셨다. 어머니의 운명 또한 상처투성이였다. 저와 어머니의 비운을 생각하며 지은 곡이 「암흑 속에서 노래하다」였다.

통영 도천동과 서호

"아버지는 종종 밤낚시를 하러 바다로 저를 데리고 나가셨습니다. 우리는 잠자코 배 위에 앉아 물고기 헤엄치는 소리, 어부들의 노랫소리에 귀를 기울였지요. 그 소리는 배에서 배로 이어져 갔습니다. 남도창이라는 침울한 노래였죠. 수면은 울림판이 되어 그 소리를 멀리 전파했습니다. 하늘에는 쏟아져 내릴 것처럼 별이 가득했습니다.” “갈치잡이가 신통치 않을 때면 어부들은 고요한 바다, 배 위에서 육자배기를 불렀습니다. 그 소리는 내 영혼에 젖어들어, 내 음악의 중요한 요소가 되었습니다.”

생가(도천동 157번지)는 서호에서 지척이었다. 누나가 밥쌀을 안치고 갯벌에 나가 캐온 조개로 된장찌개를 끓일 정도의 거리였다. 앞은 바다, 뒤란은 논이요, 바다엔 육자배기, 논에는 개구리, 앞뒤로 온통 소리였다.

“집 옆에는 너른 논이 있었습니다. 봄밤이면 개구리 울음으로 몹시 소란스러웠죠. 내게 그건 예술적으로 잘 구성된 혼성 합창이었습니다. 한 마리가 울면 다른 놈이 화답하고, 셋째가 뒤따르고, 그러면 고음, 중음, 저음의 합창이 됩니다. 돌연 침묵이 이어지다가 다시 독창이 시작되고 다른 놈이 뒤따르고, 또다시 합창이 되었습니다. 한낮의 들에선 개구리의 합창 대신 여인들의 구성진 들노래가 이어졌지요.”

“아버지는 밤에는 고기를 잡지 못하게 했습니다. 그래도 나는 몰래 낚시하러 갔습니다. 좋은 곳까지는 십 리 이상 걸어야 했는데, 15미터 정도의 험준한 절벽 밑이었습니다. 나는 낚싯대를 들고, 바구니를 짊어진 채 갯바위에 올라가 낚시를 드리웠습니다. 고기 잡는 게 목적이 아니었습니다. 오로지 여름 밤하늘에서 무수하게 떨어지는 유성을 혼자 바라보는 게 일이었습니다. 거기에 있을 때면 아무런 걱정이 없었습니다. 진실로 행복했죠.”

생가 터는 오래전 소방도로로 쓸려나갔다. 갯벌은 매립돼 사라졌다. 148번지에 ‘윤이상기념공원’이 지어졌으나, 통영시는 ‘윤이상’을 지우고 도천테마공원으로 이름을 바꿨다. 시내버스 정류장 명칭만 ‘윤이상기념관’이다. 눈치가 보였는지, 공원 앞을 지나는 너저분한 2차선 도로를 ‘윤이상 거리’라고 이름했지만 표지석 하나 없다.

당동

"굿은 바닷가에서도 했지만, 당집에서 주로 벌어졌습니다. 바다에 빠져 죽은 선원들의 원혼을 위로하거나, 풍어와 안녕을 기원하는 주술이었죠. 무당은 아름답고 화려한 의상을 차려입고, 화장을 하고, 장신구를 달고, 뜰에 만들어진 작은 무대에서 주술을 했습니다. 3일 낮 3일 밤을 계속하는 경우도 있었습니다. 춤도 좋았지만, 내게는 서정적인 노래, 주문, 기도 등이 더 인상적이었습니다." 굿의 정경을 현대음악으로 옮긴 것이 1971년 작품 「나모」南無다. 당동엔 지금도 당집이 여럿 남아 있다.

미륵산 용화사와 미래사

"(부처님 오신 날 무렵이면) 미륵산 기슭 절 주변엔 수천수만의 등불이 걸렸습니다. 사원 경내와 사찰 주변 길을 따라 불을 밝히지요. 사람들은 잠도 자지 않고 밤새 기도하며 등불 밑을 거닐었습니다. 대웅전에선 승려들의 독경소리가 흘러나오고, 경내에선 신자들이 염불을 합송하고……." "통영의 봄은 복숭아와 벚나무 등 천지가 꽃바다를 이룹니다. 5월 단옷날이면 마을 주민들이 아름답게 차려입고 단오 잔치에 나갔죠. 허리에 꽃을 꽂고, 모래시계처럼 생긴 소고를 메고, 북도 치고 노래도 하면서, 꽃길을 지나 절로 갔지요. 한잔 걸친 어른들의 흥얼거리는 소리와 덩실대는 춤……." 미륵산 정상 너머엔 선생의 영정이 안치된 미래사가 있다.

세병관

"아버지는 취학 연령이 지나서야 저를 신식 학교에 보냈죠. 거기서 처음으로 오르간 소리를 들었습니다. 그렇게 큰 소리가 한꺼번에 쏟아져 나와 놀랐습니다. 학교가 있던 곳이 바로 세병관입니다. 조선 삼도 수군통제사 본영의 객사였죠." 세병관 밑엔 봉래극장이 있었다. "무성영화 시절이었죠. 무성영화 막간엔 휴식시간이 있고, 그때마다 악단이 나와 음악을 연주했죠. 어느 날 아주 익숙한 음악이 흘러나왔습니다. 그건 제가 몇 가지 악기를 위해 생각나는 대로 작곡한 것인데, 어떻게 악단에 흘러들어 갔던 것입니다."

가서, 말하리라!
사랑합니다, 사랑……

뉴욕의 브루클린 음악당 로비 벽면에는 44명의 위대한 예술가의 이름이 동판에 새겨져 있다. 이 중 20세기 음악가는 조지 거슈윈George Gershwin, 벨러 버르토크Béla Bartók, 이고리 스트라빈스키Igor' Stravinsky, 윤이상 넷뿐이다. 생전 '유럽의 현존하는 5대 작곡가'에 꼽혔고, 세계를 통틀어 10명 이내인 국제현대음악협회의 명예회원이었다. 1995년 5월 독일 자아르브뤼켄 방송은 그를 20세기 100년간 가장 중요한 작곡가 30인 가운데 한 사람으로 선정했다.

그런 그의 음악적 원형질은 유년기 통영의 소리였으며, 고통의 현대사는 그의 음악 세계를 떠받치는 토대였다. 그래서 그는 이렇게 단언했다. "정치가는 음악을 할 수 없지만, 음악가는 정치를 할 수 있습니다." "나의 삶과 정신, 나의 예술은 정의에 뿌리를 내리고 있습니다." 청년기 이후 그는 한시도 조국과 이웃에 대한 관심을 놓지 않았으며, 이들이 요구하는 바를 실천에 옮겼다. 목숨 걸고 일제에 맞서려 했고, 전쟁 고아를 위한 사회사업에 뛰어들었고, 심지어 '학교 교가 만들어주기 운동'에 나서기도 했다. 그의 음악은 그런 실천적 사랑의 표현이었다.

통영경찰서

1944년 몇몇 친구와 무장투쟁을 모의한다. "가까운 섬에 원시적인 지하 군수공장을 건설하고, 사격 훈련 및 폭탄 폭파 실험에 필요한 준비를 했지요. 한 동료가 부주의로 체포되면서 미수에 그쳤습니다." 그는 거제도의 일본군 미곡창고에서 근무하다가 체포돼 통영경찰서로 압송됐다. "그들은 지하조직 가담 여부를 캐기 위해 통나무로 정강이 뼈를 으깨는 등 온갖 고문을 하였습니다. 하지만 실토하지 않았죠. 그래서 경찰은 가택수색에서 발견된 나의 조선 가곡만 문제 삼아 2개월간 붙잡아 두었다가 9월 17일 풀어줬습니다. 그날은 내 생일이었습니다." 통영경찰서 건물은 사라지고, 그 자리엔 통영데파트가 들어서 있다.

"석방 뒤 다시 삼천포의 미곡창고에 배치됐습니다. 거기서도 조직 결성을 추진했는데, 1945년 초 한 헌병보가 찾아왔습니다. 제 제자였지요. 내일 아침 체포 예정이니 빨리 피하라는 것이었습니다. 그날 밤 도망쳐 진주와 밀양을 거쳐, 대구로 피신해 석탄공장에 숨었다가 서울로 올라왔습니다. 역시 제자였던 면 서기의 도움으로 가짜 주민증을 얻어 체포를 피하고, 식량 배급도 받을 수 있었습니다"(루이제 린저, 『상처받은 용』).

도피생활 내내 그는 첼로를 지니고 다녔다. 첼로는 그의 유일한 벗이고 위로였다. 그의 대표작 「첼로협주곡」(1975)은 이런 역경을 담은 것이었다. "그분을 가두고 고문하고 죽이려 했던 세상에 대해 '그건 아니다'라며 맞서던 몸부림을 그린 것이 대표작 「첼로 협주곡」이었죠"(부인 이수자).

서울, 서울대병원

서울로 도피했지만 먹고살 재간이 없었다. 겨우 인쇄소 필경사 자리를 얻었다. 그러나 극심한 영양실조 때문에 몸은 엉망이었다. "오후가 되면 항상 열이 나고, 몸이 늘어졌습니다. 견딜 수 없어 경성제대 병원엘 찾아갔지요. 돈 한 푼 없었으니 입원은 불가능했지만, 마침 친절한 의사를 만나 입원할 수 있었습니다. 3주쯤 누워 있었나 싶은데, 천황의 항복문서 낭독 소리가 스피커를 통해 들렸습니다. 그대로 뛰쳐나가 미친 듯이 만세를 부르며 거리를 뛰어다녔죠. 해 질 무렵 돌아왔더니, 의사는 '죽고 싶어 환장했냐'라고 하더군요. 결핵균이 늑막 깊숙이 침투해 있었던 것입니다." 다음 날 그는 바로 귀향했다.

부산, 대원리고아원

해방과 함께 귀향한 윤이상은 극작가 유치진柳致眞, 시인 김상옥金相沃 등과 통영문화협회를 결성해 활동하다가 이듬해 부산으로 간다. 일본에서 무더기로 실려오는 조선인 고아들의 이야기를 듣고 이 아이들을 도우려는 것이었다. 그는 서해안 작은 섬에 이 아이들을 위한 낙원을 세우는 꿈을 꾸곤 했다. 일단 버려진 학교에 고아원을 세우고, 아이들 먹이고, 씻기고, 가르치고, 함께 일했다. 경비는 미군이 원조해 준 과자를 팔아 마련했다. 그때 그는 가장 행복했다.

"그런데 그것도 벼슬이라고 같이 일하던 사람이 모함을 했죠. 구호품을 착복했다고. 그 소리를 듣고는 바로 그만뒀습니다. 기분이 나빠서가 아니라, 그 자리에 있다 보면 혹시 나도 그런 짓을 저지를지 모른다는 생각이 들어서 겁이 났던 거죠." 고아원은 범일동에서 수영으로 가는 중간쯤, 지금은 지명조차 사라진 대원리에 있었다.

부산사범학교

통영여중 음악교사를 하던 그는 부산사범학교로 전근한다. 김상옥의 시에 곡을 붙인 「편지」, 조지훈趙芝薰 작사의 「고풍의상」 등이 담긴 첫 가곡집 『달무리』를 출간한다. 그해 결핵이 재발해 쓰러졌다. 비관적이었다. "병원 대여섯 군데를 다녔지만, 아무도 받아주지 않았습니다. 그때 처음으로 신에게 기도했죠. '신이여, 도와주소서. 당신은 나를 살릴 수 있나이다. 그렇게 해주시면, 나는 다른 사람에게 선을 베풀기 위해서 나의 온몸과 마음을 바치겠나이다.' 다행히 한 병원이 나를 받아주었죠." 부산사범학교는 지금 부산교육대학으로 바뀌었다.

3개월 뒤 복직했다. 돌아오니 대학을 갓 졸업한 여자 선생님이 와 있었다. 국어 담당이었다.

"언젠가 일직이어서 학교에 나와 있었습니다. 그런데 윤 선생이 오셔서 작곡 때문에 강당을 사용하겠다고 했습니다. 점심을 먹으려니 마음에 걸려 두 그릇을 시켜 같이 먹게 됐죠. 그날 저녁 퇴근하는데 윤 선생이 쫓아와 저녁은 자기가 사겠다며 따라왔죠. 너무 맛있게 밥 먹는 모습이 인상적이었습니다. '저렇게 잘 먹으면 폐병도 금방 낫겠네'라는 생각이 들 정도였죠. 그런데 그에겐 돈이 없었습니다. 저녁값도 제가 냈지요. 마침 보름이었습니다. 이번엔 '달이 너무 아름다우니, 산책하자'고 하더라고요. 전차 종점까지 걸어가다가, 어떤 창고 담장에 기대어 달을 보고 있었습니다. 그는 조용히 소월의 시를 암송했습니다. '봄가을 없이 밤마다 돋는 달도/예전엔 미처 몰랐어요.// 이렇게 사무치게 그리울 줄도/ 예전엔 미처 몰랐어요.// 달이 암만 밝아도 쳐다볼 줄을/ 예전엔 미처 몰랐어요.// 이제금 저 달이 설움인 줄은/ 예전엔 미처 몰랐어요.' 그때 제 마음이 흔들리고 있다는 걸 저도 그때는 몰랐습니다. 동대신동 종점에서 전차를 타고 오면서 선생은 제 머리에 붙어 있던 검불을 떼어주었습니다. 그제야 느꼈죠. 그 사람이 운명처럼 내 안으로 들어오고 있다는 걸"(이수자).

윤이상은 출판사에 가기 위해 자갈치 시장에서 내렸고, 이수자는 작천동 집까지 가는 동안 두근거리는 가슴을 진정하려, 전차의 뎅뎅 소리에 귀를 기울였다. 운명적인 연애는 그렇게 시작됐고, 이후 학교에선 '윤 선생이 요즘 웃고 다닌다'는 말이 돌기 시작했다.

그때만 해도 그런 소문이 나면 함께 근무할 수 없었습니다. 저는 그만뒀지요. 집에서도 그 사실을 알았기 때문에 저에게 금족령을 내렸고요. 일주일에 한 번만 외출을 허락했지요. 그때마다 윤 선생을 만나 데이트를 했습니다. 오로지 걷는 것이었죠. 좌천동 저의 집 부근까지 찾아오면 거기부터 범일동을 거쳐 대원리까지 줄곧 걸었습니다(이수자).

순결한 여인. 순백한 백지처럼 무엇이든 아름답게 그림을 그릴 수 있는 사람. 내게 건강을 가져다주는 사람. 쌀이 없고 돈이 없어도 당신만 있으면 나는 살 수 있습니다(윤이상).

윤이상은 부산사범 교장이던 김하덕의 요청으로 부산고등학교로 전근해, 전쟁이 끝날 때까지 근무한다. 지금의 부산고 교가는 그때 그가 작곡한 것이었다. 해방 직후부터 1949년까지 4년여 동안 시인 유치환, 김상옥 등과 함께 '학교 교가 만들어주기 운동'을 벌였다. 그가 작곡한 교가는 지금까지 확인된 것만 고려대, 통영초, 통영여중, 통영고, 부산고, 부산 대신중, 마산고 교가 등 모두 19곡이다.

대학을 갓 졸업한 부유한 집안의 처녀 이수자와 가난뱅이에다가 폐병쟁이였던 윤이상. 처갓집에선 한사코 반대했지만 이수자의 고집을 꺾지는 못했다. 1950년 1월 30일 당시 부산에선 최고급이었던 철도호텔에서 결혼식을 올렸다. 하객이 무려 500여 명에 이르렀다.

서울 성북동

1953년 가을, 음악 공부를 계속하기 위해 부산고등학교 교사직을 그만두고 상경했다. "돈이 없어 오빠가 결혼 선물로 사준 피아노를 팔았죠. 피아노는 당시 매우 귀한 물건이어서, 그것만으로 성북동에 집 한 칸을 마련할 수 있었죠. 개울 건너엔 조지훈 시인이 살고 있었고, 계곡 꼭대기엔 김환기金煥基 화백이 살았죠. 조 시인과는 이미 가곡 「고풍의상」을 작곡할 때부터 알고 지내던 터였죠. 그 인연으로 '작사 조지훈, 작곡 윤이상'의 고려대 교가가 탄생했죠. 조 시인은 참으로 순진했습니다. 제자와 연분이 났는데, 숨길 생각도 하지 못했죠. 어느 날 '그럴러면 아예 따로 살림을 차리라'고 했다는 부인의 말을 전하면서 '우리 내자는 참으로 마음이 넓다'고 대견해 하는 거예요. 그래서 제가 말했죠. '당장 그만두라는 말이에요!'"(이수자).

1955년 당시 예술 분야에서 최고의 영예였던 서울문화상을 작곡가로서는 처음으로 수상한다. 목돈이 생기자 이듬해 다시 유럽으로 유학을 떠난다.

남산 지하실

11년 뒤 그는 고국에 돌아왔다. 1967년 6월 17일이었다. 약물에 취한 상태에서 끌려온 것이었다. 못내 그리웠던 조국에서 그가 들어간 곳은 중앙정보부 남산분실이었으며, 그가 마주친 것은 날카로운 비명소리와 24시간 빛나는 백열등, 그리고 고문 집행자와 고문 도구였다. 그는 그곳에서 일제 때보다 더 지독한 고문을 받았다.

서대문형무소

절망 속에서 자살을 기도하기도 했지만, 덕택에 작곡을 할 수 있는 허가를 받는다. "사형을 예감하며, 저는 물사발이 얼어붙는 혹한 속에서 손을 불어가며 음보를 적어나갔습니다. 나의 생명을 유지하는 정신적 위안은 '음악'을 생각하고 찾는 것뿐이었습니다. 현실로부터 해방되고 꿈과 환상으로부터 자유를 찾아내고 위안을 얻어내는 것이었지요. 나는 그곳에서 인간 정신의 숭고함과 절대적 순수, 꿈과 이상의 화합을 생각했습니다. 그곳에서 탄생한 것이 「이마주」(영상)와 함께 대표작 「나비의 미망인」과 「율」이었습니다."

수자의 선물

"9월 쉰 살 생일을 맞아, 같은 형무소에 수감돼 있던 아내 면회를 신청했습니다. 그러마고 했던 당국이 당일이 되자 선물 하나만 전해 줬습니다. 머리카락으로 만든 장미꽃이었습니다. 아……, 그건 내 생애 최고의 선물이었습니다. 아내가 자신의 머리칼을 잘라 한 올씩 엮어 만든 것이었습니다."

> 면회 신청이 왔다는 이야기를 듣고 무슨 선물을 할까 고민했습니다. 운동시간에 나팔꽃을 보았습니다. 꽃을 하기로 했지만, 꽃을 꺾을 순 없었습니다. 만날 때쯤엔 이미 시들어버렸을 테니까요. 그래서 머리카락을 잘랐지요(이수자).

서울국립극장

국제적인 지탄에 밀려 박정희 정권은 윤이상을 석방한다. 1969년 형집행정지로 독일로 돌아간 그는 1971년 뮌헨올림픽조직위로부터 의뢰를 받아 오페라 「심청」을 작곡한다. 「심청」 공연은 33번의 커튼콜을 받았고, 그는 당대 최고의 작곡가 반열에 올랐다.

그런데 박정희 정권이 1973년 국립극장 개관 무대에 「심청」을 올려 달라고 '정중하게' 부탁한다. 유신독재와 인권유린으로 궁지에 몰렸던 정권의 이미지를 세탁하기 위한 것이었다. 그러나 그는 수락했다. "원한보다는 망향의 정, 고국에 대한 그리움이 컸습니다. 나를 구금하고 고문하고 죽이려던 것은 민중이 아니라 군사독재정권이었습니다. 나는 민중의 요구에 따르고 싶었습니다." "우리 풍습에 따르면, 조상의 묘를 지키는 건 장남이 할 일이었습니다. 게다가 나만 선조들의 묘소를 알고 있었죠. 이에 대한 죄책감도 컸습니다."

다만 경비는 본인이 내겠다고 했다. 그를 죽이려던 독재자의 돈으로 귀국하긴 싫었다. 그러나 박정희 정권은 김대중을 납치해 현해탄에 수장시키려 했다. 이 사건이 터지면서 그는 귀향을 포기했다.

광주 그리고 「에필로그」

1980년 광주의 비극을 듣고 이듬해 「광주여 영원하라」를 작곡했다. 1994년, 민주화의 좌절에 절망한 학생들의 잇따른 분신 소식을 듣고는 「화염에 휩싸인 천사」를 헌정했다. 그리고 삶의 '맺는말'과도 같은 「에필로그」를 작곡한다. 이듬해 11월 4일(독일 시간 11월 3일) 독일 베를린 자택에서 영면한다. 서울 봉은사와 팔공산 은해사에선 끝내 돌아오지 못한 그를 위해 49재를 봉행했다.

"나의 음악은 역사적으로는 나의 조국의 모든 예술적·철학적·미학적 전통에서 생겼고, 사회적으로는 나의 조국의 불행한 운명과 민족, 민권질서의 파괴, 국가권력의 횡포에 자극을 받아, 음악이 가져야 할 격조와 순도의 한계 안에서 가능한 최대의 표현적 언어를 구사하려

노력한 것입니다." 윤이상기념관에 안치된 흉상 받침에 새겨진 글이다. 그는 2018년 2월에야 유해로 돌아왔고 3월 20일 고향 통영에 안장됐다. 세상을 떠난 지 23년 만이었고, 조국에 끌려왔다가 추방당한 지 49년 만이었다. 윤이상음악당으로 지어졌다가 그의 이름이 지워진 통영국제음악당 뒤편 바다로 열린 언덕이 무덤이다. 음악당에는 여러 연주홀이 있지만 그의 이름은 어디에도 없다. 이념의 사슬, 정치의 광기는 여전히 그의 음악을 옥죄고 있다. 그러나 그의 음악은 세상의 돌아가지 못하는 이들을 기억하고 그들의 아픔을 달래준다. 여기 지면을 상석 삼고, 자취를 제수 삼아, 기억의 향불을 사른다. 흠향하소서. 슬픔 달래소서.

바다놀빛 아래
동백 숲속 우암미술관

"워매, 사돈 저거 보세요, 저거." "아이구 예뻐라, 어쩜 저렇게 붉을까." "꽃무덤이네요, 빨간 꽃무덤!" 요행히 때를 맞춰 서천 동백정엘 갔을 때다. 두 어머니가 터트린 감탄사는 꽃이 놀랄 정도로 붉었다. 음력 정월이 지나면 두 분 마음은 온통 동백꽃 피었다는 남쪽으로 가 있다. 몸은 바랠대로 바랬지만, 마음만은 오히려 더 붉어진다.

선암사에 차꽃이 피어 있고, 거제도 구조라초교에 춘당매가 피었다지만, '서울에서도 매화는 피지 않겠나' 혹은 '차꽃은 아무리 찾으려 해도 잘 안 보여…….' 이 핑계 저 핑계 대시는 것이 동백꽃 탓일 게다. 한 어머니는 아예 동백 두어 그루 분에 담아 집에 들였는데, 꽃이 피고 나니, 오히려 설렘만 더 커졌다. 여러 차례 동백꽃 여행을 떠나긴 했다. 그러나 너무 서두른 탓인지 서천 동백정에서 한번을 제외하고는 짙푸른 이파리만 훑어보다가 돌아오곤 했다.

12월 말이었을 게다. 동백이 피었다는 소식에 거제도 남쪽 지심도로 떠났다. 그러나 선착장부터 가파른 비탈길이었다. 다리가 불편한 두 분은 선착장 옆 휴게소에서 바다만 바라봐야 했다. 그때 그 서운함이란……, 마음이 아렸다. 서둘러 돌아올 때 손녀의 손에 몇 송이 들려 있었다. 그것을 받아든 두 어머니의 반짝이던 눈빛이란, 두 분 얼굴에 꽃이 활짝 피었다.

"……어떻게 열어놓은 설렘인데/ 어떻게 펼쳐놓은 그리움인데// 혼자 깊어지다/ 뚝/ 저를 놓아버리는 단음절 첫 말……/ 설마/ 이게 한 순간일라구"(신병은, 「동백꽃 지다」). 김양호 시인이 "저 참숯불 같은/ 꽃등……"이라고 묘사했던 여수 오동도 산책길에 걸려 있던 신병은 시인의 시가 떠올랐다. 2014년 연말엔 이해인 수녀가 시와 산문을 담아 『필 때나 질 때나 동백꽃처럼』을 펴냈다. 제목 속 '질 때나……' 부분이 한동안 가시처럼 마음에 박혀 있었다. 시인은 암 투병 중이었다. "하루도 죽음을 생각하지 않은 날이 없지만, 죽음을 묵상하는 건 삶을 아름답고 간절하고 뜨겁게 하는 계기가 됩니다." "……이 글들이 동백꽃 한 송이로 여러분 마음속에 희망과 기쁨으로 피어날 수 있기를 기도합니다." 부산의 한 수도원에서 정양 중인 그는 이맘때 찾아오는 이들에게 동백꽃 한 송이를 가슴에 브로치처럼 달아준다고 한다.

동백은 10월부터 피기 시작한다. 겨우내 조금씩 피고 지다가 만개하는 건 3, 4월이다. 보길도, 여수 오동도나 부산 동백섬, 광양 옥룡사지 등 남쪽 바닷가는 3월이지만, 고창 선운사는 4월 초, 충남 서천 동백정으로 올라가면 4월 중하순까지 기다려야 한다. 서두르다가 낭패를 당하는 건 그 때문이다. 동백이 아니라 춘백이다.

그런데 신안 압해도 분재공원의 동백은 한겨울이 제철이라는 기별이 왔다. 운만 따른다면 하얗게 눈을 덮어쓴 붉은 꽃을 볼 수 있다네……, 홍보물엔 그런 사진도 실려 있었다. 그러나 아뿔싸, 그곳의 만개 시기는 1월 중순이었다. 송공산 남사면의 산책로와 산기슭에 조성된 수천 그루 동백 군락엔 이미 떨어진 것이 핀 것보다 많았다.

섬들이 에워싸 호수 같은 목포 앞바다, 그 호수를 한눈에 조망하는 압해도 남단에 송공산이 있다. 도초 비금도 밖 외해에서 내해로 들어오는 옛 뱃사람들에게 방향을 잡아주는 등대 구실을 하던 산이다. 영산강을 거슬러 영산포로 통하는 내륙 수로 앞에 버티고 있으니, 후삼국 시절 수달水獺 장군이 그곳에서 왕건과 서남해의 제해권을 두고 각축했을 법하다.

동백 군락지는 산자락이 해안선을 향해 미끄러지는 중턱부터 조성돼 있다. 동백꽃 피고 그 위에 눈이 쌓이고, 차갑게 빛나는 햇살이 쏟아지는 모습을 누군가는 연화장 불길 같다고 했다는데, 수령은 어리지만 그만큼 군락은 컸다. 한겨울에 만개하는 건 애기동백이기 때문이었다. 11월 중순부터 개화하기 시작해 붉은색·분홍색·흰색의 세 종류의 꽃을 2월까지 피운다. 노란 꽃술이 모두 드러나게 겹꽃잎을 활짝 열어젖히고 개화했다가, 꽃잎을 한 장씩 흩어버리는 것이 토종 동백과 다르다. 붉음이 절정에 이르러 툭 떨어뜨리는 결기는 찾아볼 수 없다. 그러나 한겨울 칼바람 속에서 붉음을 토하다가 꽃잎을 후루룩 날려 보내는 것이 그 못지않게 담백하다.

"꽃이/ 피는 건 힘들어도/ 지는 건 잠깐이더군/ 골고루 쳐다볼 틈 없이/ 님 한 번 생각할 틈 없이/ 아주 잠깐……"이라던 시인(최영미)의 노래는 「선운사에서」만 뽑을 수 있는 건 아니었다. "……멀리서 웃는 그대여/ 산 넘어 가는 그대여// 꽃이/ 지는 건 쉬워도/ 잊는 건 한참이더군/ 영영 한참이더군." 압해도 애기동백 역시 잊는 건 한참이었다.

붉은 꽃이 하얀 눈을 쓰고 있지는 않았지만, 붉은 꽃등 위에 자욱하게 얹힌 노을과 조우한 건 망외의 소득이었다. 태양이 온종일 저를 태워 피어나는 것이 노을이지만, 소멸은 역시 한순간. "……천 길 절벽 위로 뛰어내리는 사랑/ 가장 눈부신 꽃은/ 가장 눈부신 소멸의 다른 이름이라"는 문정희 시인의 「동백」은 저녁놀에도 고스란히 적용되는 것이었다.

허나 노을이야 어디라고 특별할 리 없다. 강화도 장화리 낙조마을의 낙조나, 여수 여자만 갯벌 노을이나, 영광 백수도로 앞 칠산바다 저녁노을이나, 서산 간월암 낙조나 특별할 리 없다. 화인들이 기를 쓰고 한번쯤 화폭에 담고 싶어 하는 진도 셋방낙조도 그렇고, 선승들을 적멸에 빠트리는 변산 월명암 낙조, 입암반조라 이름한 목포 입암산 노을도 그렇다.

태양은 서방정토로 지지만, 그가 남긴 노을은 각자 제 마음속에서 피어난다. 서러움이 깊으면 놀빛이 더 붉어지는 건 그 때문이다. "술 익는 강마을의 저녁노을이여/ 이 밤 자면 저 마을에/ 꽃은 지리라……"(「완화삼」)라고 조지훈이 저녁노을을 끌어내자 박목월이 시 「나그네」로 화답한 저녁놀이 그렇다. "길은 외줄기/ 남도 삼백리/ 술 익는 마을마다/ 타는 저녁놀." "나 하늘로 돌아가리라/ 노을빛 함께 단둘이서……." 「귀천」에서 천상병 시인이 노래하던 것이나 "……강가에 가면/ 흐르는 물은/ 나보고 왼통 눈물이 되야/ 살구꽃 닢처럼 져오라" 하지만 저는 "산접동새 우는 나룻목 가에/ 선연히 타는 저녁놀처럼"(「저녁노을처럼」) 딴데로 가겠다던 서정주의 놀도 다를 게 없다.

그러나 다르지 않다고 같은 건 아니다. 압해도에서 낙조는 비밀스런 제의라도 치르듯 진행된다. 북쪽의 증도·지도·임자도·고이도·매화도·마산도, 남쪽의 외달도·달리도·율도·장산도·상태도·시하도가 문인석·무인석처럼 늘어서 있고, 해 지는 서쪽의 비금도·도초도·자은도·암태도·팔금도·안좌도는 5,000만 평의 바다정원 위에 제기처럼 진설돼 있다. 송공산은 떨어지는 해를 향해 고유문을 읽는 대축관 혹은 초헌관의 자리이고, 남북으로 길게 누운 압해도는 그 뒤로 늘어선 제관의 형국이다.

제의는 5,000만 평 드넓은 바다정원이 붉게 물들 때 시작하고, 축관은 천변만화의 놀빛으로 하늘과 땅과 사람의 수고를 칭송하는 축문을 대신한다. 동쪽에서 땅거미가 파발마처럼 밀려올 즈음, 해는 비금도 너머 거대한 돔이 되었다가 곧 어둠 속으로 툭 떨어진다. 하늘과 구름과 섬과 바다 역시 '골고루 쳐다볼 틈도 없이' 사라진다. 잔물결 위 산란하던 빛도 한 조각 남김없이 소멸하고, 제의도 함께 어둠에 묻힌다.

그런 제의를 온전히 지켜볼 수 있는 곳에 미술관 하나가 있다. 서울미대 학장을 지낸 김병종 교수가 '경관으로는 세계 3대 미술관에 꼽힐 것'이라고 책임질 수 없는 말을 남겼다는 곳이다. 그의 권고대로 신안군은 미술관에 '저녁노을'이라는 이름을 줬다.

미술관은 우암愚岩 박용규朴容奎 화백이 자신의 대표작들을 모두 신안군에 기증하면서 세워졌다. 그는 남종화의 조종인 소치 허련의 외손. 한미한 도서벽지의 화공으로서 그는 할아버지들처럼 지독하게 시리고 맵고 신 삶을 피할 수 없었다. 하지만 한겨울 칼추위 속에서 매화는 그 향을 깊게 하고 동백은 붉음을 더하는 법. 신산한 삶은 그의 작품에서 오탁을 씻어내고, 청향을 더욱 맑게 했다. 그런 작품 중에서도 특별히 아끼는 것을 박용규는 세상에 내지 않고 제 곁에 두었다. 자식을 어떻게 팔까. 언제나 비좁았던 집안, 그는 그림들 틈에서 잠들었다.

그러던 어느 날, 동백이 꽃을 툭툭 떨어뜨릴 때쯤이었을 것이다. 박용규는 제 분신들을 한꺼번에 몽땅 던져버렸다. 무엇이 아쉽고, 무엇이 안타까우랴. 그것을 받아든 신안군은 1,004개 섬에서 가장 아름다운 곳을 골라 전시관을 지었으니, 그게 저녁노을 미술관이다. 궁벽한 섬마을의 연건평 425평의 작은 건물이지만, 그 만남이 특별히 아름다운 이유다.

마음에 걸리는 건 그 이름. 미술관의 성격을 안개 속에 감춰버려 정체를 알 수 없게 한 그 이름 때문이다. 정원에 쓰일 이름을 당호로는 쓰지 않는 법. 저녁노을은 미술관 내 북카페도 있으니 그곳에 주면 될 일이었다. 우암미술관, 저녁노을, 동백, 이 압해3절의 해조를 일부러 깰 이유는 없다. 모자람 탓일까 헤픔 탓일까. 인근 안좌도엔 수화樹話의 작품이 거의 없는데도 김환기 이름을 떡 붙인 미술관이 지어지고 있다. 허명에 목숨을 거는 것은 촌스럽다.

청명도 가고 '글 읽는 소리'도 가고……

청명青溟 임창순任昌淳은 출타했다가 돌아오는 길이면, 달래강(수동천) 다리에서 걸음을 멈추고 귀를 기울였다. 졸졸졸 물소리, 바스락 나뭇잎 소리, 봄이면 소쩍새, 가을이면 여치 따위의 온갖 소리가 들렸다. 이 가운데 가장 또렷한 건 개울 건너 지곡서당에서 들리는 글 읽는 소리였다. 임창순에게 가장 행복한 시간이었다.

그의 기대는 거의 어긋나지 않았다. 큰비에 물소리가 아무리 거칠어도 글 읽는 소리가 묻히는 법은 없었다. 4칸 기숙사에서 열댓 명의 어른 학생들이 저마다 글을 읽고 있으니, 문외한에겐 봄철 논개구리가 합창하는 것처럼 들리겠다. 하지만 그에게는 글 내용까지 귀에 쏙쏙 들어왔다. 본인 자신이 수십 년 그렇게 익혔던 터라 성음의 고저 완급만으로도 그 내용을 알 수 있는 것이었다.

독서백편의자현讀書百遍義自見이라……, 아무리 어려운 고전도 백 번 만 읽으면 그 뜻이 저절로 드러나는 법. 그 의미는 울림으로 몸과 정신, 감각과 사유 속에 스며든다. 임창순은 연수생들을 3년간 가르치고 먹이고 재우고, 장학금까지 주면서 다른 어떤 것도 요구하지 않았다. 사서삼경을 비롯한 고전을 그 뜻에 맞게 제대로 읽고 외우는 것이 유일한 과제였다. 읽는 것이 운율을 타려면 그 뜻이 몸에 박여야 했다. 서당에서 강講은 송頌이었다.

연수생들의 소망은 개인방을 갖는 것이었다. 2인1실만 써도 원이 없었다. 앞선 시간에 배운 것은 반드시 다음 시간에 암송해야 했다. 1학년의 경우 사서(대학·논어·맹자·중용)를 암송하지 못하면 출교당했다. 여럿이 한방을 쓰다 보니 소리 내어 글 읽는 게 쉽지 않았지만 연수생들은 필사적으로 읽고 외웠다. 심지어 신혼여행 중에도 중얼거리며 다녔다는 학생도 있었다.

옛 서책이나 편지엔 경전 문구가 변형돼 출처도 없이 일부 인용된다. 경전을 외우지 않고는 그 문구를 찾아내 문장을 정확하게 해독할 수 없다. 박물관이나 도서관 지하 수장고엔 지금도 해독을 기다리는 서책과 고문서가 수도 없이 쌓여 있다. 천수백 년 축적된 지식과 사유가 담긴 것들이니, 임창순에게 이 작업은 나라의 근본을 세우는 것이었다. 그런 작업을 할 인재들에게 어찌 학비와 밥값을 요구할까. 게다가 그들은 대학도 졸업하고 군 문제도 해결된 이들이니 한 가족의 가장이 되었을 나이였다. 가족에게 손을 벌리거나 스스로 비용을 마련해야 한다면 공부에 전념할 수 없을 것이라고 임창순은 생각했다.

그가 서당 울타리 밖으로 나서는 것은 대개 그에 따른 비용을 마련하기 위해서였다. 빈손으로 돌아올 때는 발걸음이 천근만근 무거웠다. 하지만 다리 앞에서 물소리와 함께 들리는 글 읽는 소리는 그런 시름을 날려 보냈다.

언젠가 중국 런민대학교人民大學校 총장 일행이 지곡서당을 방문했다. 20분 정도 둘러볼 계획이었지만, 일행은 두 시간 가까이 연수생들의 학습 장면을 지켜봤다. 총장은 경탄했다. "한국에서 이런 강과 송을 다시 보게 되다니! 어릴 때 우리도 저렇게 익혔지……." 그들이 귀국하고 얼마 되지 않아 중국 신문에 지곡서당 강의 장면이 소개됐고, 런민대학교에 100명 정원의 5년제 국학원이 세워졌다는 소식이 들렸다. 지곡서당은 3년제에 정원이 고작 30명이었고, 선생 혼자 온전히 떠맡고 있었다.

경기도 남양주시 수동면 지둔리에 임창순의 살림집 지곡정사가 들어선 것은 1972년이었다. 'ㄱ'자의 정사에 청류헌을 잇대어 전문가 연수과정을 시작한 것은 1976년이었다. 청류헌에선 수동천 물소리가 끊이지 않았다. 그 유장한 물소리를 들으며 글 읽는 소리 또한 그와 같이 유장하기를 바라는 마음에서 그렇게 명명했다. 이듬해 물가 벼랑 위에 관어정을 세워, 연수생들이 호연지기를 기르고 풍류를 익히도록 했고, 그 밑에 기숙사 용도의 '지곡서당'을 들였다. 그 옆에 땅을 파고 석축을 쌓아 연못을 조성했고, 연못이 내려다보이는 곳에 2층 누각의 열경루를 지었다. 경전과 씨름하느라 뜨거워진 화기를 다스리기 위한 것이 연못이고, 지친 심신을 쉴 수 있도록 지은 것이 열경루였지만, 연수생에게 열경루는 '열나게 경전을 외우는 곳'이었다. 연못 오른편엔 장서를 보관하는 문장각을 세웠다.

장차 국학을 정초할 인재의 요람이었으니 함부로 터를 잡았을 리 없다. 배산임수는 기본이었고 주변의 인심과 바람길까지 따졌다. 개울 건너 축령-서리산 능선이 갈기 휼날리는 말처럼 내달리는 것을 보며 연수생의 기상을 생각했다. 동출서류東出西流의 수동천이 지곡서당에 이르러 활시위처럼 휘어진 곳에 잡았으니 학문을 나누는 덕이 날로 쌓일 것을 기대했다. 큰비가 와도 넘치지 않았으니 관용의 덕 또한 크리라 기대했다. 서당 뒤로는 한북정맥이 병풍처럼 늘어서 있고, 산기슭에서 천변까지 펼쳐진 넓은 논밭은 순후한 인심을 보증하는 것이었다. 천변 작은 벼랑엔 오래된 적송이 숲을 이루고, 수령 500년이라는 뽕나무가 터줏대감 노릇을 하고 있었으니, 국학의 동량이 숲으로 번창할 것을 기대할 수 있었다.

그가 국학 부흥에 뜻을 두고 한문 강습을 시작한 것은 1963년부터였다. 임창순은 5·16쿠데타가 난 이듬해 대학(성균관대 사학과)에서 쫓겨났다. 4·19혁명 교수시위를 주동한 터였고, 정치군인들에겐 불온하기 짝이 없는 중립화통일론을 주창했던 터였으니 가만둘 리 없었다. 그러자 임창순의 학문을 흠모하던 강만길·성대경 등이 채근해 태동고전연구소를 설립하고 강습소를 열었다. 교사는 물론 교실이 따로 있었던 게 아니었다. 독지가가 내주는 공간을 따라 수표동과 당주동 등을 전전했다. 뜻은 높았지만 시작은 참으로 고달팠다.

이 시기 강습소를 거쳐 간 이들은 훗날 국학의 기초를 놓았다. 강만길(국사), 성대경(한문학) 이외에 김정배 전 고려대 총장(국사), 조동일(국문학), 정옥자(조선사상사), 변영섭(고고미술사학), 은정희(불교철학) 등……. 국제정치 전공의 김용구도 강습소 출신이었다.

1976년 전문가 과정의 기숙학당으로 전환하게 된 것은 한국고등교육재단의 지원 덕분이었다. 당시 재단 이사장은 작고한 최종현 선경 회장이었다. 지금의 교육방식과 전통이 정착된 것도 그때였다. 그러나 1981년 전두환 정권이 들어선 뒤 지원은 끊겼다. 4·19 때 교수단 시위를 주동했고, 민족자주통일중앙협의회(민자통) 활동으로 구금을 당했고, 인혁당사건에 연루돼 구속까지 됐던 임창순의 경력이 문제였는지, 아니면 지곡서당 출신의 연구자들이 각 대학에서 학원 자율화 및 반독재 민주화운동에 앞장선 게 문제였는지는 모를 일이었다.

지원이 끊긴 뒤에도 전통은 바뀌지 않았다. "동기회장인 저에게 선생님은 학생들에게 줄 장학금을 맡기셨는데, 돈다발엔 갖가지 돈이 있었죠. 심지어 가계수표는 물론 천 원짜리 지폐도 있었습니다. 여기저기서 돈을 마련하다 보니 별의별 유가증권이 다 포함된 것이었죠"(김만일 태동고전연구소 소장).

1984년 경비 마련을 위해 대구에서 서예전을 열었다. 서예를 학문으로까지 끌어올린 게 그였고, 글씨는 당대의 명필 가운데 한 사람으로 꼽히던 그였다. 4·19교수단 시위 때 교수들이 들고 거리행진을 했던 펼침막의 글씨는 그가 쓴 것이었다. '학생들의 피에 보답하라!'

서예전을 인연으로 한림대학재단과 연결됐다. 임창순은 태동고전연구소와 지곡서당은 물론 터와 건축물을 돈 한 푼 받지 않고 한림대에 넘겼다. 조건은 하나였다. 기존의 운영방식대로 운영하며, 글 읽는 소리가 끊겨서는 안 된다! 그 후 태동고전연구소와 지곡서당은 '한림대 부설'이 되었다.

청류헌과 서당채 사이 잔디밭에는 그의 추모비가 세워져 있다. 박재동 화백의 제안으로 돌이 아니라 도자기로 구운 비석이었다. 도예가 김구한이 제작했다. 앞면엔 그가 지은 지곡정사 상량문이 여초 김응현의 글씨로 새겨져 있다. "나는 앞으로 이 건물이 남북의 학도가 한자리에 모여 조국의 장래를 의논하는 곳이 되기를 바란다." 추모비에 다 담지 못한 상량문은 이렇게 맺는다. "다만 바라는 바는 이 집에서 영원하도록 글 읽는 소리 그침이 없었으면 하는 것이다."

발원문 위엔 박재동 화백이 그린 임창순의 모습이 음각돼 있다. 담배를 든 채 쪼그리고 앉아 있는 임창순은 너른 기단석에 새겨진 바둑판을, 금방 훈수라도 할 표정으로 지켜보고 있다. 영락없는 시골장터 할아버지다. 실제로 그는 연수생들이 바둑을 둘 때면 꼭 그 자세로 지켜봤다고 한다.

뒷면의 행장은 유초하(2기)가 지었다. "역사학자로서 금석학·서지학의 새로운 경지를 개척하였고, 서예를 학문의 수준으로 끌어올렸다. 선생은 세속에서 해탈한 선비의 풍모로 유가적 참여와 도가적 달관을 아울러 구현했다." 임창순은 1914년 충북 옥천에서 태어나 열세 살 때부터 보은 관선정에서 홍치유에게서 한학을 배웠고, 1945년 독학으로 중등교원 자격증을, 1946년 교수 자격증을 취득해 대구사범 전임강사로 강단에 섰다.

평생 후학을 기르는 데 당신의 모든 것을 바쳤던 임창순은 죽기 전 제자들에게 이렇게 당부했다. "나를 기억할 수 있는 일은 아무것도 하지 말라. 글 조각 모아 문집도 내지 말라." 그러나 제자들은 스승을 잊을 수 없었다. 세상을 떠나고 2년 뒤 추모비를 세웠다. 제자들은 국학 개척의 간성이 되었다. 230여 명 가운데 100여 명이 대학에서 역사·문학·미술사·사상사·경제사 등 각 분야에서 후학들을 가르친다. 30여 명은 연구소나 박물관에서 근무하며, 70여 명은 석·박사 과정에서 공부를 계속하고 있다.

세상에서 가장 듣기 좋은 소리가 자식의 목으로 밥 넘어가는 소리와 자식의 글 읽는 소리, 그리고 즐겁게 웃는 소리라고 했다. 맹자는 천하의 인재를 거둬 교육하는 것을 군자삼락 가운데 최고의 기쁨으로 꼽았다. 그건 임창순에게도 마찬가지였다. 아니 즐거움에 앞서 그의 삶이었다.

2014년 12월 태동고전연구소의 한학 연수생(장학생) 모집 공고가 나왔다. 입학생 전원 무상교육, 학비 면제, 소정의 장학금 지급 등의 내용은 예전과 같았다. 달라진 게 있었다. 가장 중요한 강습소가 지곡서당이 아니라 서울 종로구 낙원동 종로오피스텔로 바뀌어 있었다. 한림대학교에서 임창순과의 맹약을 파기하고, 지원을 포기한 것이다. 2013년부터 신입생도 뽑지 않았다. 2015년 졸업생을 끝으로 지곡서당의 글 읽는 소리는 사라지고, 물소리만 남게 되었다.

그나마 오피스텔 연수라도 하게 된 것은 스승의 뜻을 이어가야 한다는 제자들의 의지 때문이었다. 기금은 1년 정도 비용밖에 되지 않았다. 기금도 기금이지만, 오피스텔에서 글 읽는 소리가 지곡서당과 같을 수 없다. 집과 강의실을 오가야 하는 연수생들이 어떻게 소리로 익히고, 운율로 깨우쳐 마음에 새길 수 있을까.

겨우내 얼었던 수동천이 몸을 풀고 흐르기 시작한다. 골골에 쌓였던 눈이 녹아 수량도 제법이다. 가파른 곳에선 우르르 쏟아지고, 평지에선 미끄러지며, 음지에선 얼음에 부대끼며 흐른다. 그 고즈넉한 소리가 청류헌에서도 들리고 관어정에서도 들리고 열경루에서도 들린다. 그러나 글 읽는 소리는 어디서도 들리지 않는다. 애써 귀를 기울이면 임창순의 한숨 소리만 들리는 것 같다.

더 많은 꽃으로 피리니
향훈은 영원하리

1960년 4월 18일 오전까지만 해도 시인 조지훈(고려대 국문과 교수)은 착잡했다. 그는 "연구실 창턱에 기대 앉아 먼 산을 넋 없이 바라보"며, 제자들의 비겁에 대해 동료 교수들과 나눈 개탄을 곱씹었다. "요즘 학생들은 기개가 없다고/ 병든 선배의 썩은 풍습을 배워/ 불의에 팔린다고/ 사람이란 늙으면 썩느니라, 나도 썩어가고 있는 사람/ 늬들도 자칫하면 썩는다고……"(시「늬들 마음을 우리는 안다」에서).

그럴 만도 했다. 한 달이 넘게 어린 중고교생들이 이승만 정권과 맞서 싸우다 흉탄에 쓰러져갔는데도 대학생들은 침묵했다. 고교생들 입에선 "우리 선배들은 썩었는가!" "서울의 대학생들은 죽었다" 등의 말이 나왔다. 4·19혁명의 봉화가 대학생들에 의해 타오른 것으로 간주되지만, 당시 저항과 혁명의 물꼬를 튼 것은 고교생들이었다. 그들은 대학생들이 주춤거리는 사이 목숨을 걸고 민주주의와 정의를 지키는 전선으로 뛰어들었다.

2월 28일 대구에선 민주당 장면張勉 후보 유세가 있었다. 일요일이었지만 대구교육청은 각급 학교에 학생들을 등교하도록 지시했다. 일부 학교는 심지어 영화 관람이나 토끼사냥 등을 핑계로 학생들을 학교로 불러모았다. 학생들은 분노했다. 경북고, 대구고, 경북여고, 사대부고 등 고교생이 차례로 교문을 박차고 나왔다. 학생회의 결의에 따라 그들은 반월당에 집결한 뒤 중앙청사거리를 거쳐 도청 앞 광장까지 거리를 휩쓸었다. 모두 고등학생들이었다. 대구학생의거는 전국의 고교생을 일깨웠다. 3월 2일 전주, 4일 광주를 거쳐 8일 대전에서 대전고생 등 1,000여 명이 거리로 뛰쳐나왔다.

열풍은 국도를 따라 북상해 충주고, 수원농고, 청주고, 문경고, 원주고, 오산고 학생 시위로 이어졌고, 남쪽에서는 부산을 뒤흔들었다. 부산 학생들은 이렇게 외쳤다. "비겁자여, 너희 이름은 방관자다." 뒤늦게 불이 붙은 서울에선 대동상고, 균명, 강문, 중동, 배재, 선린상고, 경기, 보인, 중앙, 대신, 경동고 등의 학생들이 거리로 나섰다.

3월 15일 정·부통령 투표 당일 분노는 마산에서 폭발했다. 투표도 하기 전에 '4할 사전투표' 사실이 확인됐다. 각 투표소에선 3인조 혹은 5인조 공개투표가 이뤄졌다. 민주당 선거참관인은 '완장' 깡패들 때문에 투표소에 들어가지도 못했다. 민주당 마산시당은 오전 10시 반 선거 포기와 선거 무효 선언을 했다. 시민들은 오동동 옛 민주당 마산시당사 앞으로 몰려들었다.

부정선거 폭로대회가 끝나고 시민들이 시청으로 향할 때는 어둠이 깔리고 있었다. 시청 전방 400미터 무학초등학교 앞 도로에 이르렀을 때 소방차 한 대가 시위대 쪽으로 굴러오다가 전신주를 들이받고 섰다.

대형 변압기가 터지면서 일대는 어둠에 갇혔다. 남성동파출소의 일제 사격이 시작된 건 그때였다. 선두의 김영호(마산중 3), 김주열(마산상고 1), 김용실(마산고 1) 군 등이 차례로 쓰러졌다. 곧 북마산파출소 앞에서도 총성이 울렸다.

그날 밤 경찰은 도립병원 시체안치소에 있던 김용실 학생 시신의 주머니에 불온삐라를 넣었다. 이튿날 마산경찰서는 전날 시위가 '좌익이 주도한 폭동'이라고 발표했다. 이승만은 국무회의에서 "철저하게 배후를 규명해 의법 처단하라"고 했고, 내무 장관 최인기는 "공산당이 개입됐다면 내란에 속한다"라고 협박했다. 부통령 이기붕李起鵬은 19일 "총은 쏘라고 준 것이지, 가지고 놀라고 준 게 아니다"라고 발포를 부추기고 정당화했다.

대한변호사협회 조사단이 구성돼 마산 현지로 급파됐다. 변협의 조사 결과는 경찰 발표와 전혀 달랐다. 25일 조사단은 "오직 부정선거에 항의하여 일어난 것으로, 무차별 발포와 인명 살상은 명백한 과잉 진압으로 살인죄로 처벌해야 한다"라고 발표했다. 김용실 학생의 주머니에서 발견된 불온삐라도 조작임이 드러났다. 하지만 이승만 정권은 아랑곳하지 않았다.

시민과 정권의 대치가 계속되던 4월 11일 오전 11시 20분 마산 신포동 중앙부두 앞 200미터 지점에서 시신 한 구가 떠올랐다. 오른쪽 눈은 부릅뜨고 왼쪽 눈엔 추진체까지 달린 테러 진압용 최루탄이 박혀 있었다. 김주열 학생이었다. 집단 발포가 있던 날 밤 남성동파출소 앞에서 사상자를 수습하던 경찰서 주임 박종표는 처참한 주검을 발견하고는 몰래 경찰 지프에 실어 중앙부두로 가져간 뒤 주검에 돌을 매달아 바닷속으로 던져버렸던 것이었다.

학생과 시민들은 오열했다. 저녁 무렵 시위대는 3만여 명으로 늘었다. 경찰은 그날 밤 또 시민을 향해 총질을 했다. 이튿날 오전 마산고, 마산상고, 마산공고, 마산여고, 마산제일고 학생들이 거리로 나왔다. 학교장과 교사들도 가만히 있지 않았다. 그들은 학생 보호를 핑계로 시위대열 양옆에 서서 함께 행진했다. 그 모습을 본 시민들이 일손을 멈추고 대열에 합류했다.

민심을 수습한다며 경질된 최인기 내무 장관 후임 홍진기도 전임자와 다르지 않았다. 그의 첫 담화 내용은 "배후 조종에는 적색 마수가 개재된 혐의가 있어 수사 중"이라는 것이었다. 이승만도 나섰다. 4월 13일과 15일 잇따라 "난동 뒤에는 공산당이 있다는 혐의도 있어서 지금 조사 중"이라거나 "공산당에 의해서 놀아나는 일이 다시는 없도록 법으로 다스릴 것"이라고 협박했다. 14일부터 16일까지 사흘 동안 마산에선 1,000여 명이 체포되고, 32명이 구속됐다. 그러나 '빨갱이 협박'은 통하지 않았다.

정권의 적반하장이 계속되고, 고등학생 동생들의 피해가 커지면서 대학생들도 움직이기 시작했다. 18일 고대생 3,000여 명은 서울 중구 태평로 옛 국회의사당 앞으로 진출했다. 저녁 7시까지 이승만 하야와 연행 학생 석방을 요구하는 연좌시위를 벌이다가 학우가 석방되자 학교로 돌아갔다. 학생들이 을지로를 거쳐 청계천4가 옛 천일백화점 앞에 이르렀을 때 정치깡패들이 습격했다. 각목과 쇠파이프 등으로 중무장한 깡패들은 학생들에게 무자비한 폭력을 가했다. 그들은 반공청년단 종로구단 특별단부 소속으로 조폭 두목 임화수林和秀가 단장이었다(그곳엔 지금 아무런 표지도 없다). 이승만 정권은 그날 밤 심야 국무회의를 열어 '강경 진압'을 의결했다.

'피의 화요일'은 그렇게 날이 밝았다. 19일 아침 8시 반 신설동 대광고교생 1,000여 명이 교문을 나섰다. 동대문을 거쳐 혜화동에 이르렀을 때 동숭동 동성고 고교생 1,000여 명도 교문을 나섰다. 마침 동숭동 서울대 문리대 교정에는 4,000여 명의 학생이 모여 출정식을 시작하려 하고 있었다. 문리대생들은 교복을 입은 고교생들이 밀려가는 것을 보고는 모든 일정을 생략한 채 교문 밖으로 뛰쳐나왔다. 4·19혁명 당시 최고의 문장으로 꼽히던 문리대 선언문은 '선언'되지도 못한 채 학우들에게 서둘러 배포됐다. "……보라, 우리는 캄캄한 밤의 침묵에 자유의 종을 난타하는 타수의 일익임을 자랑한다……."

오전 10시엔 고려대생 4,000여 명이, 10시 20분 건국대 2,000여 명, 성균관대 3,000여 명이 교문을 나섰다. 집결지는 태평로 옛 국회의사당. 동국대생들이 의사당 앞에 도착했을 무렵에는 이미 비집고 앉을 자리가 없었다. 동국대 법대생들은 바로 '경무대로!'를 외치며 광화문을 향해 내달렸다('선봉 법대'란 별칭은 그때 붙었다). 그 뒤를 서울대와 동성고 고교생들이 따랐다. 중앙청 앞 경찰의 1차 저지선을 쉽게 뚫은 학생들은 경무대로 밀려갔다. 경찰의 최후 저지선은 경무대 100미터 전방, 옛 효자동 전철 종점이었다. 낮 1시 반 시위대가 경찰 저지선 10미터 전방까지 다가섰을 때 경찰의 총구가 불을 뿜었다. 동국대 법대 2년생 노희두에 이어 서울대 문리대생 김치호가 쓰러졌다. 학생들은 물러서지 않고 5시까지 일진일퇴를 거듭했다. 그날 그 자리에선 21명이 사망하고 170명이 중경상을 입었다(그 자리에도 희생을 알리는 표지는 없다).

김치호는 아침 동숭동 문리대 교정에 들어가려다 데모 주동자로 몰려 서울시경에 끌려가 무수한 구타를 당했다. 풀려나자마자 국회의사당으로 달려갔고, 다시 고교생 10여 명과 함께 경무대 앞으로 달려갔다. 1선에서 시위를 이끌다 복부에 3발을 맞고 수도육군병원으로 후송됐다. 군의관이 수술하려 하자 그는 옆에 총상을 입고 누워 있는 고교생들을 먼저 치료해 달라고 부탁했다. 군의관이 돌아왔을 때 그는 생사의 경계를 넘어서 있었다.

그의 일기책에 끼워져 있던 교회 주보엔 '하느님이 부를 때 사람은 죽는 것'이라는 낙서가 있었다. 그의 형 김치선 서울대 법대 교수는 그의 4월 19일자 일기장에 동생 대신 이렇게 썼다. "내 아우 치호는 4·19 학도의거에 참여하여 스물두 살 한국 청년으로 용감하게 세상을 떠났다."

광화문사거리는 일대 혼전 중이었다. 수송초등학교 6학년 전환승 군은 아카데미극장(지금의 동화면세점 옆자리) 앞에서 그 모습을 지켜보고 있었다. 그는 단지 시위대에 박수를 쳤을 뿐인데, 어디선가 날아온 총알 두 방이 그의 머리를 관통했다. 이튿날 수송초등학교 학우들은 '부모 형제에게 총부리를 대지 마라'는 현수막을 들고 거리로 나섰다.

나흘 뒤 한 일간지에 이런 시가 게재됐다. "아! 슬퍼요/ 아침 하늘이 밝아오면은/ 달음박질 소리가 들려옵니다/ 저녁노을이 사라질 때면/ 탕탕탕탕 총소리가 들려옵니다/ 아침 하늘과 저녁노을을/ 오빠와 언니들은 피로 물들였어요// 오빠 언니들은/ 책가방을 안고서/ 왜 총에 맞았나요/ 도둑질을 했나요/ 강도질을 했나요/ 무슨 나쁜 짓을 했기에/ 점심도 안 먹고/ 저녁도 안 먹고/ 말없이 쓰러졌나요/ 자꾸만 자꾸만 눈물이 납니다// 잊을 수 없는 4월 19일/ 그리고 25일과 26일/ 학교에서 파하는 길에/ 총알은 날아오고/ 피는 길을 덮는데/ 외로이 남은 책가방/ 무겁기도 하더군요// 나는 알아요 우리는 알아요/ 엄마 아빠 아무 말 안 해도// 오빠와 언니들이 왜 피를 흘렸는지를……// 오빠와 언니들이/ 배우다 남은 학교에서/ 배우다 남은 책상에서/ 우리는 오빠와 언니들의/ 뒤를 따르렵니다"(「오빠와 언니는 왜 총을 맞았나요」). 필자는 전환승 군의 후배인 강명희(4학년) 양이었다.

유혈사태는 서울 시내 전역으로 확산됐다. 오후 2시 50분 중앙청 옆

경찰 무기고 앞에서 최정규(연대 의대) 군 등 8명이 사망했다. 3시 반 소공동 특무대 건물 주변에선 이종량(경기고 2) 군 등이 희생됐고, 서대문 이기붕 집(지금의 4·19도서관) 앞에서도 윤장현(배문고 3) 군 등이 희생됐다. 최기태(경성전기공고 3) 군은 깡패들에게 무차별 폭행을 당해 숨졌다. 4시 20분 을지로 입구 내무부 건물 주변에서도 김태년(중앙대 약대 3) 군 등 7명이 희생됐다. 같은 학교 서현무(법대 2) 양은 그곳에서 체포돼 처참하게 짓밟힌 후유증으로 7월 2일 병상에서 숨졌다. 두 사람은 1995년 11월 19일 영혼결혼식을 올린 뒤 국립 4·19민주묘지에 합장됐다(어느 곳에도 희생을 알리는 표지판은 없다).

중앙대생(6명 순국)들은 서울대(7명 순국) 다음으로 희생이 컸다. 그들은 시종일관 "의에 죽고 참에 살자"라는 기치를 높이 들고, 선두를 지켜 '의혈 중앙'이라는 이름을 얻었다. 중앙대는 중앙도서관 앞에 '의혈탑'을 세워 먼저 간 6명의 학우와 그날의 의거를 기념하고 있다.

6시 40분엔 동대문경찰서와 성북경찰서 앞에서도 10여 명이 희생됐다. 7시쯤 미아리고개로 향하던 시위대 버스 속 한성여중 2학년 진영숙 양이 북선파출소(지금의 돈암1동)에서 날아온 총탄에 절명했다. 그는 버스에 오르기 전 시장으로 장사 나간 어머니에게 편지 한 통을 남겼다. "……데모에 나간 저를 책하지 마시옵소서. 저는 아직 철없는 줄 잘 압니다. 그러나 국가와 민족을 위하는 길이 어떻다는 것을 잘 알고 있습니다. 저의 모든 학우들은 죽음을 각오하고 있습니다. ……너무도 조급하여 손이 잘 놀려지지 않는군요. 부디 몸 건강히 계세요." 희생자 186위 가운데 유일하게 남은 유서였다.

이튿날 이승만은 계엄령을 발동하고, 발포를 명령했다. 그러나 계엄군은 시민에게 총부리를 겨누지 않았다. 결국 이승만은 27일 하야했다. 28일 이기붕 일가는 집단 자살을 했다. 3·15의거 후 37일 만이었다.

피의 화요일을 지켜본 조지훈은 시를 이렇게 맺었다. "붉은 피를 쏟으며 빛을 불러놓고/ 어둠 속에 먼저 간 수탉의 넋들아/ 늬들 마음을 우리가 안다// ……하늘도 경건히 고개 숙일 너희 빛나는 죽음 앞에/ 해마다 해마다 더 많은 꽃이 피리라."

꽃은 피고 졌지만 결실은 아직 맺지 못했다. 시인 유안진柳岸津은 그날 돌아오지 못한 오빠를 생각하며 이런 시를 남겼다. "지금쯤 장년고개 올라섰을 우리 오빠는// 꽃잎처럼 깃발처럼 나부끼다가 졌습니다만// 그 이마의 푸르던 빛 불길 같던 눈빛은// 4월 새잎으로 눈부신 꽃빛깔로// 사랑하던 이 산하 언덕에도 쑥구렁에도// 해마다 꽃으로 다시 살아오십니다// 꽃 진 자리에 열매는 열렸어야 하지만/ 부끄럽게도 아직껏 비어 있다 하여/ 해마다 4월이 오면 꽃으로 오십니다"(「꽃으로 다시 살아」, 4·19민주묘지 수호예찬 시비).

5·16쿠데타, 유신쿠데타, 12·12군사반란, 5·17쿠데타, 그리고 이명박, 박근혜의 유신회귀 등 역사적 반동은 열매로 맺기 전에 꽃을 날려버렸고, 그나마 익어가던 열매를 여지없이 짓뭉갰다. 하지만 그때마다 4월의 제단은 마르지 않는 샘물로 민주주의를 일깨웠고, 정의의 불길을 지폈다. 5·18항쟁, 6월시민항쟁, 그리고 2016년 가을에서 겨울까지 촛불혁명.

제 4 부

숲의 법문,
낮게 더 낮게, 작게 더 작게

시인들은 한탄하곤 했다. "…… 흘러가는 것이 어디 강물뿐인가/ 당신도 내 곁에 머물지 못하고/ 하늘로 하늘로 오른 것을……"(하옥이, 「바람이 남긴 지문」에서). 시간의 강 속에 떠내려간 꿈을 슬퍼한 이는 더 많았다. "…… 그들과 함께 떠돌고 싶었던 꿈이/ 세월의 징검다리를 건너 강물로 흐른다// 아 어찌 흐르는 것이 강물뿐이랴/ 강물 속 노을도 흐르고/ 나도 이렇게 따라 흐르거늘"(김미외, 「흐르는 것이 어디 강물뿐이랴」).

하지만 그건 시인들의 오해였다. 강물처럼 흐르는 것이 어디 쉬운 일인가. 저 낮고 낮은 곳으로 흘러 더 낮게 스미는, 그런 삶을 누가 감히 시도나 할 것인가. 시간의 흐름만 안타까워하고, 시간에 따른 소멸만 연민했을 뿐. 떠내려가는 줄 알면서도 거슬러 오르려 하는 게 사람. 그들은 물길 따라 계곡으로, 계곡 따라 산정까지 오르려 한다. 앞다퉈 높이를 찬양하고, 더 높은 것을 소망하며, 높은 곳에서 굽어보기를 갈망한다. 월정사 전나무숲, 그 적멸의 공간에서도 큰키나무의 높이만 헤아린다. 가장 큰 나무가 30미터였다지? 그러다 보면 숲길이 끝날 즈음엔 목이 뻣뻣하다.

오죽하면 숲길 중간에 "여기 숲을 지키는 우리들 이끼도 있어요. 아래도 봐주세요"라는 내용의 식생 안내판을 세워두었을까. 그 가냘픈 호소가 떠오른 것도 실은 숲길이 끝나는 곳, 금강연 깊이 제 그림자 빠뜨린 청류다원에서 차 한 잔의 침묵이 끝날 때쯤이었다.

"미시세계는 '아름답다'는 말로는 도저히 담아낼 수 없는 것을 담고 있습니다. 그 작은 생명들은 분별하거나 차별하지 않고, 탐내지 않습니다. 저를 내어주는 게 제 삶을 살아가는 과정입니다. 무수한 생명이 말없이 낮게 더 낮게 스며드는 것을 생각해 보십시오. 얼마나 감동적입니까. 거기엔 인간이 추구하는 진리와 선의와 아름다움의 모든 가치가 있습니다. 그 생명들이 그렇게 살아온 결과가 저 전나무숲입니다. 사람들은 늘씬하고 웅장한 큰키나무들만 볼 뿐, 큰키나무 밑 생명들에는 눈길도 주지 않습니다. 무상의 법문이 거기에 있는데……"(정념 주지 스님).

금강연을 지나 숲 가장자리를 적시며 흐르는 물길, 물길 옆 습지, 습지 바위에 옷을 입힌 지의류, 숲속 돌들을 파랗게 덮은 이끼, 그리고 풀과 풀, 작은키나무와 큰키나무. 그 숲 땅속을 기는 지렁이, 진드기, 응애, 굼벵이, 땅 위의 도마뱀, 지네, 풍뎅이, 사슴벌레, 귀뚜라미, 여치, 개구리, 쥐, 뱀 그리고 나무 사이를 나는 박새, 개똥지빠귀, 참새, 할미새, 딱따구리, 물총새, 호반새, 뻐꾸기, 부엉이 그리고 하늘을 찌르는 참나무, 소나무, 전나무. 그 장대한 숲을 이루게 하는 것은 땅속 혹은 땅 위를 기는 바로 그 생명들이다. 저 낮은 곳에서 더 낮은 곳으로 스미는 작은 아주 작은 것들.

근세 선풍의 우뚝한 봉우리, 방한암 선사의 법제자라고 그렇게 낮고 작아지지는 못하리라. 10년, 20년 바윗덩어리처럼 선방을 지킨들 그렇게 가난하지는 못하리라. 아니 그러하지 못하기에 지난 한철도 절밥을 축내고, 다음 한철을 기약하는 것 아닌가. "향엄 지한 선사는 이런 시를 남겼습니다. '지난해의 가난은 가난이 아니었네/ 올해의 가난이야말로 참 가난이라네/ 지난해는 송곳 꽂을 만한 땅도 없었으나/ 올해의 가난은 꽂을 송곳마저 없다네'去年貧未是貧 今年貧始是貧 去年無卓錐之地 今年錐也無. 수행자들의 영원한 꿈이죠."

단기 출가자들이 숲에서 3보1배로 입산의 첫발을 떼는 것도 실은 그런 숲의 법문을 몸에 새기라는 뜻이다. 절이란 우리가 취할 수 있는 가장 낮은 자세. 삭발탑 아래서 세속의 인연을 잠시 털어내고, 그러한 절로써 절에 들라는 것이었다. 백배, 천배를 하다 보면 혹시 저의 눈높이가 이끼와 같아지고, 저의 마음은 저 땅속 작은 생명처럼 가난해지지 않을까?

수좌들과 함께 한철 공부를 마친 정념 주지 스님은 해제날 마침 쏟아지는 비를 보며 이렇게 인사말을 했다. "저 비가 산하에는 감로수이겠지만, 세상에는 마르지 않는 눈물 같기도 합니다. 그러나 그것이 낮은 곳으로 흐르고 흘러 세상의 생명을 살리는 것이니, 그와 같이 세상 속에 스며들기 바랍니다." 해제 기간 속도와 높이만을 추구하는 세상에 나아가 물처럼 낮게, 저 작은 생명처럼 더 깊이 헌신하라는 것일 터.

절하는 이의 손과 머리가 닿는 한 줌의 흙은 수십억 작은 생명의 공동체. 광물질 45퍼센트, 수분 25퍼센트, 공기 25퍼센트, 그리고 유기물질 5퍼센트로 이루어져 있다. 손에 잡히는 그런 흙 한줌엔 지구상의 인간만큼이나 많은 작은 생명이 산다. 건강한 숲 풀뿌리에 붙은 흙 1그램엔 세균이 4,000~5,000종, 10억여 마리가 산다. 숲속의 버섯 등 곰팡

이류는 1,000종에 이르고, 원생동물·선충류 등 미소동물이 미생물에 의지해 산다. 지의류와 이끼류가 미생물과 미소동물 덕택에 살아가고, 그 위에서 버섯이 자라고 풀과 나무가 자란다.

미생물은 살아 있는 모든 것을 자연으로 돌아가게 하는 숲속의 분해자. 미생물이 재자연화의 첫 공정을 맡는다면, 버섯은 생태계 청소의 최고 일꾼. 쓰러진 나무나 낙엽, 죽었거나 약해진 동식물의 유기물질을 분해해 무기양분으로 만드는 장인이다. 엽록소가 없어 스스로 양분을 만들지는 못하지만, 식물 뿌리에서 당이나 질산염을 얻어 생활하고, 대신 식물 뿌리를 가뭄과 병균으로부터 보호하고, 무기양분을 제공한다. 지의류는 바위 등 척박한 곳에 달라붙어 특수 화학물질로 바위 면을 가루로 만드는 토양의 개척자. 고온 건조한 날씨로부터 조류를 보호하고 무기염류를 공급하는 균사와 균류에 필요한 당을 제공하는 조류가 얽히고설켜 살아가는 게 지의류다. 물·얼음·바람 등과 함께 지의류가 바위 면을 잘게 부수면, 미소생물과 식물 뿌리는 유기산을 내어 칼륨이나 칼슘·인·철 등 필수 영양염류 성분을 추출한다. 대기의 독성물질을 흡수해 고정하기도 한다.

지구 탄생 이래 가장 먼저 땅에 착생한 것은 이끼. 이끼는 제 몸무게의 5배나 되는 수분을 저장하며, 오랜 가뭄 속에서도 숲속 이웃들에게 수분을 공급해 주는 숲속의 초록 댐이다. 고산 습지의 이탄이끼는 제 몸무게의 25배까지 물을 저장한다. 다량의 탄소와 메탄가스를 그 몸속에 담고 있어 지구온난화의 방파제 노릇도 한다. 1제곱미터에 1,000여 마리가 산다는 지렁이는 땅속 최고의 농부. 하루에 제 몸무게의 36배나 되는 흙과 풀과 나무부스러기를 먹어치우고, 그만큼 기름진 똥을 세상에 내놓는다.

월정사 전나무가 100년, 200년, 심지어 600년 가까이 살며, 하늘 높이 치솟을 수 있는 건 그 튼튼한 작은 생명의 그물망 덕이다. 지금 소나무, 참나무가 전나무와 높이를 경쟁하고 단풍, 고로쇠, 다릅나무, 복자기, 층층나무, 물푸레 등이 숲을 풍성하게 해주는 것도 그 덕택이다. 큰뱀무, 고마리, 멸가치, 여뀌, 여우오줌, 노루오줌, 짚신나물, 오리방풀, 개시호, 영아자, 파리풀, 관중, 투구꽃 등 500여 종의 풀이 땅을 덮고 있는 것도 그들 덕분이다. 진달래, 생강나무, 매화말발도리, 물참대, 참싸리, 붉은병꽃나무, 나래회나무, 산철쭉 등 작은키나무들이 숲 가장자리를 채우고 있어, 큰키나무들이 비바람에 뽑히거나 부러지는 것을 막아준다.

침엽수림에서는 다른 식물이 잘 자라지 못하지만, 이곳 토양은 워낙 건강해 모든 생명이 잘도 자란다. 반면 주변의 땅 밑 작은 생물의 네트워크가 빈약한 광릉 전나무숲은 위험에 처해 있다. 80여 년 전 오대산 씨를 발아해 심었지만, 건강한 전나무 수령(600년)의 8분의 1도 채우지 못하고 쓰러지고 꺾어진다.

숲 지킴이 차윤정은 월정사 전나무숲을 보며 이렇게 충고했다. "숲에서 우리가 할 일은 오로지 저 작은 생명과 숲이 베푸는 연회에서 얌전히 즐기면 됩니다. 그저 기쁨을 찾기만 하면 됩니다." 숲은 인위적인 진동을 완충하고 흡수해 버린다. 적멸이다. 그것을 채우는 것은 청정. 나뭇잎 100제곱미터가 한나절에 생산하는 산소는 성인 40명의 1일 소비량. 나뭇잎의 무수한 솜털은 공기 중 미세물질을 흡착해 숲은 언제나 맑고 투명하다. 게다가 향기롭다. 방사선균까지도 알싸한 내음을 선사한다. 오대천 물은 음이온을 뿌려 신경을 안정시키고, 나무에서 분비하는 각종 테르펜은 몸의 병을 씻어준다. 평화다.

"깨달음이란 분별지심을 여읜 상태입니다. 너와 나, 작고 크고, 많고 적고, 높고 낮고 따위의 개념에서 벗어나는 것입니다. 종내는 있다 없다는 생각마저 없애고, 생과 사, 선과 악의 분별조차 끊어버리는 것입니다. 절하는 이들이 이마를 대는 저 땅속 작고 하찮은 생명이 출가자의 스승인 것은 그런 까닭입니다." 선방이 달리 있을까? 작은 생명이 스승이고 그들이 모여 사는 숲이 선방인 걸.

이런 선시도 있지 않은가. "뜨는 해도 다 보고, 지는 해도 다 보았다고// 더 이상 볼 것 없다고, 알 까고 죽는 하루살이 떼// 죽을 때가 지났는데도/ 나는 살아 있지만/ 그 어느 날 그 하루도 산 것 같지 않고 보면// 천년을 산다고 해도/ 성자는/ 아득한 하루살이 떼"(조오현, 「아득한 성자」).

별은 하늘로 가고,
달은 바다에 빠졌구나

칠흑의 어둠 속에 오직 한 소리가 있어 신새벽을 깨우고 있었다. 그건 소리를 내고 들을 수 있는 것들이 지어내는 것이 아니었다. 말하지 못하는 것들이 스스로를 드러내고, 듣지 못하는 것들이 답하는 소리였다. 깃발이 펄럭이는 소린지, 짐승 울음소리의 여운 같기도 하고, 거대한 바위를 휘감아 도는 바람 같기도 했다. 귀를 바짝 곤추세웠다. 무슨 소릴까.

법고 소리였다. 그 깊은 산속 새벽 3시, 천지를 두드리는 북소리는 정녕 이채로울 수밖에 없었다. 희양산 암봉에서 쏟아져 내리는 바람과 그것이 30리 계곡을 훑어내리며 늦가을 가벼운 나뭇잎을 몰아가는 소리와 함께 빚어내는 어울림은 정녕 경이로운 것이었다. 새벽 예불이 벌써 시작되고 있었다.

대웅전엔 스님 20여 명이 무릎을 꿇은 채 입선에 들었다. 꼿꼿한 허리에 미동도 없는 것이 그대로 목불이었다. 산철(해제 기간)인 데도 계속 정진 중인 스님들이었다. 법고가 그치고 범종이 울렸고 이번엔 투닥투닥 투다다닥, 목어 때리는 소리와 운판 떨리는 소리가 이어졌다. 사람과 들짐승·물짐승·날짐승의 영혼을 깨우고, 떠도는 영가를 천도하려는 것이겠다.

운판의 떨림이 멈추자 대웅전 안 소종이 울리기 시작했다. 땅따당, 땅땅당, 따당당, 그렇게 다섯 망치씩 3번을 울리고는 아득한 침묵. 잠시 후 입승 스님이 침묵을 깼다. 죽비로 왼손바닥을 한차례 때렸다. 차……악. 목불 스님들이 꼿꼿한 허리 그대로 일어선다. 차악, 착, 차악. 다시 죽비를 세 번 치자 스님들은 일제히 아미타불 앞에 절을 한다. 다시 죽비소리에 일어서고, 다시 죽비소리에 절하기를 세 번. 다시 죽비소리가 세 번 울리고, 신중당 쪽으로 돌아서 반절, 다시 죽비소리에 오른쪽으로 돌아서 반절 그리고 마지막으로 도반과 반절을 나눈다.

예불은 그것으로 끝이었다. 예불문도 없고, 반야심경도 없었다. 도반과의 반절이 끝나자 스님들은 일제히 대웅전에서 빠져나갔다. 소리도 흔적도 없이 사라지는 그 모습이 바람을 닮았다. 사람의 소리를 그토록 철저하게 침묵시킨 공간을 어찌 세간에서 경험할 수 있을까. 오로지 죽비로써 침묵을 깨고, 그 소리로 하여 그 깊이가 더해지는 침묵을.

봉암사에서의 첫 밤은 쉬이 잠들 수 없었다. 창호지 격자창 미닫이문 앞에서는 누군가 끊임없이 두런대고 있었다. 몇 번이나 눈을 뜨고 귀 기울여 정체를 탐색해 봤지만, 소리의 주인공은 나타나지 않았다. 그것은 봉암용곡 30리 계곡물이 수런대는 소리였다. 바위와 어울려 조각돌을 어루만지며, 모래 속에 스미며, 소를 휘감으며, 혹은 작은 폭포를 이루며 내는 그 무궁무진한 소리였다. 그렇게 칠흑의 어둠 속에 한 가지

소리만 있었고, 그 소리는 먼 데 푸르른 신새벽을 깨웠다. 가장 꼿꼿하다는 수행도량 봉암사의 아침은 그렇게 시작되었다.

경상북도 문경 봉암사를 품고 있는 희양산 산세를 신라의 대문장가 최치원崔致遠은 이렇게 그렸다. "갑옷을 입은 무사가 말을 타고 나오는 형상 아닌가." 그렇다면 지증대사는 살생을 업으로 삼는 무사들이 우굴거리는 그런 곳에 어찌 봉암사를 창건할 생각을 했을까.

"산은 사방에 병풍처럼 둘러쳐져 있으니 마치 봉황의 날개가 구름을 치며 올라가는 듯하고, 계곡물은 백 겹으로 띠처럼 되었으니 용의 허리가 돌에 엎드려 있는 듯하다." 날아오르는 봉(희양산)과 꿈틀대는 이무기(맞은편 능선)가 여의주(봉암사 터)를 놓고 다투는 형국이라는 풀이와 상통한다. 지증대사의 결론은 이렇다. 따라서 "(이 터는) 스님의 거처가 되지 않으면, 도적의 소굴이 되리라."

지증대사는 희양산에서 내려오는 그 기운을 누르기 위해 주봉과 일직선을 이루는 곳에 대웅전과 3층석탑을 배치했다. 그가 입적한 뒤 세운 지증대사 적조탑비(국보 제315호)도, 이례적으로 주봉과 대웅전 사이에 배치했으니, 희양산의 넘치는 기운을 다스리기 위한 선사들의 고민은 그렇게 컸다. 사리탑이나 적조탑은 경내에 두되 불이문 밖에 배치하는 게 불문율이다.

그런 기운 때문인지 봉암사는 창건 이래 무수한 곡절을 겪어야 했다. 군사 요충인 문경새재를 오른쪽에 두고, 너른 들과 천혜의 진지를 형성하고 있으니 고구려·백제·신라 삼국 가운데 어느 쪽이든 이를 그냥 두지 않았다. 후삼국시대 때 새재를 사이에 두고 각축하던 고려와 후백제의 싸움 속에 929년 가람 대부분이 불타 버렸다. 스님들은 절집을 떠났고, 황폐해진 그곳은 지증대사의 예언대로 도적의 소굴로 변했다. 6·25 때도 산사람들이 무시로 출몰했고, 그로 말미암아 해방 후 종단을 다시 세우겠다는 원을 세웠던 강골의 스님들도 모두 산문을 떠나야 했다.

하지만 쇠는 무기도 되지만 보습도 되는 법. 희양산 봉암사는 그 기운을 제어할 수 있는 이들을 기다리고 있었고, 그런 이들을 만나 한국 불교의 현대사를 열어제치는 원천이 되었다. 1947년 가을 폐허였던 봉암사에 청담·성철·자운·보문·우봉 스님이 들어왔다. '부처님 법대로' 사는 수행 공동체를 세우자는 것이었다. 이에 공감해 향곡·월산·혜암·법전·성수·법웅·보안·보경·지관 스님 등이 그 뒤를 따랐다.

수행 공동체가 이뤄지면서 나름의 규약을 세웠다. 현재 조계종단 운영의 근본이 된 공주규약이다. 요컨대 부처님과 조사의 가르침 외에는 일체의 사견을 금지하고, 하루 2시간 이상 노동을 하는 등 먹고사는 것을 스스로 해결하며, 소작료와 불전에 의한 생계는 청산하며, 불전을 얻기 위한 일체의 기복 행위를 금지하며, 경내에선 침묵을 원칙으로 한다는 것 등이었다. 장삼·가사·발우의 색과 규격도 정했다. 공주규약은 오늘날 한국 불교의 규범이 되었고, 그 정신은 수행의 지침이 되었다.

당시는 왜색 불교가 주류를 이뤄 승속의 살림이 구분되지 않던 때였다. 승려는 일종의 세속적 직업이었고, 절은 수도하는 곳이 아니라 처자식과 함께 살림 사는 곳이었다. 그것을 뒤집어 원시불교의 수행 공동체를 회복하자는 것이니, 만해 한용운이 추구했던 일대 불교 유신이었다. 희양산 봉암사의 드센 기운에 힘입지 않고는 이루기 힘든 것이었다.

결사를 주도했던 성철·청담·서암·혜암·월산·법전 스님 등은 조계종단 법의 상징인 종정을 지냈다. 또 총무원장 4명을 배출해, 정화불사를 비롯해 종단의 틀을 짜는 데 밑받침 구실을 했다. 세속으로 치면, 난세의 종단 대권이 봉암사에서 나왔고, 승가의 이념과 지향 또한 그곳에 세워졌던 셈이다.

그런데 유홍준은 『나의 문화유산답사기』에서 여러 차례 봉암사 스님들의 단견을 질책했다. 태고선원 남훈루·성적당 등 불사가 너무 거창하여 봉암사의 옛 모습을 잃게 하였다고 따졌고, 최치원의 4대 비문 가운데 하나인 지증대사 적조비문에 대한 소개문이 부실하다고 지적했고, 심지어 낙숫물에 마당이 패이는 것을 막기 위해 설치한 대웅전 기단석의 낙숫물받이를 개축 과정에서 없앤 것도 문제 삼았다.

물론 지적당해 마땅한 것들이었다. 여기에 당대 최고의 문화재 전문가인 그에게마저 산문 출입을 불허한 봉암사의 처사가 그의 심사를 흔들었을 수도 있겠다. 봉암사는 조계종 종단의 유일한 종립 봉쇄선원으로 '부처님오신날'을 제외하고는 산문을 개방하지 않는다. 돈도 권력도 그 닫힌 문을 열지 못한다.

이 대목에서 장삼이사의 불만과 의문은 쉽게 사라지지 않는다. "깨달음을 얻어 중생을 제도하겠다"上求菩提下化衆生라고 원을 세운 이들이 '외부인 출입금지'라니! 생사의 경계마저 여의겠다는 이들이 내부인과 외부인을 따지다니. 그런 이들이 부여잡고 있는 화두가 어찌 중생을 제도할 수 있을까. 아무도 접근하지 못하는 곳에서 아무도 알 수 없는 화두를 잡고, 무슨 뜻인지 모를 깨달음을 저 혼자 추구하는 것인데, 왜 사회가 그들을 존중해야 하는가. 우리 같은 놈들이야 불법 혹은 진리의 근처에도 가지 못하고 뜨내기로 떠돌다 윤회전생의 사슬에 매여 롤러코스트를 타야 하는데, 그리도 못난 중생이 왜 잘나고 존귀한 이들을 봉양해야 하는가.

산문을 들어서도 그런 불만은 사라지지 않았다. 그러나 첫 새벽을 지켜보면서 조금씩 누그러진다. 성적당 스님들은 하루 14시간, 극락전 스님들을 16시간씩 참선 수행한다. 공양이나 예불 포행 시간 등을 제외하면 하루 서너 시간만 눈을 붙인다. 수좌들의 수행을 뒷바라지하는 원주 등 소임자들도 예외없이 10시간씩 참선 수행을 한다. 무언가 생사를 건 간절함이 있는 것이다.

이쯤 되면 봉암사의 닫힌 산문은 안으로 닫힌 것이 아니라 밖으로 닫혔다는 이야기를 떠올리게 된다. 소설가 이외수李外秀가 작업할 때 스스로 만든 감옥 속으로 들어간다는 것처럼, 수행자들도 산문 안에 그들 자신을 유폐했다는 것이다. 등불이 그렇다. 등으로 자신을 가두지 않으면, 자신을 온전히 태울 수도 없고, 정연하게 빛을 낼 수도 없다. 수행자 또한 자신을 유폐하고, 자신을 온전히 태움으로써 빛이 되고자 하는 것이다. 일곱 명의 종정과 네 명의 총무원장을 배출할 수 있었던 것은 그 때문일 것이다.

신라 경문왕은 어느 날 최상의 예를 갖춰 지증대사를 초청했다. "새가 자유로이 나무를 고르듯 훌륭한 거동을 아끼지 말아주십시오." 대사의 회신은 이러했다. "진흙 속에 편히 있게 하여, 나를 아름다운 강물에 들뜨게 하지 마십시오." 경문왕이 가고 헌강왕이 즉위했다. 헌강왕은 이런 시로써 그를 초청했다. "좋은 인연은 온 세상이 같이 기뻐하고, 먼지 구덩이는 온 나라가 같이 걱정해야 하는 것 아닙니까." 부처님이라도 피할 수 있는 청이 아니었다. 지증대사는 경주 반월성으로 갔다. 왕은 법문을 청했다. 지증은 월지의 평화로운 정경을 지그시 바라보다가 이렇게 말했다. "이것이 이것이니, 그 나머지는 더 할 말이 없습니다." 지증은 홀연히 왔다가 홀연히 가고, 월지는 중천의 달을 품은 채 적정했다. 들고남이 어찌 이보다 더 자유로울 수 있을까.

지증대사가 열반하고 8년 뒤 적조비가 세워진다. 최치원이 8년간 다듬고 다듬었다는 웅혼한 문장이다.

다북쑥은 삼대에 의지하매 능히 스스로 곧았으며 구슬을 옷 안에서 찾았으니 옆으로 구함이 없었다. 별도로 지게문을 나가지 않고 들창을 내다보지 않고도 대도를 보았다…….

……오호라! 별은 높은 하늘로 돌아갔고, 달은 큰 바다에 떨어졌도다.

미황사

넋들아,
천진정토에 환생하소서

두 아이가 지엄한 주지스님 방에 배를 깔고 누워 있다. 나란히 턱을 괸 채 읽고 있는 건 만화가 이현세의 『공포의 외인구단』이다. 신도는 큰스님에게 삼배로써 예를 표하도록 한 종단 법도에 따라 어른들은 무릎 자세로 주지를 기다리는데 초등학교 4~5학년밖에 안 되는 것들이 뒹굴거리며 만화책을 뒤적이고 있는 것이다. 기가 막혔지만 내 집도, 내 방도 아니요, 내 새끼도 아닌데 어찌할 것인가.

넌지시 물었다. "밖에서 놀지, 여기서 뭐하는 거냐." 뭐하는지 잘 알면서 그리 묻는 이유는 간단했다. '그러지 말고, 나가서 놀아라.' 헌데 요놈들이 내놓는 답이란 게 설상가상이다. "차 한 잔 먹으려고 기다리는 중인데요." 네 놈들이 차 맛이라도 안다더냐. 어이가 없었지만 더 할 말이 없었다.

달마산 미황사는 게으른 아이들의 천국. 사시사철 아이들 발길이 끊이지 않고, 아이들 웃음소리 그치질 않는다. 그 사이사이엔 미황사 스님들의 텁텁하지만 천진한 웃음소리도 끼어 있다. 아이와 스님은 배우고 가르치는 둘이 아니라, 함께 놀고 함께 배우는 하나다.

초·중등생 초심자를 대상으로 여름방학 때 실시하는 한문학당에서의 일이다. 개강하던 날 훈장인 법인 스님에게 아이들이 다짜고자 묻더란다. "몇 살이세요?" '아이고, 이 버르장머리 쌈 싸먹을 놈들!' 처음 대면하는 자리이니 기를 잡아야 한다는 생각에 스님은 세 살 늘려, 예순두 살이라고 대답했다. 아이들 얼굴엔 반신반의하는 기색이 역력했다. '근데 왜 그리 젊어 보이지?'

개학하고 불과 나흘밖에 지나지 않았을 때였다. 한 아이가 진지한 얼굴로 다시 묻더란다. "스님, 진짜 연세가 예순두 살 맞아요?" "그럼." "그래요, 그런데 환갑이 넘은 어른이, 그것도 스님이 왜 그렇게 철이 없어요?" 이미 아이들은 스님의 정신연령을 꿰고 있었다.

6일째엔 이런 일도 있었다. 선생님과 제법 익숙해졌으니 긴장도 풀렸겠다, 한여름 오후 졸립긴 하겠다, 아이들은 비몽사몽이었다. 스님이 정신 차리라고 통사정을 했다. "이놈들아! 제발 크게 따라 읽어라. 공부해서 남 주냐?" 그 말이 끝나자마자 한 아이가 대꾸했다. "스님은 공부해서 남 주고 있잖아요."

이 정도면 미황사의 분위기를 알만 하겠다. 불가에선 아이들을 때 묻지 않은 자성 그대로라 하여 천진불이라 한다. 한국 선불교의 중흥조라 하는 경허 스님은 이렇게 가르친 적이 있다. "수행하는 사람이라면 모름지기, ……숙맥처럼, 귀머거리처럼, 봉사처럼, 벙어리처럼, 바보처럼…… 어린이처럼 하라. 그러면 모든 망상에서 벗어날 수 있다."

가야산 호랑이로 불렸던 성철 스님도 이렇게 훈계하곤 했다. "아이들 마음은 곧 천진한 부처님이야. 모든 어른은 어린이의 마음을 배워야 한다." 그래서 스님을 친견하려는 어른들에겐 삼천 배를 요구하면서도 아이들에게는 항상 문을 활짝 열어놓고 있었다. 때론 아이들과 놀다가 다치기도 했는데, 그 때문에 제자들이 어린이들의 접근을 막자, 호통을 쳐 문을 열도록 했더란다.

열반한 혜암 스님은 종정 시절 부처님오신날 법어를 통해 '세상 만물이 천진불'이라고 선언했다. "……아무리 귀천한 사람이라도 인간은 모두 천진불이니 부처와 같이 부모와 같이, 모셔서 서로 존경하고 서로 사랑하며 가진 자는 남을 도와주고 권위자는 공심公心을 쓸지어다."

아이들이 만화책을 반쯤 읽었을 때 주지 금강 스님이 들어왔다. 스님은 어른 아이 할 것 없이 직접 차를 우려 공손하게 공양했다. 아이들은 익숙하게 스님이 따라주는 차를 마셨다. 배 깔고 만화 볼 때와는 전혀 달랐다. 그러나 그게 얼마나 가겠는가. 댓 잔 마신 아이들은 "야, 이제 나가 놀자"라고 소리치며 일어났다.

미황사를 저희들 놀이터쯤으로 생각하는 듯했다. 그러나 스님도 웃고, 같이 있던 어른들도 웃었다. 아마 부처님이 곁에 있었다면 함께 웃었을 것이다. 대웅전 주춧돌에 연꽃이 피고 게와 거북이가 기어다니는 절집이니, 뭐 새삼스런 일도 아니다.

천진정토 미황사의 참모습은 부도밭에 가보면 한눈에 알 수 있다. 돌아가신 큰 스님의 사리나 유골을 담아두는 게 부도다. 하물며 일반인의 묘석도 부정 탄다 하여 잡티 없이 보전하는 법인데, 스승을 부처와 경전과 함께 성보로 존숭하는 불가에서 어떻게 조성하고 관리할까?

그런데 미황사 부도는 이런 상식을 걷어차 버린 지 오래다. 양식 자체가 신라니 고려니 따질 겨를도 없이 제멋대로 생겨 먹었다. 게다가 탑신이나 기단석 등에는 아이들 낙서 같은 것들이 여기저기 새겨져 있다. 수백 년 세월에 풍화돼 윤곽이 뚜렷하지는 않지만, 조금만 눈여겨 보면 새와 물고기와 곤충의 모습이 금세 드러난다. 미황사 스님들이 꼼꼼히 살피고, 탁본을 떠본 결과 오리 1마리, 게 5마리, 거북이 6마리, 거미 1마리, 물고기 5마리가 있고, 호랑이 4마리, 토끼와 사슴 각 1마리씩 모두 24마리나 새겨져 있다.

물론 부도 조각이란 게 꼭 어떤 틀을 지켜야 하는 건 아니다. 죽은 자의 초상화가 엄숙 근엄하거나 창백할 이유가 없는 것처럼 말이다. 파안대소하는 영정사진은 어떠한가. 게다가 꼭 연꽃 비천상 등 불가에서 귀히 여기는 것만 새겨넣을 이유도 없다. 파충류·갑각류 따위면 어떠한가. 열등하고 우등하고를 분별하는 것 자체가 어리석다.

예술은 생명 본래 모습을 재현하는 꿈을 꾸어왔다. 관습과 제도가 보고 재현하도록 한 대상과 재현 방식을 거부했다. 제도화된 요구와 항상 충돌했던 건 그 때문이다. 이중섭의 소와 게와 물고기와 닭이 그러하듯이 말이다.

이야기가 나왔으니 말이지, 이중섭의 동물은 미황사 부도탑의 게와 물고기, 닭 등과 꼭 닮았다. 단순하지만 깊이가 있고, 해학적이지만 다층의 의미를 갖고 있다. 상투적이지 않고 삶과 밀착된 절실함이 있다. 미황사 부도 속 동물들은 이중섭이 태어나서 화폭에 담기 수세기 전 이미 석공이나 스님들이 드러낸 것이고, 이중섭은 그것에 다시 생명을 부여한 것이었다고 해야 할 것이다.

미황사 부도밭은, 만화 속 캐릭터 같은 것들을 신앙의 대상인 부도에 장난스레 새겨넣은 것 말고도 여러 가지 의문을 갖게 한다. 부도밭 위치가 그렇고 부도탑의 숫자가 그렇다. 부도밭은 본시 산문 입구에 조성한다. 일주문을 지나면 으레 그 오른쪽에 부도밭이 있어, 참례객들이 먼저 그곳에 예의를 표하도록 했다.

사천왕이 지키는 불이문 안쪽에는 부도밭을 조성하지 않는다. 불이문 안쪽은 부처님의 세계이기 때문에 다른 성물을 두지 않도록 한 것이다. 봉암사처럼 창건주인 지증대사의 부도를 대웅전 뒤쪽에 세운 경우가 있긴 한데, 그건 봉암사 뒤편 희양산의 기운이 너무 세기 때문에 이를 막아 경내를 보호하기 위한 것이었다. 이런 예외적인 경우를 제외하고는 일주문과 불이문 사이 한적한 곳에 부도밭을 둔다.

그런데 미황사 부도밭은 일주문과 불이문을 지나 대웅전에서 달마산 허리를 따라 오솔길로 500미터쯤 올라간 곳에 큰 부도밭이, 그리고 여기서 100미터쯤 떨어진 곳에 작은 부도밭이 있다. 큰 부도밭엔 21기의 부도와 5기의 탑이 있고, 나머지 7기의 부도와 1기의 탑은 작은 부도밭에 있다. 모두 조선시대 후기인 18세기 초에 조성된 것으로 추정된다.

"미황사의 부도는 원래 대웅전을 중심으로 동서남북 네 군데에 자리해 있었다고 합니다. 지금은 남쪽과 서쪽에서만 부도들이 보이나 옛날에는 동·서쪽에도 있었다는 것이지요." 금강 스님의 설명은 오히려 의문만 더 키운다. 동서남북 네 군데라니? 그리고 깎아지른 비탈의 이 작은 절집에 부도가 왜 그렇게 많았담? 미황사는 대흥사의 말사이지만 부도 숫자로는 대흥사를 능가한다. 믿거나 말거나 금강 스님의 설명은 이렇게 이어진다. "한 노 스님이 전하는 바로는 미황사가 우리 한반도 최남단에 있는 절이라서 스님들의 부도를 많이 세워서 반도의 수승한 기운이 바다로 빠지지 않도록 했다……."

의문을 갖든 말든 미황사 부도밭의 동물 24마리는 사리탑에 300년이나 버젓이 배 깔고 잠들거나 누워 있거나 기어다녔다. 요즘 주지 스님 방에서 배 깔고 만화책 보는 아이들처럼 말이다. 방아 찧는 토끼, 멋대로 기어다니는 게, 태평스런 거북이, 호기심 가득한 닭 모양의 극락조, 고양이보다 더 귀여운 호랑이 등. '뭐 문제가 있남?'

이중섭은 6·25전쟁 때 제주도로 피난을 갔다. 거기서 아이들과 아주 가난하게 지냈다. 주로 물고기와 게 등을 잡아먹고 살았다. 육지로 돌아온 이중섭은 얼마 지나지 않아 사랑하는 아이들을 아내와 함께 일본으로 보냈다. 그때부터 그의 그림 속 주인공은 게와 물고기, 벌거벗은 아이들이 됐다.

주인공들 사이엔 아무런 분별이 없다. 그림 속에서 하나가 되어 행복하다. 게도 물고기도 이중섭의 아이들 혹은 이중섭 그 자신인 듯도 하다. 단 한순간도 잊어본 적이 없다는 아이들에 대한 그리움, 가난으로 말미암아 먹고살기 위해 희생한 물고기들에 대한 미안함, 그리고 이들의 극락왕생과 행복한 공생에 대한 간절한 소망을 그는 그렇게 그림에 담았던 것이다.

그러고 보니 새와 물고기, 호랑이와 토끼, 게와 원숭이 따위가 인간의 영혼과 한데 어울리는 곳, 미황사 부도밭은 바로 이중섭이 꿈꾸는 세상이었다. 극락이 있다면 바로 그런 곳이 아니고 어딜까. 부도에 저 동물들을 새긴 석수들이나 부도에 그런 조각을 허락한 스님들이나 모두 그런 무정 유정 중생의 한량없는 화평을 기도하고 갈구했을 것이다.

그런 미황사의 꿈은 다름아닌 평화였다. 나와 너, 어른과 아이, 인간과 자연, 땅과 바다, 빛과 어둠, 공과 색 따위의 가름과 분별이 없는, 불이不二의 세계였다. "아, 천진보살님, 죄송합니다. 혜암 스님의 말씀처럼 천지 만물이 천진불인 줄 모르고, 알량한 내 알음알이 분별심만 자랑했습니다. 나는 언제나 부도탑 기단석 한 조각으로 들어가 천년 세월을 뒹굴거릴 수 있을까요. 당신처럼 배 깔고 뒹굴거리면서도 세상에 웃음과 평화를 줄 수 있을까요."

대웅전 앞 뜨락에 서니 해를 삼킨 채 붉게 타오르는 바다가 한눈에 들어온다. 점점이 떠 있는 섬들은 저녁 어스름에 잠겨든다. 문득 그 바다 너머 맹골수도에 잠긴 세월호 아이들, 그리고 미군 탱크에 짓밟혀 스러진 효순이와 미선이가 떠오른다. 구천에 떠돌던 넋들이여, 여기 천진정토에 머물러, 못다 지은 웃음 마저 짓고, 못다 꾼 꿈 마저 꾸고, 못다 이룬 행복 마저 이루소서. 저 별과 달, 게와 새, 오리와 원숭이 등과 함께 한량없는 평화를 누리소서.

누가 꿈을 크기로 따지랴

초입은 여느 마을과 다르지 않다. 시멘트로 포장된 마을도로 왼쪽 산밑은 밭, 오른쪽은 논, 볼품없는 슬라브 집들……. 하지만 마을회관을 지나 이정표가 서천식물예술원을 가리키면서부터 작은 별세계가 펼쳐진다. 키 작은 관목들 속에 줄지은 솟대가 삼색 버드나무(화이트·핑크·샐럭스)로 울타리를 이룬 연못이 나타난다. 연꽃정원이다. 삼색 버드나무는 이파리가 4월엔 초록, 5월엔 핑크, 6월엔 흰색 그리고 한여름엔 다시 초록으로 색깔이 돌아오고, 겨울엔 줄기가 붉게 변한다는 나무이니, 동화를 구성하기에 안성맞춤이다. 솟대가 군락을 이루고, 새 조형물들이 저마다 꿈을 꾸는 연못 주변은 새들의 소도다. 연못 위로는 야생화가 융단처럼 깔린 미로정원과 큰키나무의 숲이 이어진다.

개화기 연못은 150여 종이나 되는 연꽃이 저마다 그 우아함을 뽐낸다는 소식은 이미 들었던 터라 마음이 바빴다. 황토에 돌을 박았는지, 돌 사이에 황토를 이겨넣었는지는 몰라도 사시사철 따듯하기만 할 흙돌담도 지나쳤다. 작지만 아이들 40~50명은 너끈히 품어 안을 느티나무도, 옹기조각으로 바닥을 장식한 아름다운 진입로도 설렁설렁 지나쳤다.

만개 시기를 한 달여 앞둔 탓에 6월의 연못은 그러나 황금빛 혹은 핑크빛 수련 몇몇만 꽃을 피웠을 뿐이다. 애초 150여 가지 연을 종류별로 차근차근 심으려던 것이었지만, 잠깐 한눈 파는 사이에 일꾼들이 뒤섞어 심었다고 한다. 눈앞이 캄캄했지만, 운명이려니 생각했다. 하지만 다투어 꽃이 필 때면 재잘거림으로 터질 것 같은 초등학교 교실을 보는 것 같았다. 40여 년 세월을 교단에서 보낸 김재완에게는 오히려 정감이 더 간다고 했다.

눈이 밝았다면 고샅에서 이미 예감했어야 했다. 당초 이곳은 새들을 위한, 새들의 공화국이었다. 각기 다른 색깔과 표정의 솟대와 새들이 300여 개나 세워졌다. 원통형의 조약돌 탑은 실제의 새들이 오며 가며 먹이를 먹고 쉬어 가도록 조성했다. 그러나 나무가 비에 썩고 햇살에 부스러지고 바람에 부러지면서 새의 공화국은 포기했다. 대신 돌과 쇠로 만든 새 조형물로 아쉬움을 달랬다. 솟대가 성성했을 때 한 조각가는 주인장의 작지만 아름다운 꿈에 감동해, 육십 평생 가장 마음에 드는 솟대 조각물을 기증했고, 그것은 지금 연꽃정원의 랜드마크로 서 있다.

연못 위로는 미로 가운데 가장 오래됐다는 스페인의 미로 암각화를 본떠 돌로 조성했다는 미로정원. 생명의 보금자리 자궁을 상징한다. 미로정원 입구 박석 사이사이에 깔린 핑크색의 낮달맞이꽃과 무늬병풀 등이 예사롭지 않다. 주변엔 200여 종의 희귀한 풀과 나무들이 자란다. 우리나라에서 가장 크다는 대왕오엽송, 일본인들이 신성시하는 금송,

수형과 색깔이 특별히 아름다운 황금메타세쿼이아 등 희귀종 교목들이 그 뒤로 이어진다. 멸종 위기의 구상나무 숲을 조성할까도 했지만, 잘 자라던 묘목을 삯꾼들이 잡초인 줄 알고 30만여 그루나 뽑아버려 포기했다.

기산면 화산마을에서 아들까지 4대째 살고 있는 김재완에겐 몇 가지 꿈이 있었다. 무관심과 무지로 말미암아 아름답고 귀한 우리 토종이 외국으로 넘어가는 일이 없도록 하자는 게 하나였다. 그 꿈은 수생식물의 천국 연꽃정원과 귀한 들풀·관목·교목들이 늘어선 미로정원에 담겼다. 우리 토종이었지만 외국으로 넘어가 이제는 우리가 로열티를 내고 들여와야 하는 미스킴 라일락, 오색동백, 히어리가 지금도 안타깝다. 다른 꿈 하나는 역시 우리의 무관심 속에서 사라져가는 것들을 지키는 일이었다.

스무 살 되던 해였다. 중국의 옛 동전은 반출이 안 되지만, 우리 옛 동전은 마음대로 반출되고 있다는 기사를 보고는 한편으론 한국은행에 항의하는가 하면, 다른 한편으론 당신이라도 동전을 모아야겠다고 생각했다. 의무감에서 시작했지만, 세련된 도안이나 세공 솜씨에 빠져들었다. 그러나 우리 동전은 구하기도 힘들 뿐 아니라, 박봉을 빨아들이는 블랙홀이었다. 게다가 그 일은 한국은행 등이 할 수 있고 해야 할 기관이었다.

그러면 엽전과 달리 우리의 정서와 문화를 대표할 수 있는 게 없을까? 그때 눈에 띈 것이 옹기였다.

선사시대부터 우리 곁을 지켜온 옹기. 구들장 문화와는 떼려야 뗄 수 없는 필수품이었다. 그러나 옹기는 천시받았다. 궁중이나 양반 사대부가 쓰던 청자나 백자가 받는 대접과는 예나 지금이나 비교할 수도 없었다. 하물며 교과서에서조차 옹기나 질그릇이라는 우리 이름은 외면하고, 일본에서 쓰이던 토기라는 이름을 쓰고 있었다. 그러나 누가 알아주든 말든 옹기는 지금도 우리 삶을 구석구석 받쳐주는 효자다. 눈요기나 찻잔·술잔 등 여가용으로나 쓰이는 청자와 백자와는 근본부터 다르다.

옹기의 쓰임은 장독이나 김칫독부터 심지어 악기나 어구, 운동용품, 소줏고리, 연통, 욕조, 장군, 퇴비발효용기, 장식용 공예 등 한이 없었다. 어구만 해도 주꾸미, 문어, 미꾸라지 잡는 옹기가 모두 달랐다. 화로만 해도 서민용 질화로가 있는가 하면, 양반용 주칠 화덕이 있다. 굴뚝의 몸체는 물론 그 상부를 멋지게 마감하는 연가도 옹기를 쓰기도 한다. 때론 사체를 수습하는 관에도 쓰였으니, 옹기는 우리와 생로병사를 함께했다. 빚는 법도 다양해 제주도 옹기는 유약을 안 썼고, 강원도 푸레독은 생솔가지 연기로 코팅을 해, 정수·정화 효과가 컸다. 그렇게 쓰이다 보니 기술력은 단연 세계 최고였다. 중국 것은 두께가 5~6센티미터에 이르지만, 우리 것은 평균 5밀리미터 안팎이다. 중국이나 서양 토기는 돌덩어리처럼 무겁지만, 우리 옹기는 여인네도 쉬이 들 수 있었다. 얇지만 굳기에선 비교가 안 될 정도로 강하다.

실용성만이 아니었다. 옹기에 담긴 문양이나 그림은 신분은 비천하지만 당대 최고 장인들의 고도의 미의식과 꿈을 표현한 것이었다. 장인에 따라서는 현대 추상미술을 능가하는 문양을 새기거나, 다양한 유약 처리를 통해 도예작품 이상의 아름다움을 표현하기도 했다. 사대부들만이 즐기던 백자·청자 화병만큼이나 세련된 사군자와 포도·잉어·모란·나비·학·갈매기·토끼·거북이·원숭이 그림을 넣기도 하고, 강서대묘 고분벽화의 삼족오를 그린 항아리도 만들기도 했다. 유약이 자연스럽게 번져 생긴 얼룩무늬 독은 일본의 한 수집상이 주인장 앞에 무릎 꿇고 팔기를 간청했던 것이다. 옹기 장기알은 그 섬세함 때문에 지금도 수집상들이 군침을 삼킨다. 서천 독뫼골에서 수집한 옹기에는 비상하는 세 마리 비둘기가 새겨져 있다. 조선 말 박해를 피해 살던 천주교 신도들이 기도하던 자유와 평화를 향한 소망을 그린 것이었다.

그렇게 모은 옹기는 이제 너른 정원 두 곳을 채우고도 남아 비닐하우스 수장고에 보관하고 있다. 그 자신도 수량이 얼마나 되는지 모른다. 그는 당초 이 옹기들을 모두 지자체에 기증할 생각이었다. 단 고향인 화산마을에 박물관을 짓는다는 조건이었다. 2000년대에 들어서 지자체들이 경쟁적으로 옹기에 관심을 보이기 시작했다. 청주·부천·제주시 등이 박물관을 지었다. 하지만 서천군은 그다지 관심을 보이지 않았다. 인근 군산시에서 제안이 오기도 했지만, 고향에서 떠나보낼 수 없어 거절했다. 제 곁에 잡아두겠다고 고집하는 것이 아니라, 그건 그의 세 번째 꿈과 관련된 것이었다.

김재완의 꿈은 화가였다. 중학교에 진학할 때는 미술 선생님이 있다는 이유로 장항중학교를 선택했고, 상급학교로 진학할 때는 북한에서 미술협회장을 지내다가 월남한 홍건직洪建稷이 재직하던 군산사범으로 진학했다. 그러나 사범학교 졸업 이후엔 교직에 몸을 담아야 하기 때문에 창작에서 멀어졌다. 대신 관심을 갖기 시작한 게 수집이었다. 토종식물, 엽전, 옹기, 분재 등.

그가 재직하던 기산초등학교엔 우리문화학습박물관이 있다. 세계에서 유일한 학습박물관일 것이다. 1~6학년까지 교과서에 나오는 교육자재 265종이 전시돼 있다. 유물 복제품을 구입하기 위해 경주를 수도 없이 들락거렸다. 이 과정에서 신라왕들이 밟고 지나가던 보상화문의 벽돌도 구할 수 있었다. 그의 수집벽이 만들어낸 박물관이었다.

그는 2003년 2월 기산초등학교 교장으로 재직하던 중 정년퇴직했다. 김대중 대통령 시절인데, 교사들은 정년이 3년이나 줄었다고 분해했지만, 그는 날 듯이 좋았다. '이제 내가 하고 싶은 일 해도 되겠구나.' 3개월 동안 세수도 하는 둥 마는 둥 푹 쉬었다. 그때 이런 꿈이 생겼다.

화산마을은 오래도록 가난했다. 그가 학교에 다닐 때만 해도 이 마을에서 중학교 이상 진학한 사람은 그뿐이었다. 마을의 가난은 그가 퇴직하고서도 마찬가지였다. 그런 화산마을에 사람들이 찾아오고, 그래서 이웃들의 살림도 핀다면 얼마나 좋을까. 그래서 시작한 것이 가꾸기였다.

지자체가 외면하니 결국 제 손으로 해야 했다. 교단을 떠나면서 지금의 정원과 전시 공간을 조성하기 시작했다. 퇴직금으로 공사비를 충당하고 물려받은 전답 2만여 평을 부지로 삼았다. 아내도 선선히 동의했다. 그가 식물원을, 아내가 좋아하는 새들의 공화국으로 꾸미려 했던 건 그에 대한 보답이었다. 하지만 밑천 2억 원은 불과 2개월 만에 바닥을 드러냈다. 둠벙을 메우고, 새로 연못을 조성하고, 미로정원과 체험학습관 터를 고르고, 옹기정원 2곳에 담장을 두르는 것으로 끝났다. 나머지 마감 비용은 직접 조달하지 않을 수 없었다. 1년에 20~30차례 주례를 하는데, 평소엔 받지도 않던 사례비도 받아 쏟아부었다.

그렇게 태어난 것이 식물예술원이다. 온전히 그의 땀과 재산과 정성으로 조성됐지만 이제 식물예술원은 온전히 마을 재산이 되었고, 서천군이 자랑하는 명소가 되었다. 입장료가 없으니, 서천군이든 마을이든 손님이 오면 으레 이곳으로 데려왔다. 마을에선 농촌체험 프로그램 속에 식물예술원 탐방을 포함시켰다. 덕분에 화산마을은 서천군 전통 테마마을로 지정됐고, 관광공사가 꼽은 농어촌 체험마을 50선에 포함됐으며, 가장 가보고 싶은 농촌마을로 꼽히기도 했다. 그는 그저 문화해설사 노릇만 한다.

서천엔 국립생태원이 있다. 예술원에서 승용차로 20여 분 거리다. 3,200억 원의 국비를 들여 지은 국내 최대의 지구촌 생태박물관이다. 미국의 자연사박물관을 꿈꿀 만큼 시설과 규모는 세계적 수준이다. 당연히 운영비 등 모든 경비는 국비로 충당된다. 한 개인의 땀과 의지로 쌓아올린 서천식물예술원과 대조를 이룬다. 생태원 입장료는 5,000원이지만, 이곳은 공짜다.

연꽃정원 입구엔 서른 살쯤 되는 느티나무가 있다. 그의 꿈과 함께 자란 것이 이제 아이들 두어 반은 한 번에 너끈히 안을 만큼 품이 넓다. 가지마다 새들이 깃을 치고, 저들의 공화국을 노래한다. 얼마나 너그러운 꿈이어야 저 느티나무 품처럼 넓고 크고 깊어지는 걸까.

그대 당당하고 아름다운 노년을 꿈꾼다면……

봉동댁, 아니 봉동댁의 며느리라고 했다. 완주 로컬푸드 모악산 매장에서 미숫가루와 두부과자에 가격표를 붙이던 그 아낙 뒤에서 쭈뼛거리고 있을 때였다. 그이는 선뜻 두부과자 한 봉지를 내밀었다. 손사래를 쳤지만 "우리 어머니가 만든, 첨가물 하나 없이 두부로만 만든 과자이니 한번 맛보시라"며 부득부득 안겼다. 가격표엔 이런 내용이 적혀 있었다. "두부스낵, 가격 4,300원, 생산자 봉동댁, 전화 010-○○○○-○○○○, 주소 완주군 봉동읍 낙평리." 문제가 있으면 전화로든 우편으로든 연락하라는 것이다. 그건 생산자의 자신감에 찬 얼굴이었다. 너그럽고 자상하고 나누기 좋아하시는 할머니…….

어느 날 박춘옥 할머니 핸드폰에 낯선 문자가 왔다. "어머님…… 잘 먹을게요. 감사합니다." 풋고추 등 채소류 사진이 첨부돼 있었다. 아침에 출하한 채소를 구매한 소비자의 감사 문자였다. "정말 기분 좋았지라. 물건을 팔면서도 좋은 일을 할 수 있구나, 저절로 으쓱했지. 앞으로 더 싱싱하고 건강한 것들을 내놓아야지." 존중을 받는다는 생각에 할머니는 더욱 뿌듯하고 더욱 행복했다.

김복순 할머니는 마을의 예순다섯 살 이상 노인들이 운영하는 두레농장에서 딸기, 자색양파 등을 기른다. 3인 1개조씩 번갈아가며 하루에 4~5시간 밑으로 일한다. 매장에 출하해 팔아 남긴 돈은, 우선 마을 복지기금으로 넘기고, 남은 건 두레원들이 골고루 나눈다. 함께 일하고, 함께 놀고, 함께 밥 먹으며, 함께 농장 운영을 이야기한다. "우리 딸기가 최고야. 지하 150미터 암반수로 키웠으니 맛이 없을 수 없어. 딸기는 수확 후 6시간만 지나면 당도가 떨어지는데, 공판장으로 출하하다 보면 소비자 입에는 2~3일이 걸려야 들어간다고. 우리는 당일 수확해 오전 10시와 오후 2시에 매장에 직접 갖다놓으니 한나절밖에 걸리지 않아." 치아가 성긴 할머니의 함박웃음엔 자긍심이 넘친다.

"할머니, 마당에 엄나무 있네. 이거 한 뼘씩 잘라 잘 말린 뒤 출하하세요. 모과는 그냥 놔두면 썩거나 떨어지니까 미리 썰어서 설탕에 재워 출하하시고요." 강성욱 생산관리팀장의 말에 양양순(86세) 할머니는 연신 고개를 끄덕인다. 양 할머니는 매장 최고령 생산자다. 할머니에겐 따로 밭이 없다. 산비탈 묘 아래 공터나 산자락 빈 땅을 일궈 취, 땅콩, 참깨, 들깨, 옥수수, 감자, 당근 따위를 매장에 내놓는다. 다리가 불편해 전동 휠체어로 이동하며 농사를 짓는다. 이제 동네에는 놀리는 땅이 거의 없다. 평소엔 심지도 않을 호박, 토란, 땅콩, 취나물 등속까지 꼼꼼하게 심어져 있다. 매장으로 가면 모두 용돈이 되어 돌아오니, 놀릴 틈이 없다.

소농들이 와르르 무너지는 건 판로가 없기 때문이다. 자가소비나 자식이나 친척에게 나눠주는 게 고작이다. 1,000평 하던 농사가 100~200평으로 줄고, 몇십 평으로 줄다가 힘만 드니 아예 짓지 않는다. 농사를 포기하게 되니, 자식에게 의존해 살아가고, 건강은 나빠진다. 재농 탈농 현상이 만연해 가는 까닭이다. 농사꾼은 사라지고 마을은 천천히 죽어간다. 귀농자가 늘고 있다지만, 소농으로는 용돈조차 마련할 수 없으니 갖고 간 재산 빼먹다가 대개 몇 년 안 돼 농촌을 떠난다. 그래서 완주군이 추진한 게 전주의 소비자와 완주의 고령농·소농 생산자를 잇는 직거래 매장. 벌써 용진, 효자동, 모악산, 하가 등으로 매장을 늘려왔다.

문제는 좋은 품질의 농업 생산물을 다양하게(300개 품목 이상) 사철 공급하는 것이었다. 상품이 다양하지 않으면 고객을 충분히 확보할 수 없다. 4년쯤 고령농·소농 생산자를 조직해 조합원만 1,500여 명이 되다 보니 이제 품목의 다양성에는 문제가 없다. 할머니, 할아버지들은 각종 추억 속의 먹거리, 식자재, 약재들까지 쏟아낸다. 삐삐목, 참빗살나무, 생강나무, 접골목, 담쟁이덩굴, 자귀, 으름덩굴, 야관문, 노박덩굴 말린 것……. 마을마다 조직된 두레농장에선 특화된 품목을 출하한다. 평치두레는 부추와 수박, 오복두레는 블랙베리, 약암두레는 표고버섯 등 버섯류, 인덕두레는 참나물, 로메인, 브로콜리, 평리두레는 냉이, 이서두레는 다양한 상추와 케일, 겨자, 치커리, 비트, 적근대 등 쌈채소를 출하한다.

화산면 홍정란(54세) 어머니는 지난봄 이런 편지를 보내왔다. "이른 봄 나무농장에 살충제를 뿌렸는데 사무실에서 전화가 왔습니다. 나무 밑에서 캐서 출하한 쑥에서 농약 성분이 나왔다는 것이었습니다. …… 오히려 기뻤습니다. 이렇게도 세밀하게 검사하는구나, 소비자의 믿음이 오히려 더 깊어지게 되겠구나. 저는 지인들에게 이 이야기를 하면서 로컬푸드 자랑을 했습니다. 로컬푸드가 있어서 농민과 소비자가 더 건강하고 행복합니다. 로컬푸드 화이팅!" 두 번째여서 6개월 출하금지 규제를 받았지만, 로컬푸드에 대한 애정은 더 커졌다.

매장에선 출하 전 제초제나 살균제 등 54가지 잔류농약검사를 하고, 군에서는 2주에 한 번 264종의 잔류농약검사를 한다. 진열 기한도 엄격하다. 엽채류, 유정란 1일, 과채류 1~2일, 근채류 1~3일, 건물류 7일, 버섯류 1~2일, 가공품류 30일, 두부와 콩물은 1일이다. 기한이 지나면 생산자가 반드시 회수해야 한다. 조합원들로 구성된 품질 모니터 요원이 매일 매장을 점검한다.

바쁜 일상은 마을에서 술과 고스톱을 밀어냈다. 새벽 4시쯤 일어나서 그날 수확할 것 수확하고, 포장한 뒤 7시 전후해 매장에 도착해 가격표 붙여 진열한다. 돌아와서 식사한 뒤 한숨 자고, 두레농장 일을 하고 한낮엔 푹 쉰다. 저녁에 다음 날 출하할 농산물을 정리한다. 채취할 것 채취하고, 갈무리할 것 갈무리한다. 그러니 건강도 좋아져 건강보험공단이 표창장을 줘야 할 판이다.

"지금꺼정은 새깽이들이 주는 돈으로 살아왔제. 인자는 농장에서 돈푼이나 번께 여한이 없어. 애들한테 용돈도 준다니께. 내가 가꾼 농산물 가까분 도시 사람들이 먹어준께 고맙고, 아무래도 정성이 더 가지 않겄소"(구암마을 김복순 할머니). 자식들에게 기대기는커녕 오히려 도움을 주니 떳떳하다. 몸이 건강하니 하루하루가 즐겁고 소비자들로부터 감사 편지까지 받고 보니 자부심도 크다.

구이면 상학마을의 김양순 어머니는 이런 내용의 편지를 군수에게 보냈다. "……처음에는 매장에 내는 먹거리가 있을까 생각했는데 하다보니 돈 될 거리가 생기더라고요. 천원의 행복이 이렇게 큰 기쁨을 선사할 줄이야. 정말 재미있습니다. 항시 건강하시고…….” 할머니는 편지와 함께 불우이웃돕기 성금 100만 원을 보냈다. 원두현마을에서 구기자, 마, 울금, 옻나무, 익모초, 약쑥, 야콘 등을 출하하는 이창영 할아버지는 해피스테이션이 아예 생활공간이다. 직원들과 밥도 함께 먹고 허드렛일도 도와준다. 이전엔 ‘맨날 몸이 아파 누워 있었지만’ 지금은 누워 있을 시간이 없고, 그러다 보니 몸도 좋아졌다. 할아버지는 쪽파라도 깐쪽파를 내놓기 때문에 매장에서도 인기가 높다. “할멈들보다 더 쪽파를 잘 깐다니께.”

평화동의 강성길 씨는 이런 편지를 조합에 보내왔다. “떡을 좋아하는 아내를 따라 해피스테이션에 가보니 아내가 열광하는 이유를 알겠습니다. 떡메마을 떡은 쫄깃한 식감과 달지 않은 맛이, 시중의 떡집이나 제과점 떡과는 전혀 달랐습니다.” “생산자분들의 사진을 보면 농산물에 대한 신뢰까지 더해져, 안 그래도 저렴한 가격이 너무 싼 것 아닌가 하는 생각마저 듭니다. …… 요즘 짝퉁 로컬푸드 전단이 돌아다니는데 농민들에게 애꿎은 피해가 가지 않을까 걱정입니다.”

효자동 매장에선 한동안 동네 아주머니들이 서명을 받고 있었다. 효자동 매장 건물주인 전주시가 입주자인 완주 로컬푸드 조합에 매장 철수를 요구하자, 동네 아주머니들이 들고일어난 것이었다. 결국 전주시는 손을 들었다. 한 효자동 아주머니는 이렇게 말했다. “매장은 우리에게 냉장고나 다름없어요. 그날 출하되는 농산물이 여기에 다 있는데, 냉장고에 쌓아둘 필요가 없잖아요. 여긴 건강밥상 보증수표입니다.” 서명운동은 시민들이 농민들에게 전하는 감사의 표시였다.

완주 로컬푸드협동조합은 완주의 5,000여 농가 가운데 소농과 고령농을 중심으로 ‘3,000농가에 월수입 150만 원’을 목표로 했지만, 이미 목표를 200만 원으로 높여 잡았다.

어디 행복한 노년, 품위 있는 노년 없느냐고? 노인이 자존감과 기품을 지키며 사는 곳이 없느냐고? 어르신들이 농산물을 바리바리 싸들고 오는 아침 6~7시에 완주 로컬푸드 매장을 들러보라. 왁자한 웃음 속에 어르신들의 자부심과 자존감이 샛별처럼 빛난다.

‘애일’愛日 두 글자에 새긴 부모은중경

어버이가 자식을 향한 마음을 담은 한자가 친親이요, 어버이를 향한 자식의 마음을 담은 것이 효孝다. 친親을 파자하면, 나무木에 올라立 아들이 돌아올 길을 하염없이 바라보는見 것이다. 자식을 기다리는 부모의 간절한 마음이다. 효는 자식子이 늙으신 어버이老를 업고 있는 형상이니 그 뜻이 간명하다.

봉건사회 최고의 덕목은 충忠이었다. 삼강오륜 가운데 첫째 도리는 군신 간에 지켜야 할 충이다. 그러나 충의 근본은 효. 임진왜란 때 선조의 의주 몽진에 수행했던 신하는 100명도 안 됐다. 그 많던 신하들이 하나둘 빠져나간 명분은 모두 부모를 모셔야 한다는 것이었다. 왕도 막을 순 없었다.

사대부들이 벼슬에 목을 맸던 변명 가운데 하나는 입신출세가 곧 효의 완성이었기 때문이었다(『효경』). 조선의 노래자老萊子, 농암聾巖 이현보李賢輔가 부모 곁에 있기를 간절히 바라면서도 일흔여섯까지 울며 겨자 먹기로 왕의 부름에 따랐던 것도 그 때문이었다. "돌아가리, 돌아가리 하여도 모두 말뿐이고 돌아가는 이 없네/ 고향의 논밭이 거칠어 가니 아니 가고 어쩔꼬/ 초당엔 청풍명월이 들며 나며 기다리는데"(「효빈가」). 때문에 그가 할 수 있는 일이라곤 고향인 예안 부내마을 가까운 지방의 수령 자리를 간청하는 것뿐이었다. 그는 예안 인근의 충주, 안동 등 여덟 고을을 돌며 수령을 역임했다.

부내마을은 안동댐 건설과 함께 지도에서 사라졌다. 이현보의 생가와 사당, 서원 그리고 정자 등은 분강(부내)이 내려다보이는 가송리 언덕 위로 옮겨졌다. 지금의 농암문화단지다. 부내마을은 그가 교우했던 모재慕齋 김안국金安國이 '산과 강으로 둘러싸여 신선이 살 만한 도원'이라고 했던 곳이었다. 영지산이 울타리가 되고 부내가 수태극과 암태극을 이루며 감싸고 있었다.

벼슬에 큰 뜻이 없었던 이현보는 서른두 살에 병과에 턱걸이로 급제했다. 사간원 정언에 오른 게 서른여덟 살이었다. 정언에 오르고 불과 3개월 만에 연산군에게 입바른 소리를 했다가 유배를 당했다. '소주도병'이란 별명처럼 겉은 질병처럼 투박하지만, 속은 소주처럼 희고 투명했다.

다시 왕의 부름을 받아 마흔두 살에 영천군수에 제수됐다. 충주목사로 봉직하던 1512년 그는 하루라도 아껴 부모님 곁에서 효도하고 싶은 마음을 담아 마을 뒤 영지산 기슭의 부내가 잘 보이는 너럭바위에 애일당을 지었다. 급한 여울의 세찬 물소리가 귀를 막아, 평소 귀먹바위로 불리던 곳이었다. 그 바위를 '농암'이라 이름하고, 호도 농암이라 이름

지었다. 세상사의 소란에서 벗어나 오로지 부모 봉양하며 살고 싶다는 뜻이었다.

> 명절마다 반드시 양친을 모시고 동생들과 더불어 때때옷을 입고 술잔을 올려 기쁘게 해드리기를 이 집에서 했다. 그러나 어버이의 연세가 더욱 많아지니 한편으로 기쁘면서 한편으로 슬픈 마음喜懼之情이 들지 않을 수 없어 집의 편액을 '애일'愛日이라 했다.
>
> —「애일당중신기」에서

영천군수 시절의 쌍춘당양로연도나, 안동부사 시절의 화산양로연도에는 그의 이런 행적이 남아 있다. 화산연도에는 색동옷을 입고 술상 앞에서 춤을 추는 인물이 있는데, 그가 바로 이현보였다. "술동이 앞에서 색동옷 입은 것 이상히 여기지 마오/ 내 부모님도 그곳에 계시니"(「화산양로시」에서). 이현보는 부친 생존 시 부친과 장인 등 마을의 연장자 9명이 포함된 애일당구로회를 꾸려 때마다 시회와 연회를 마련하며 공경했다.

애일당 마루에 올라 되새기는 '애일'의 뜻에 『불설대보부모은중경』(이하 『은중경』)을 맞춰본다. 지상에서 부모님 은혜를 서술한 책 가운데 이보다 더 곡진한 것이 없는 불교 경전이다. 산스크리트어 원전에 없다 하여 위경 시비가 있지만, 유교 국가에서조차 신앙화했던 것이니 시비가 구차하다.

서두는 이렇게 시작된다. "죽어서 이별이야 말할 것도 없고, 살아서 생이별 또한 고통스러운 것. 자식이 집 떠나 멀리 나가면, 낮이나 밤이나 자식 뒤쫓는 마음, 흐르는 눈물은 천 갈래인가 만 갈래인가." 유교가 당위로서 효를 강조했다면, 불교는 부모의 은혜를 과학적으로 낱낱이 따진다. 한자 친親의 뜻이 열 가지 은혜 가운데 여덟 번째로 포함되는 건 그 때문이다.

"낳으실 제 괴로움 다 잊으시고/ 기를 제 밤낮으로 애쓰는 마음/ 진자리 마른자리 갈아 뉘시며/ 손발이 다 닳도록 고생하시네/ 하늘 아래 그 무엇이 넓다 하리오/ 어머님의 희생은 한이 없어라." 초등학교 때 배운 「어머니 마음」이란 노래다. 2, 3절 가사는 이렇게 이어진다. "어려선 안고 업고 얼러주시고 자라선 문 기대어 기다리는 마음 앓을사 그릇될사 자식 생각에 고우시던 이마 위에 주름이 가득 땅 위에 그 무엇이 높다 하리오. 어머님의 정성은 지극하여라." "사람의 마음속엔 온 가지 소원 어머님의 마음속엔 오직 한 가지, 아낌없이 일생을 자식 위하여 살과 뼈를 깎아서 바치는 마음 이 땅에 그 무엇이 거룩하리오. 어머님의 사랑은 그지없어라."

가사를 음미하다 보면 오로지 자식을 위한 희생으로 점철된 어머니의 삶이 파노라마처럼 전개된다. 이 노래는 양주동의 시에 이흥렬이 곡을 붙였다. 당대의 천재라지만 양주동은 어떻게 이렇게 어머니의 은혜를 잘 정리할 수 있었을까. 궁금했던 의문은 『불설대보부모은중경』을 접하고서야 풀렸다. 「어머니의 마음」은 다름 아닌 '부모은중경 속에 나타난 어머니 은혜를 쉽게 풀어쓴 것'이었다.

어느 날 아난阿難은 "어머니의 은혜를 어떻게 하면 갚을 수 있느냐"라고 묻는다. 아난의 질문에 석가모니 부처는 먼저 자식을 잉태한 후 10개월 동안의 수고를 들려주고, 이어 자식을 낳아 기르는 과정에서 어머니가 베푸는 은혜에 대해 설명한다.

시작부터가 충격적이다. 부처가 만행을 하던 중 한 무더기 뼈를 발견하고는 오체를 던져 예를 올렸다. "너희는 이 뼈 무더기를 둘로 나누어 보아라. 만일 남자의 것이라면 희고 무거울 것이며, 여인의 뼈라면 검고 가벼울 것이다." 남자라면 편하게 지냈을 것이기에 그 뼈가 희고 무겁지만, 여인은 아들딸 낳을 때마다 서 말 서 되의 피를 흘리고, 여덟 섬 너 말이나 되는 흰 젖을 먹이는 까닭에 뼈가 가볍고 검다는 것이다. "출산함에 있어 (아기가) 어머니의 아기집을 깨트리고, 심장과 간을 움켜쥐며, 골반을 힘주어 밟고 서서 버티는 것이, 어머니로 하여금 일천 개의 칼로 배를 쑤시고, 일만 개의 칼로 심장을 저미는 고통을 주며 태어나"는 게 바로 자식이다.

그런 어머니는 열 달 동안 온 생명을 바쳐 배 안의 자식을 품고 지켜주며懷耽守護恩 죽음을 각오한 고통 속에서 아기를 낳는다臨産受苦恩. 출산 후엔 평생 자식 걱정에 노심초사하며生子忘憂恩 쓴것은 삼키고, 단것만 골라 먹인다咽苦吐甘恩. 마른자리만 골라 자식을 눕히며廻乾就濕恩 여덟 섬 서 말의 젖을 먹여 기르고乳哺養育恩 손발이 닳도록 보살핀다洗濁不淨恩. 자식이 집을 나서면 걱정 속에서 기다리며遠行憶念恩 자식을 위해서라면 나쁜 짓도 마다하지 않고爲造惡業恩 숨이 다하도록 자식 연민을 버리지 못한다究竟憐愍恩.

그 은혜를 어떻게 갚을 수 있을까. 부처는 단호하게 답한다. '불가!' "어떤 사람이 왼쪽 어깨에 아버지를 모시고 오른쪽 어깨에 어머니를 모시고, 피부가 닳아서 뼈에 이르고, 뼈가 닳아서 골수에 미치도록 수미산을 백천 번 돌더라도 부모님의 은혜는 갚을 수 없다." 자식이 할 수 있는 일이란 오로지 공경하고, 기도로써 그 은혜를 기억할 뿐.

신유학, 곧 성리학이 나라의 통치이념이요, 규범이었던 조선 왕조에서 불교는 배척 대상이고 승려는 천민이었지만, 『부모은중경』만큼은 필독서로 삼았다. 어떤 유교 경전도 부모의 은혜를 이처럼 알뜰하게 정리해 섬세하게 설명하지 못하기 때문이었다. 조정은 한자본과 한글 언해본으로 『은중경』을 펴내고 그 내용을 풀이하는 그림(변상도)까지 곁들였다. 현존하는 조선의 『은중경』 언해본만 33종이나 된다. 그만큼 『은중경』의 교육적 효과를 중시했다. 특히 정조는 화성에 부친의 묘소(융릉)를 조성하면서 『은중경』 목판본을 능침사찰 용주사에 하사했는데, 변상도의 섬세한 필치는 산수화를 연상시킨다.

그러나 지금 우리 시대에 『은중경』은 잊혀진 경전이다. 구한말 이래 새로운 판본 하나 나오지 않았다. 효행사찰을 자처하는 용주사조차 정조의 판본을 홍보용으로나 이용할 뿐이다. 그나마 위로를 삼는 건 곽영권(서울시립대 미대 교수)의 판본이다. 그는 2002년 고려 때부터 내려온 변상도의 기본 꼴을 완전히 바꿔 13폭 병풍 형태의 화첩으로 『은중경』을 제작했다. 2005년 프랑크푸르트 도서전에는 고 장용훈 한지장의 음양지로 제작한 판본을 출품해 주빈국으로서 체면을 살렸다. 2007년엔 어린이용 판본을 냈고, 2014년엔 변상도 13폭을 다시 개작해 전시회를 열었다.

이현보는 1548년 여든한 살에 애일당을 중창했다. 그 뜻을 모르는 이들은 의아했다. "자손으로 하여금 놀고 즐기는 데 빠지게 할 우려가 있지 않은가?" 이현보는 이렇게 답했다. "당의 편액을 '애일'이라 한 것은 일신의 즐거움을 위함이 아니고, 어버이를 봉양할 날이 부족하다는 뜻이 들어 있습니다. 늙은이의 자손 역시 이 마루에 올라 이름을 돌아보고 그 뜻을 생각하여 어버이를 가까이하면서 오직 효성만을 본받도록 하고자 하려는 것입니다"(「애일당중신기」에서).

평생 자식을 돌보다 늙고 병들면 버려지는 게 요즘 시류다. 부부는 자식을 낳지 않고, 때론 핏덩이조차 버리고, 정치는 그런 부모와 자식을 이간질하고, 세대 갈등을 즐기기도 한다. 애일당에 올라 『은중경』을 되새기면, 마지막 대목에 이를 때까지 장탄식이 이어진다. 부내의 물줄기처럼 하염없이 길다.

밀라노에 간
삼식씨네 백지

경상북도 북부 산간 내륙 지역은 강원도를 능가하는 오지. 백두대간이 태백산에서 서남쪽으로 틀어 영주 소백산을 거쳐 속리산으로 내달리는 구간은 특히 험준하다. 1,000미터를 넘는 황장산·운달산·주흘산·조령산·희양산·대야산이 거친 숨을 몰아치며 우뚝 선 곳에 문경이 있다. 조계종 직할 봉쇄 선원인 봉암사가 터 잡은 희양산 지역은 산세가 오죽 험상궂고 거칠었으면, 예부터 도둑떼가 아니면 선승이나 살 곳이라고 했다. 거기에서도 속리산 쪽으로 50여 리나 더 가야 하니, '삼식지소'는 참 후진 곳에 자리 잡았다.

권위 있는 밀라노 국제가구박람회의 디자인위크 출품작인 '한지등'에 쓰인 한지를 생산했다고는 하지만, 삼식씨네 공장은 그야말로 외양간을 갓 벗어난 꼴이다. 실제 소·돼지를 기르던 곳에 바람벽 두르고,

바닥은 시멘트로 덮고, 지통 들여 지소를 만들었다. 경북 무형문화재 한지장 김삼식과 아들 춘호 부자는 그곳에서, 한겨울 물질해 종이를 뜨고, 다른 계절엔 닥나무 기르고 닥무지하는 등 종이 뜰 준비에 눈코 뜰 새 없다. 닥껍질에서 흑피를 긁어내는 '구질구질한' 작업은 특히 부자의 몫이다. 돈 주고도 일할 사람 구할 수 없는 까닭이다. 내륙의 더 갈 곳 없는 땅에서, 삼식씨네는 100년, 200년 전의 시간으로 돌아가, 그때 그 모양 그대로 한지를 뜬다. 장하다 할까 무모하다 할까.

디자이너 김연진은 2011년까지만 해도 다른 지소에서 한지를 받아 썼다. 너무 세련되고 깔끔하다 생각하던 터에 한 교수로부터 삼식씨네 한지를 소개받았다. 차이는 확연했다. 호롱불을 감싼, 어릴 때 보았던 그 종이를 닮았다. 그래서 한지장 김삼식에게 밀라노에 갈 한지를 부탁했다. 삼식씨네가 지난해 추수한 닥은 1만여 가지. 왕의 서책에 쓰이던 어람용 한지가 나올 법한 것만 골라보니 고작 200여 개뿐이었다. 그것을 찌고(닥무지), 껍질 벗기고(피닥), 흑피 긁어낸 뒤 하루이틀 물에 불려 잿물로 4~5시간 푹 삶고(증해), 삶은 닥을 7~8시간 뜸을 들인 후 흐르는 맑은 물에 사나흘 담가 목욕시키고 햇살로 표백(일광표백)도 하고, 다시 일일이 티를 골라내고, 방망이로 2~3시간 곤죽이 되도록 두들기고(도해), 황촉규 뿌리로 닥풀을 만들고, 닥죽과 섞어 미음처럼 풀어지도록 저어주고, 발을 전후좌우 물질해 섬유소만 길어내고, 그렇게 뜬 것을 한 장 한 장 베개 받쳐 차곡차곡 쌓고, 어지간히 물 빠지면 한 장씩 건조시키고, 여러 장 포개 두께가 절반 이하로 줄 때까지 두들겼다(도침).

물질은 온도에 예민한 닥풀의 성질 때문에 고약하게도 추운 겨울에나 해야 한다. 참꽃 피고 기온 올라가면 닥섬유와 섞인 닥풀은 하루만 지나도 상한다. 상한 닥풀은 섬유를 오히려 더 떡 지게 만들어 물질이 불가능하다. 지난 겨울 영하 16도를 오르내리던 날, 평소 한 장에 예닐곱 번씩 하던 물질을 서른 번씩 하며 2박3일 동안 종이를 떴다. 고작 200장이었다. 하지만 윤택이 나면서도 수더분하고, 매끄러우면서도 소박하고, 얇으면서도 질기고, 친근하면서도 기품 있는 것이 부자가 보기에 썩 좋았다. 밀라노가 아니라 세상 어디에 내놔도 꿀릴 게 없어 보였다.

2013년 4월 밀라노 국제가구박람회 디자인위크의 한국공예 전시는 성황이었다. 전통 공예 7개 분야 장인 16명의 작품 43점이 출품된 전시관엔 6일 동안 10만 명 가까이 방문했다. 전문가들의 반응도 뜨거웠다. "전통과 혁신의 완벽한 조화를 이루고 있다"느니 "그냥 모던한 게 아니라 슈퍼모던하다"라는 평가도 있었고, "일본 작품이 무겁고 딱딱해 그림자 같다면 한국 작품은 정감 넘치며 개방적이어서 태양 같은 분위기"라고도 했다.

출품은 당연히 디자이너 이름으로 했다. 한지등만은 예외였다. 디자이너 김연진과 한지 제작자 삼식씨 부자 세 사람의 이름으로 올렸다. 작가는 등이 아니라 한지의 아름다움을 구현하기 위한 것이었으니 당연한 일이라고 했다. 한지를 통과한 빛의 부드러움, 겹쳐진 한지에 어리는 빛의 농담과 그림자, 깔끔한 천연 염색과 빛의 조화 등 한지의 덕성은 작가의 겸손으로 말미암아 그 빛을 발할 수 있었다.

"한지를 백지라고 하지. 흰白이 아니라 일백百, 백지야. 중국에선 고려 종이를 백번 두들겨 만들었다 하여 백추지白硾紙라고 했다는데, 사실은 종이 한 장을 뜨는 데 장인의 손길이 99번, 마지막으로 사용자의 손길이 한 번 더 보태져 한지로 완성된다는 뜻이지." 화가를 만나면 그림이 되고, 서책으로 엮이면 천년을 보관하는 정보의 그릇이 되고, 집안에선 창호지·장판지·약봉지·소지 등 생활의 일부가 된다. 공예가를 만나면 요강·베개·옷장·실첩·미투리·갓·채독·반닫이 등으로 탄생하고, 옷·망태기·돗자리·부채·반짇고리·쟁반 등 생활용품이 되기도 한다. 요즘엔 오디오나 간접조명에 이용된다. 그러고 보니 한지는 종이가 아니다. 천의 얼굴을 가진 원단이고 소재다. 장인은 종이를 만들어 누군가에게 시집 장가 보낼 뿐이다.

김삼식은 호구지책으로 열 살에 종이 뜨는 집에 들어가 열네 살에 물질을 시작했고, 열일곱 살에 독립했다. 그때 한지 백장을 떠야 보리쌀 닷 되를 구할 수 있었으니, 참으로 고달픈 일이었다. 특히 물질은 엄동설한에 얼어붙은 달빛 아래 지통의 닥물이 바닥을 드러낼 때까지 줄기차게 해야 했으니, 손발에 동상이 떠나질 않았고 휜 허리는 펴질 날이 없었다. 그의 설명에 따라 초지 장면을 영화로 재현한 임권택 감독이 그 제목을 「달빛 길어올리기」라고 명명했던 건 그런 까닭도 있었을 것이다.

영화에 대해 불만은 많지만, '한지는 마음을 뜨는 것'이라는 대사엔 동의한다. "지금이야 지장이라고 치켜세우지만, 옛날엔 그저 닥장이였지. 너무 힘들다 보니 옛날 조지서造紙署의 닥장이는 대개 노비였어." 하지만 그들은 몇 가지 원칙만큼은 철저하게 지켰다. 참닥을 쓰고, 황촉규로 닥풀을 만들고, 잿물로 삶고, 두들겨서 섬유를 풀어내고, 외발로 뜨는 것 따위가 그것이었다. "영화도 나오고 그러니까 대단한 줄 아는데, 사실 별거 아니야. 나야 가난하니 요령 피울 수가 없었지. 유일한 재산이 신용인데 화학약품 써서 겉만 번지르르한 종이를 만들어낼 순 없었지. 엉터리라는 게 알려지면 그날로 쪽박이었거든."

고달픈 흑피 제거 공정이나 종이를 희고 뽀얗게 표백하는 것이나 지통에서 닥섬유가 엉키지 않게 하는 것이나 화학약품만 쓰면 쉽게 해결된다. 잿물 대신 가성소다 넣고 푹 끓이고, 락스(차아염소산) 푼 물에 백닥을 담가두면 하얗게 표백된다. 닥풀 대신 팜을 쓰면 사시사철 물질을 할 수 있다. 그러면 비용도 10분의 1로 줄이고 생산량은 10배 늘릴 수 있다. 그러나 그 종이가 10년 혹은 20년이나 갈까? 그가 지소 이름을 굳이 '삼식'이라는 촌스런 이름을 고집하는 건 제 이름 뽐내려는 게 아니라 정직·양심·전통, 이 세 가지 가치에 충실한 천년 한지를 뜨겠다는 의지의 표시다.

정부는 2013년 4월 한지 품질표시제를 실시했다. 묵은 숙제였다. 한지의 생산자, 재료 원산지, 초지방법, 건조방법, 도침 종류 등 한지의 품질을 좌우하는 사항을 표기하도록 한 것이다. 외국에선 세계 최고의 목판본 무구정광대다라니경, 금속활자본 직지심체요절은 알고 있지만, 한지의 덕성은커녕 그 존재도 모른다. 휘덱스 인터내셔날 대표 김보경이 한지 전도사로 나선 까닭은 여기에 있다. 워싱턴의 세계의 수록지(손으로 만든 종이) 매장에 들렀는데, 중국·일본·타이 등 세계 거의 모든 나라의 종이가 있는데 한지는 없더란다.

"한지의 아름다움? 우린 그런 거 몰라. 숨 쉬는 종이, 살아 있는 종이, 천년을 가는 종이를 만들 뿐이지." 「달빛 길어올리기」엔 이런 홍보 장면이 나온다. '서방은 돌아오지 않는다. 호롱불 심지 타들어 간 것만 봐도 이미 한 식경은 넘었다. 눈은 침침하고, 씨줄 사이를 오가는 북이 길을 잃곤 한다. 여인의 긴 한숨이 창호에 어린다.' 밖에서 본 풍경이다. 하지만 한지는 양면 스크린이다. 안에서도 밖의 풍경은 잡힌다. '상현을 지난 달이 감나무 가지에 걸렸다. 흔들리는 감나무 가지 사이로 파초잎이 몸을 뒤척인다. 서늘한 바람이 문풍지를 흔든다. 여인의 마음도 함께 흔들린다. 여인과 달은 그렇게 창호를 사이에 두고 마음을 나눈다.' 그래도 아름다우냐고?

아들아,
토종엔 이 땅의 영혼이 있단다

5월 마르셰 토종씨앗 나눔 행사엔 79종의 씨앗이 꼬마봉투 1,231개에 담겨 있었다. 김혜영 농부가 '어깨가 뻐근하고 검지가 아리고 눈이 침침하도록' 일일이 봉투를 접고 씨앗을 담아 가져온 것이었다. 꼬마단수수, 몽당수수, 까치수수, 점쟁이동부, 야생동부, 흰동부, 검은동부, 갓끈동부, 어금니동부, 개발동부, 그리고 단두, 강낭콩, 작두콩, 메주콩, 서리태, 땅콩, 팥, 옥수수, 기장, 조, 수수, 호박, 박, 여주, 아욱……. 6, 7월에 심을 작물들이었다.

씨앗을 나누는 날 그는 토종 찹쌀에 토종 팥고물을 얹은 시루떡과 토종 장콩고물을 묻힌 인절미도 가져왔다. 집에서 손수 프라이팬으로 볶고 껍질을 벗긴 뒤 곱게 갈아 만든 것이었다. 참가자들은 빈손, 맨입으로 와 떡도 먹고 씨앗도 받고 파종 요령도 배워 갔다. 그의 바람은 하나.

"봉투에 담긴 토종 씨앗이 널리 널리 퍼졌으면 하는 소망입니다. 시집 보낸 씨앗들이 자라는 사진을 이곳에 올려주시면 행복할 것입니다." 선의와 헌신, 겸손과 신뢰, 사랑과 아름다움 등 따듯한 말들이 떠올랐다.

7월에도 씨앗나눔이 있었다. 씨앗 봉투 앞에는 산지와 채종한 농부 이름이 적혀 있었다. 완두 · 고양 맹추네농장, 재래중파 삼층거리파 · 청주 홍진희, 쌀귀리 · 호밀 · 시흥 강종은, 쪽파 · 시금치 장흥 김혜련……. 김장거리와 늦가을 뿌려 내년에 거둘 씨앗들이었다. "몬산토 씨를 구매하면 서약해야 하는 게 있습니다. '채종하지 않는다, 거둔 씨를 나누지 않는다.' 이 자리에서도 서약할 게 있습니다. '반드시 채종하고, 씨앗은 반드시 나누고, 팔지 않는다.' 이건 제 사부님의 선언이기도 합니다."

'사부'라니? 전라남도 장흥군 용산면 운주마을 약다산 기슭으로 이 영동 농부를 찾아간 것은 순전히 그 때문이었다. 김혜영 씨에게는 "초중고교를 통틀어 진심에서 우러나 스승으로 받들고 싶은 유일한 사람"이었다. 농장은 작고 볼품없었다. 슬레이트 지붕의 작은 살림집, 스무 이랑 정도의 텃밭, 창고 겸 그늘막, 비닐하우스, 다시 텃밭, 그리고 집과 밭을 에워싼 논 2,000여 평. 그저 작은 체구의 깡마르고 검게 그을린 이 땅의 농부였고, 가난한 농가였다.

탁자엔 술빵, 고추, 상추, 더덕, 장아찌, 멸치젓과 1되짜리 막걸리 1병이 있었다. "이건 앉은뱅이밀로 빚은 술빵. 학교 갔다 오면 어머니가 주시곤 했죠. 밑에 깐 양하잎은 어머니의 필수품이었고, 맵긴 하지만 달달한 붕어초와 수비초, 청치마상추는 어머니의 밥상에 빠지지 않던 것이고 상추쌈을 멸치젓으로 싸는 것도 어머니가……." 말끝마다 어머니의 기억과 맛이 따라 나왔다.

'저기 앞 고랑부터…….' 붕어초, 수비초, 사근초, 청치마상추, 조선가지, 그 너머에 흰고구마, 물고구마, 토종 당근, 그리고 양하……. 청치마

상추는 당당한 풍채가 근위병 닮았다. 잎도 넓고 향기 · 맛 · 식감도 좋고 장마도 잘 견디고, 숙면을 유도하고 스트레스와 암을 이기는 성분(시니그린, 락투신)도 있지만, 지금은 사라지고 있다. 한입에 쏙 들어가야 하는데 잎이 너무 크다는 게 상업농이 기피하는 이유다. 어머니가 쪄서 나물로 무치거나 배고플 때 날것 그대로 먹던 조선가지는 개량종과 달리 껍질이 얇고 부드러워 날것으로 먹어도 맛있다. 토종 물고구마는 찌면 솥바닥에 꿀이 진득하게 눌어붙을 정도로 달다. 저장도 쉬워 방구석 수숫대로 엮은 울에 넣어두면 봄까지 먹을 수 있는 데다 수분도 많아 이영동 가족의 주식이었다. 꽃이 핀 토종 당근은 어른 키보다 더 컸다. 어머니는 장독대 옆에 양하를 심어두고, 된장국 끓일 때나 빵을 찔 때, 떡이나 밥을 쌀 때 썼다. 보신탕이나 염소탕에 넣으면 노린내를 없애준다.

그의 텃밭에서 자라는 것은 어느 것 하나 어머니의 맛과 기억이 아닌 것이 없었다. "언제나/ 엄니 손 곁엔/ 씨앗들이 있었고/ 봄이 되면 씨앗들은/ 울 엄니 희망이었네/ 가을엔 수확의 기쁨/ 또는 한숨이었네/ 그리고 씨앗에는/ 우리들의 명이/ 달려 있었네"(이영동, 「엄니의 보물」).

비닐하우스는 채종용으로 쓴다. 콩 · 조 · 기장 · 수수 · 보리 · 밀 · 옥수수 · 율무 · 깨 · 벼 · 토마토 등이 종류별로 한두 포기씩 자란다. 비닐하우스 너머 텃밭엔 앉은뱅이강낭콩, 남도장콩, 금두, 노랑준줄리, 그리고 꼬투리째 삶아 먹는 태두가 있고, 검은땅콩, 토종 땅콩도 자란다. 토종 땅콩은 알이 작아 콩나물용으로 쓰인다. 5월이면 어머니가 모래밭에 심고 시루를 엎어 놓은 뒤 사나흘 물만 주면 콩나물이 되어 나물도 국도 되었다. 참외도 개똥참외, 개구리참외, 쇠뿔참외, 호박참외, 수통참외, 깐치참외, 사과참외 등 열 종류 가까이 자란다.

그늘막 한켠은 작은 창고. 선반과 두 대의 냉장고가 있다. 씨앗 보관

소다. 벽면 하나를 가득 채운 선반엔 이듬해 심거나 나누게 될 것들이 보관돼 있고, 큰 냉장고는 1차 예비용 씨앗, 그리고 작은 냉장고는 2차 예비용 씨앗 저장고다. 크고 작은 병에는 28개 작물 150여 종 씨앗이 담겨 있다. 벼가 35종, 콩이 58종, 팥이 13종, 조가 7종, 기장 4종, 수수 9종, 열무 3종, 보리가 5종, 밀이 2종, 들깨가 5종, 참외가 10종, 호박이 3종, 박이 5종 그리고 오이·가지·무·배추·갓·부추·상추·마늘·시금치·쑥갓·파·생강·마늘……. 2013년 전남농업기술원은 이곳에서 원예작물 22점, 동부 등 두류 58점, 깨 등 특용작물 8점, 벼 등 식량작물 33점 등 총 28작목 121점을 받아갔다.

농부는 장흥에서 6남매 가운데 셋째로 태어났다. 집안에선 유일하게 초등학교를 나왔기에 지독하게 가난했던 부모님은 그에 대한 기대가 컸다. 그러나 객지로 나가고 불과 6개월 만에 집으로 돌아왔다. 고구마·감자·옥수수·개떡·밀죽 등 어머니의 맛이 그리웠기 때문이었다. 하지만 귀가하고 얼마 되지 않아 어머니는 씨앗 17가지만 남기고 돌아가셨다. 이영동은 경황 중에 그 씨앗마저 잃어버렸다.

"어부는 혹돔 비늘 한 장 보고 백리를 가고, 농부는 씨앗 한 립 보고 천리를 간다"(김혜영 농부)라고 했던가. 그는 농사짓는 틈틈이 강진·보성·영암·해남 등 남도지방을 돌아다니며 어머니의 씨앗을 찾아다녔다. 장터에서 콩 너덧 개 들고 나오다가 면박을 당하기도 했고, 강원도에선 농가를 기웃거리다가 간첩으로 신고를 당하기도 했다. 이제는 그를 아는 이들이 씨앗을 보내오고, 그의 씨앗을 받아 간다. 이제 그는 논과 밭에서 자연적으로 생기는 교잡종을 선택해 안정화시키는 데 많은 공을 들인다. 한때 세상을 놀라게 했던 적토미나 반달미도 그렇게 탄생했다.

토종이란 특정 지역에서 수십 수백 년에 걸쳐 생긴 변이종 가운데 농부가 선택하고 안정화시켜 얻은 종자다. 토종의 이름이 그야말로 토종스러운 것은 그 때문이다. 조만 해도 중머리처럼 반질반질하다고 중조, 개발을 닮았다고 개발조, 노란색이라고 황금조, 은색이라고 은차조, 청색이라고 청차조, 북실을 닮았다고 북실조. 선비가 그 맛에 반해 과거시험을 포기했다는 남도선비잡이콩, 쥐눈을 닮았다고 조생속청쥐눈이콩, 다산쥐눈이콩, 속노랑쥐눈이콩, 우산쥐눈이콩, 키가 작다고 앉은뱅이강낭콩, 앉은뱅이밀이다. 깨는 색깔에 따라 흰깨·검은깨·누렁깨·청목깨·붉은깨·네줄박이깨 등이 있고, 참외는 모양에 따라 개똥참외·개구리참외·깐치참외·쇠뿔참외·호박참외·사과참외·양생꽈리참외 따위가 있다.

누대에 걸친 안정화 과정에서 씨앗은 지역의 풍토와 기후에 적응한다. 병충해에 강하고, 잡초에 맞서는 장악력이 세고, 가뭄 등 기후변화에 잘 견디는 건 그 때문이다. 토종벼가 까락이 길고 잎이 뾰족하며 자연색을 띠는 건 동물들로부터 저를 보호하려는 것이고, 토종콩이 무광택에 넝쿨 지는 건 새나 잡초로부터 저를 보호하려는 것이고, 토종밀이나 토종보리가 키가 작은 건 바람에 쓰러지지 않기 위해서다.

물론 상품성만 강화한 개량 품종에 비해 소출은 적다. 그러나 곡물의 경우 낱알이 무겁기 때문에 무게로 재면 신품종에 결코 뒤지지 않는다. 앉은뱅이밀은 단위당 수확량이 개량종 금강밀에 비해 소출이 10~20퍼센트 적지만, 앉은뱅이밀은 속껍질이 얇아 제분하면 밀가루 양이 많다. 제분율 60퍼센트인 금강밀에 비해 앉은뱅이밀은 70퍼센트에 이른다.

맛? "개량종 밀가루는 맛대가리가 없지요. 알이 굵고 속껍질이 두껍고 여물면 보리처럼 딱딱합니다. 토종밀은 알이 잘고 속껍질이 얇고 속이 물러서 갈기도 좋을뿐더러 밀가루가 포실포실하고 부드러워 맛이 비교가 안 되지요." 그러나 소출이 적고 돈이 되지 않는 것으로 간주돼 토종밀은 99퍼센트 사라졌다.

도시든 농촌이든 돈 안 되는 일을 하면, 존경이 아니라 손가락질을 받는 게 요즘 풍토. 이영동 농부가 꼭 그런 경우였다. 애써 채종한 씨앗들을 '면민의 날'에 가져가 나누려고 하면 사람들은 오히려 외면하고 빈정거렸다고 한다. 그런 걸 어디다 심으라고? 그렇게 주목받고 싶은가? 그러거나 말거나 그는 사람들 모인 곳이면 찾아가 씨앗을 나눠줬다. 이제는 많이 바뀌었다. 도나 군의 농업기술센터에서 박사들이 찾아오고, 동네 사람들도 이것저것 부탁을 하러 온다.

그렇게 되기까지엔 육종가로서 그의 인내심과 성실성이 주효했다. 지난 2005년 경기도 성남 농협유통센터에서는 적토미 80킬로그램이 200만 원에 낙찰돼 화제가 됐다. 일본산이라느니 따위의 시비가 일기도 했지만, 그건 그가 토종 볍씨를 30년 동안 재배하면서 발견하고 안정화시킨 변이종 적토미였다. "다마금과 흑미를 함께 재배하다 보니 자연교잡으로 생긴 돌연변이종이 아닌가 싶어요." 그가 안정화시켜 얻은 새로운 종자는 이 밖에도 여럿 있다. 반달미도 그중 하나다. 반쪽은 빨갛고 다른 반쪽은 검다. 약성뿐 아니라 향기도 좋다.

언젠가 그가 회장으로 있는 남도토종자원보존연구회 회원들이 토종씨앗 유료화를 놓고 열띤 토론을 벌였다. 제안한 쪽은 "그래야 귀한 줄 알고 제대로 키운다"라는 것이었다. 사실 씨앗을 받아가고는 제대로 심어 채종하고 또 나누는 이는 드물었다. 격론이 계속됐다. 회장의 의견을 듣기로 했다. "씨앗은 내가 받았어도 내가 만든 게 아니다. 조상이 물려주고 땅과 하늘이 길러준 것이다. 팔아선 안 된다." 그럼에도 논란이 계속되자 "내가 죽은 뒤 그렇게 하시든가……." 다들 입을 다물었다.

어머니는 말씀하시곤 하셨다. "얘야 이걸 보렴. 이 작은 씨앗엔 선조들의 영혼이 있지. 피와 땀과 눈물과 지혜가 있다. 이 씨앗은 바로 너의 영혼이란다." 그런 영혼이 하나둘 사라져 이제는 찾아보기 힘들다. 소출이 많고 당장 돈이 되는 것만 찾는 사람만 탓할 순 없다. 국가는 괜히 있는가. 누군가는 말했다. "토착민 한 사람의 죽음은 박물관 하나가 사라지는 것과 같다"라고. 아니다. 박물관이 아니라 이 땅의 영혼이 사라지는 것이다.

김혜영 농부가 밥을 내왔다. 흑미, 적미, 녹미, 현미(황), 백미에 선비잡이콩, 선비콩, 동부를 얹어 지었다. 밥은 차지고 고소하고 구수했다. 이 땅의 영혼이 그런 맛일까? 오래된 어머니의 향기가 배어나왔다.

고흐가 가다 만,
황재형의 길

"내가 비싼 구두나 정장을 원한다면 그들의 무관심이 나를 괴롭히겠지만, 나는 나막신을 신고서도 어떻게든 살아갈 것입니다." 노동을 추하게 여긴 당대 미술계의 무관심을 오히려 경멸하며 밀레가 한 말. 이 말을 빌려 고흐는 동생 테오에게 자신의 각오를 전했다. 그는 바르비종의 일하는 농부들의 삶에 천착한 밀레의 뒤를 따르려 했다. "나는 계속 가난할 것이며, 화가일 것이고, 인간이고 또 자연 속에 살 거야. 자연에서 떠난 인간은 소유욕으로 가득 차고, 자신이 원하는 것과는 정반대의 인간이 되고 말지." 이 편지를 쓸 즈음 그는 초기작 「감자 먹는 사람들」을 완성했다. 다음은 고흐의 설명. "오늘 저녁 오두막에 오니 그루트 가족이 둘러앉아 저녁으로 감자를 먹고 있었어. 그들이 감자를 집어 든 손은 바로, 땅을 파서 감자를 심고 수확했던 그 손이야. 나는 그들이 얼마나 정직하게 한 끼의 식사를 일궜는지 말하고 싶었던 거야."

황재형黃在亨을 화가의 길로 이끈 것은 고흐였다. 특히 「감자 먹는 사람들」은 깊은 인상을 남겼다. 황재형이 대학 시절 야학으로 공장으로, 나중엔 광산으로 뛰어든 것은 그런 고흐의 영향이 컸다. 변혁에의 열정도 컸지만, 인간의 조건과 삶의 진실을 찾으려는 열망이 더 컸다. 2~3개월씩 광산촌을 드나들던 중 1980년 황지탄광에서 갱도 매몰 사고로 사망한 광부 김봉춘의 작업복과 조우한다. 명찰 '황지 330'으로 존재하던 주인은 갔고, 해어지고 주름진 작업복만이 그의 삶과 죽음을 증언하고 있었다. 그를 중앙무대에 등단시킨 「황지 330」은 그렇게 탄생했지만, 더 중요한 것은 그가 소재주의를 철저하게 청산하는 계기가 되었다는 것이다. 그는 관찰자의 시선을 벗어버리기로 했다. 1982년 9월 가족과 함께 서울을 떠났다.

고흐는 스물여섯에 기독교 복음주의의 열정에 휩싸여 벨기에 탄광촌 보리나주에서 전도사로 활동한다. 일주일에도 대여섯 사람씩 죽어나가는 그곳에서, 갱도에만 들어가지 않았지, 광부들과 함께 그들과 다름없는 생활을 했다. 가진 것은 병들고 다친 이들에게 나눠줬다. "우리가 살아가야 할 이유를 알게 되는 건 …… 다른 사람들과 더불어 살아가면서 사랑을 느낄 때지. …… 이 사랑이 시작될 때 내 존재를 주저 없이 내던지지 않으면 인생에 아무런 승산도 없을 거야." "자연은 위대하고 고귀하고 진실되지. 인간은 자연 앞에서 평온과 인내를 잃지 말고 힘써 일해야 돼."

강원도에 광산은 무수했다. '어디로 갈거나.' 강릉시외버스터미널 인근 식당에서 고민하고 있을 때였다. 옆 식탁에서 쫄딱구덩이(광부 몇몇이서 개발한 탄갱. 영세한 탓에 사고율이 매우 높다)를 놓고 업자들이 흥정하고 있었다. 생산량은 얼마고 수익은 얼마인지 따지던 그들이 1년에 몇 명이 산재를 당하는지를 놓고 밀고 당겼다. 6명? 12명? 가격은 산재 숫자에 따라 달라졌다. 연간 최소 여섯에서 많게는 열두 명을 탄더미에 묻어버리는 그런 탄광을 놓고 침 튀기며 이문을 따지고 있었던 것이다. 갈 곳은 정해졌다.

그래서 터를 잡은 곳이 태백이다. 올해로 벌써 한 세대를 훌쩍 넘겼다. 그사이 그는 한 번도 그곳을 떠나지 않았다. 1991년 서울 가나아트에서 열린 첫 전시회를 『한겨레』는 '탄광촌에서 산업화의 모순을 캔다'라는 제목 아래 소개했다. 16년 뒤 다시 전시회를 열었을 때 그는 탄광화가, 광부 화가가 되어 있었다. 그렇게 불려도 되나 싶었지만, 무어라 부른들 어떠랴. 저야 어떤 막장에서든 그가 갈망하던 진실을 캐면 될 일. 2010년 전시회를 소개하는 기사의 첫 문장은 이랬다. '탄광의 화가 돌아왔다.'

"인물화나 풍경화에서 내가 표현하고 싶은 것은 표피적인 감상이 아니라 뿌리 깊은 고뇌야. 내 그림을 본 사람들이, 이 화가는 깊이 고뇌하고 있다고, 정말 격렬하게 고뇌하고 있다고 말할 정도의 경지에 이르고 싶어"(1882. 7). 고흐는 단지 농부 화가가 아니라 일하는 이들의 고통과 절망과 꿈을 드러내고 싶었다. "다른 화가들은 얼굴을 찌푸리지만 늙고 가난한 사람들은 얼마나 아름다운지, 그들을 묘사하기에 적합한 말을 찾을 수가 없구나"(1883. 3). 고흐는 단지 농부 화가가 아니라 농부를 통해 삶의 진실, 노동의 경건함을 표현하고 싶었다. "예술은 사람의 손에서 나오지만 그저 손으로만 빚어지는 것이 아니라 인간의 영혼이란 깊은 샘에서 솟는 것이지."

황재형에게 탄광은 단지 거친 노동과 지독한 가난, 그리고 절망과 좌절을 표상하는 곳이 아니었다. 그가 갱도 끝까지 가서 캐려 했던 것은 고호와 마찬가지로 삶의 진실, 노동의 경건함이었다. 갱도는 자본이 이윤을 극대화하려는 욕망의 막장이었고, 노동자가 단번에 목돈을 만질 수 있다고 믿었던 욕망의 막차였다. 권력과 결탁한 자본의 횡포가 극심했고, 더는 갈 곳 없는 사람들의 절망이 갱도의 깊이와 비례해 깊어지는 곳이었다. 부와 가난, 욕망과 절망, 억압과 저항이 뒤엉켜 있다보니, 인간성의 파괴는 극단까지 치달았다.

하지만 그것만이 아니다. 거기에서도 꽃은 핀다. "막장의 광부는 서로의 헤드랜턴 불빛에 의존해 식사를 한다. 그곳에서 석탄가루 섞인 도시락을 허겁지겁 먹으며 죽지 못해 사는 것은 고역이자 굴욕이다. 하지만 그들은 그것을 수모로 갚지 않고, 온몸으로 감내하며, 서로에게 위로가 되고 의지가 되려 한다. 막장에선 삶의 마지막 희망이 별처럼 빛난다."

하긴 세상에 막장이 어디 거기뿐일까. 인간과 생명을 상품화하는 곳, 도박과 투기가 노동을 조롱하고 멸시하는 곳이 바로 막장 아닌가. "인간이 소외되고 돈이 인간을 지배하는 곳, 소비사회의 욕망이 노동을 천대하고, 사람들을 한탕의 도박과 투기로 내모는 곳, 생명마저 상품이 되는 곳은 모두 막장이다." 그렇다면, 막다른 곳에서 죽음이 반쯤 섞인 밥(「도시락2」)을 먹으며, 서로 기대고 위로하며 함께 일어서려는 탄광의 막장만큼 삶이 뜨겁게 숨 쉬는 곳이 어디 있을까. 탄가루 범벅에 온갖 삶의 찌꺼기와 똥물까지 섞여 흐르는 사북 탄천에 지는 핏빛 노을(「탄천의 노을」)은 세상의 그 무엇보다 슬프면서도 아름다웠다.

안경 낀 사람은 갱에 들어갈 수 없다. 심각한 근시였던 그는 콘택트렌즈로 위장하고 취업했다. 집에 올 때까지 렌즈를 뺄 수 없었다. 결국 안구와 렌즈 사이에 낀 탄가루 때문에 극심한 결막염을 앓았다. 시력을 상실할 정도였다. 3년 만에 곡괭이와 삽을 놓았다. 먹고살 일이 막막했지만, 그보다 노동도 못하며 그곳에 있는 것이 부끄러웠다. 그림 그리는 것이 사치스러워 붓을 던지곤 했다. 그럴 때마다 그를 응원해 준 이들은 함께 햇돼지 잡고, 탄가루 밥을 먹었던 동료들이었다. 저희보다 더 못사는 그의 빈 독에 쌀을 채워주고, 찬이나 옷가지를 슬그머니 놓고 가기도 했다.

그곳에선 장애 어린이들이 대수롭지 않게 버려지고 있었다. 부부는 그 아이들을 거두어 돌보고 가르쳤다. 그리고 그림을 그렸다. 그는 태백의 요주의 인물이 되었다.

「황지 330」의 각오가, 다 타버린 연탄재처럼 설 자리가 없는 늙은 광부(「아버지의 자리」)로 올곧게 이어진 것은 그런 믿음과 연대 덕분이었다. 매몰 광부 '330번'의 낡고 해진 작업복의 깊은 주름, 다 타버린 연탄재처럼 이제 설 자리가 없는 늙은 광부의 깊게 패인 주름, 통리 혹은 삼수령에서 본 백두대간의 꿈틀거리는 능선과 깊게 패인 골짜기는 서로 다르지 않았다. 주름은 삶의 대간이었고, 대간은 대지의 주름이었다. 월급날 줄 서 있는 아낙들의 설렘(「월급날」), 비탈 위 판잣집의 한없는 가벼움(「삶의 무게」), 질주하는 병원차와 요동치는 어둠(「앰뷸런스」), 담장 밑 달리아와 접시꽃의 희미한 희망, 갱도 속에서 헤드랜턴으로 서로의 도시락을 비쳐주는 막장의 연대, 늘어선 루어(가짜 미끼 낚시)의 반짝이며 유혹하는 눈빛과 숨죽인 선탄부 아낙의 슬픈 눈(「메탈지그와 선탄부」) 등은 그가 막장에서 캐낸 삶의 원석들이었다.

열정이 충만할 때 고흐는 말했다. "텅 빈 캔버스와 마찬가지로 우리 삶은 무한하게 비어 있는 여백. …… 삶이 아무리 공허해 보여도, 확신과 열정을 가진 사람은 진리를 알기에 쉽게 물러서지 않는다. 온갖 난관에 맞서 일을 하며, 저항하며 앞으로 나아간다." 그러나 고흐는 말년에 이렇게 절규했다. "다시 한 번 말하지만, 지금 바로 나를 정신병원에 가둬버리든가, 아니면 그림만 그릴 수 있게 내버려다오. 제발…….”

황재형에게도 죽고 싶을 정도로 절망스러울 때가 있었다. 그러나 그의 옆에는 그의 삶을 더 사랑하고 믿었던 아내, 피할 수 없는 막장을 부둥켜안고 살던 동료들이 있었다. ‘고흐처럼 주저앉지 말자!’ “제 안에 갇혀 저의 꿈을 파다가 지쳐 쓰러지지는 않으리라”는 그의 다짐은 덕분에 이뤄질 수 있었다. 그를 탄광의 막장으로까지 이끌었던 고흐였지만, 그는 결국 주위의 냉대와 무관심과 불통에 무너졌다. 그러나 황재형은 건재하다. 삶의 진실과 인간의 진정성이 핏빛 노을처럼 검은 산을 물들이고, 별들이 막장을 빛내고 있다는 믿음을 버리지 않는다.

고흐는 세상과 불화하고, 불안과 절망의 심연에 빠져들면서 자화상에 집착했다. 그는 자폐의 공간에서 세상을 경멸하거나 자학했다. 그곳의 빛과 형태는 모두 소용돌이친다. 화력 30년이 훨씬 넘었지만 황재형은 아직 저를 주제로 삼을 수 없다. “그림 그린다는 것, 남의 슬픔 위에 내 기쁨을 건설한다는 것, 그리고 그것을 팔아서 먹고사는 것, 얼마나 부끄러운 일인가. 내가 자화상을 그린다면 그림 속 나는 아마 괴물이거나, 경멸하는 시선으로 그림 밖의 나를 째려보고 있을 것이다.” 오히려 그는 치열하게 살아온 사람들, 그들의 삶과 고뇌를 제대로 다 드러내지 못한 것이 부끄럽다. 아직 그에겐 빚이 많다. 광부들이 마음 졸이며 지나갔다가 안도 속에서 돌아오는 쌍굴다리를 마저 그리지 못했고, 일하는 이들의 강인한 생명력을 담으려 했던 「태백에서 동해로」는 22년째 보완 중이고, 한 큐레이터의 눈물샘을 터뜨린 「아버지의 눈물」은 이제야 겨우 작업을 마쳤지만, 그 맞은편엔 아직도 한 아낙이 완성을 기다리고 있다.

“모든 것은 꿈에서 시작된다. 꿈 없이 가능한 일은 없다. 오랫동안 꿈을 그리는 사람은 마침내 그 꿈을 닮아간다.” 앙드레 말로André Malraux

는 공화제의 이상을 실천하기 위해 스페인 내전에 참전했다. 황재형은 20대 때 꾸었던 꿈을 여지껏 살며 그린다. 검은 산, 검은 물, 검은 이들의 이마에 빛나는 핏빛 노을, 아낙의 초조한 기다림과 늙은 아비의 눈물, 백두대간의 약동하는 생명력……. 그 꿈이 온전하게 화폭에 담기는 날 그는 그림 속에 스며 있을 것이다.

누구는 묻는다. 이제 태백은 더 이상 우리 시대의 막장은 아니지 않느냐고. 그는 이렇게 되묻는다. 욕망이 사람을 질식시키고, 도박이 노동을 죽이고, 거짓이 진실을 은폐하는 곳, 그곳이 바로 막장 아니냐고. 태백에서 지척인 사북은 지금 도박의 불야성으로 바뀌었다.

아,
이렇게 좋을 수가……

깊기도 하지, 어떻게 찾아왔을까? 온통 산뿐인 강원도 평창, 대한민국에서 가장 깊고 험하다는 오대천 협곡. 저편엔 두타산, 이편엔 백석산과 가리왕산, 그 골짜기 어디쯤의 하오개, 그곳에 왜 몸을 의탁했을까.

2006년 대홍수 이후 마랑치교에서 올라오는 하오개길이 생겼지만, 이전엔 오대천 수항리 수항관광지에서 마랑골로 들어와 당목이재를 넘고, 작은 하오개고개 하나를 더 넘어야 하오개마을이었다. 오르막에선 뒤로 나자빠질 듯하고 내리막에선 앞으로 고꾸라질 듯한 고갯길 10여 리를 넘고 또 넘어야 했다. 하오개길 역시 숲에 덮여 있고, 계곡에 잠겨 그 흔적을 잃어버리기 일쑤다.

사륜구동차로 겨우겨우 길의 흔적을 찾아 20여 분 올라가면서 의문은 조금씩 사라진다. 갑자기 너른 개활지가 나오고 고랭지 무가 시퍼런 바다를 이루는 비탈밭이 펼쳐지는 까닭이다. 그러나 여기서도 고개 하나를 더 넘어야 하오개 그림터가 나온다. 오죽 비탈이 심했으면 하오개(한 고개, 큰 고개)였을까. 그 고개 너머다. 세상과 아예 담을 쌓고 살다가 슬며시 세상을 뜨리라 작정하기 전에는 들어앉을 용기가 나지 않는다.

그러나 권용택權容澤 화백이 예까지 들어온 이유는 그렇게 특별하지 않다. 16년 전 어느 날, 진부에 왔다가 하오개란 오지가 있다는 이야기를 듣고 당목이재를 넘었다. 하오개에 이르니 작은 고개 너머에 또 사람 사는 곳이 있다길래 내친김에 그 고개마저 넘었다. 그곳엔 단 두 가구만 웅크리고 있었다. 그래서 누군가 버리고 간 집에 짐을 풀었다.

"저게 촛대승마입니다. 우리 마을 꽃이죠. 이건 신성일이 나온 영화 있죠, 「야관문」이라고, 이름이 같아요. 원이름은 비수리고요. 저건 한약상들이 정신없이 좋아하는 호장근이고요. 이건 연 다음으로 잎사귀가 큰 병풍나물, 아, 그건 일본 사람들이 하나부사라고 부르고 학명도 그렇게 돼 있는 금강초롱입니다. 우리 토종인데, 일본이 가져갔죠. 혜문스님이랑 학명 되찾기 운동이라도 하자고 했는데, 관에선 귀를 안 기울였어요. 이건 진부애기나리인데, 다행히 우리 이름 그대로 불립니다. 저 멀대처럼 긴 풀이 산꿩의다리인데, 꿩의다리 종류만 5종이 있죠. 금꿩의다리, 긴꿩의다리, 좀꿩의다리……." 혼란스럽다. 저 양반, 스물여섯(1979년)에 프랑스 르살롱전에서 금상을 수상한 권용택 화백 맞나? 초입에 펼쳐진 루드베키아 꽃밭에서, 부부의 특별한 취향과 안목과 살림을 예감했어야 했다.

눈치를 챘나 보다. "나는 초보죠. 이 야생화들은 제 처(이향재 화가)가 관리합니다. 처는 음지에서 자라는 것들, 양지에서 자라는 것들, 적당한 그늘이 필요한 것들, 습지에서 자라는 것들을 나눠 각자에게 필요한 자리를 만들어주었죠." 볕바른 곳에 층층나무, 벌나무 등이 자란다. 그 그늘 아래서 반양지 풀들이 자라도록 식재한 것이다. 두메양귀비, 청강초롱, 좀동자, 할미꽃, 바늘꽃, 뻐꾹나리, 냉초, 물매화, 협죽도, 장구채, 잔대, 곤드레, 참좁쌀풀, 마타리, 둥근이질풀, 하늘말나리, 개불알꽃, 우산나물, 삼지구엽초, 민박쥐나물, 구슬공이, 백리향……. "저걸 곰취로 알고 먹었다가는 경을 칩니다. 저건 독성이 강한 동의나물입니다." 부부가 관리하는 야생초 밭은 1,000여 평, 그곳에서 자라는 야생화는 400여 종. 잠자코 뒤따르다가는 언제 설명이 끝날지 모를 일이다.

그는 그날도 마을 지도자 교육에 갔다 왔다. '진부면 리더' 24명을 상대로 한 지역 역량강화교육이었다. 2000년 초 떠밀리다시피 진부면 화의리 이장이 된 뒤 그에게는 이런 일복이 터졌다. 나이 오십 줄에 말이 필요 없는 곳에서 창작에 전념하겠다고 산 넘고 물 건너고, 또 고개 넘고 또 넘어온 하오개였는데…….

대학 졸업 뒤 경기도 수원에 터 잡고, 서정적 자연주의에서 출발해 극사실주의를 거쳐 초현실주의까지 자신의 표현 양식을 찾기에 몰두했다. 그런 그에게 1987년은 삶과 창작에 일대 전기였다. 뿌리 없는 미술을 떠나 현실의 모순을 있는 그대로 드러내고 타개하려는 의지를 화폭에 담기 시작했다. 민예총이나 민족미술인협의회는 물론 시민광장, 한마당 등 시민환경단체의 지역 대표로 사회운동의 앞줄에 섰다. 수원에서 시위 대열의 맨 앞에는 노상 플래카드를 든 그가 있었다. 1997년 수원인권영화제 집행위원장이었던 그는 사전심의를 받지 않은 제주 4·3항쟁 다큐멘터리 등을 상영했다. 수배자 신세가 됐고, 주변에선 잠시 피해 있으라고 했다. 이곳저곳을 다니다가 하오개마을에 이르렀다. 그저 깊은 것이 마음에 들었다. 이듬해 지금의 하오개 그림터 옆 낡은 농가와 주변 땅을 단돈 5만 원에 계약하고, 2000년 아예 이곳으로 옮왔다.

그렇게 왔지만 부탁을 마다하지 못하고, 눈앞의 일을 보고는 지나치지 못하는 성미가 탈이었다. 큰 하오개, 작은 하오개, 마랑골 등 화의리 20여 가구, 40여 명 남짓 주민은 이 외진 곳에 찾아온 이가 궁금했다. 그림 그린다는 사람이 어찌 이런 곳까지 왔담? 당목이재 넘어, 작은 하오개 넘어 슬금슬금 찾아와 헛기침을 하고, 문을 열어보고는 했다.

사람이 반가운 그 역시 그런 주민들이 좋았다. 반갑게 맞는 것은 물론 마을의 대소사에 열심히 참여했다. 그렇게 통하기 시작해, 겨울이면 무쏘 승용차에 제설기를 달고 당목이재, 작은 하오개 등 마을길 제설작업을 했다. 봄이면 무너진 축대 다시 쌓고, 여름 지나면 범람한 계곡 망가진 도로를 정비하는 데 앞장섰다. 하오개를 오르는 도로변을 꽃단장한 것도 그였다. 그림을 제쳐두고, 늦게 합류했으니 그만큼 더 열심히 마을에 봉사해야 한다는 생각뿐이었다.

그렇게 살다보니 소소한 문제들이 보이기 시작했다. 이 작은 마을에도 권력 관계가 형성돼 있고, 마을의 권력자들이 멋대로 예산을 농단하고 있었다. 권력의 잘못에는 가만히 있질 못하는 성미가 산중이라고 사라질 리 없었다. 정중하지만 확실하게 문제를 제기했다. 몇 차례 그런 일을 하면서 10년쯤 살다보니 노인회장 등 마을 어른들이 이장직을 강권했다. 그로부터 4년, 그의 오지랖은 진부면과 평창군으로까지 넓어졌다. 올해 초 간곡히 고사해 이장직을 놓았지만 평창군의 빼놓을 수 없는 일꾼이 되었다.

전국적으로 알려진 평창송어축제가 출범하던 2010년, 그는 축제의 조형물이나 상징물 도안을 맡았다. 올해는 홍보국장으로 활약(?)했다. 이 지역 화가들을 설득해 평창미술인협회를 결성했다. 평창 다문화가족이나 지역 어른들을 상대로 한 미술아카데미를 열기도 했다. 일부 전업화가들로 '평창 사람들'을 꾸려, 평창의 자연과 사람, 그리고 역사와 설화 등을 화폭에 담아내는 '평창이야기전'을 1년에 두 차례씩 열고 있다. 문화적 기반 확충을 위해 평창문화재단을 설립했다.

역시 화가인 부인(이혜영 화백)과 함께 낙후지역 마을 벽화 그리기 작업도 했다. 전체 디자인과 캐릭터를 부부가 설계하고, 아카데미 제자들이 그 위에 그림을 그리고, 다시 부부가 손을 봐서 완성했다. 열흘간 매달려 그린 벽화는 총연장 200미터에 이르렀다. 이제는 하다못해 군에서 발행하는 월간 소식지의 군민기자단 회장까지 맡았다.

물론 모든 활동의 출발점은 화의리 하오개마을이다. 이장은 그만뒀지만 봄철 백석산 등산과 산나물 채취, 5월 어버이날 여행, 6월의 마을 천렵 등 부부의 손길이 닿지 않는 곳이 없다. 행사가 있으면 사진도 찍고 사연도 기록해 온라인에 올린다. 그러다 보니 권용택 이장 블로그는 언제나 화의리 소식 천지다.

마을 일 외에 하오개에서 그의 눈에 들어온 것은 청석이었다. 수천만 년 전 이곳은 수천 미터 바닷속이었다고 한다. 급격한 지각운동으로 백두대간이 형성되었고, 바닷속 엄청난 압력에 눌렸던 돌이 지표면에 드러나면서 널판처럼 일정한 간격으로 균열이 생겼다. 균열을 따라 떨어져 나온 청석은 지금도 깊은 바닷물속을 기억하는지 짙푸르다. 그 빛깔과 주름에 마음이 끌린 그는 하나둘 모아 곁에 두었다. 눈을 씻고 찾아봐도 바람 말고 찾는 이 없는 그곳에서 청석은 그의 곁을 지키는 벗이 되었다. 산과 들꽃과 물을 사랑하는 그가 하오개를 만난 것이 필연이었다면, 본시 말이 없는 그와 청석의 만남은 운명과도 같았다.

그렇게 두고 있자니 대여섯 달이 지나자 청석은 슬그머니 그에게 이야기를 하기 시작했다. 바위틈에 피어난 하늘빛 동강할미꽃 이야기며 눈을 헤치고 노란꽃을 피워내는 복수초 이야기, 그 모진 눈 속에서 뿌리를 드러내고도 살아남는 인동초 이야기도 들려줬다. 깊고 깊은 바닷속 기억까지도 들려줬다. 가만히 듣노라면 청석은 산이 되고 물이 되고 꽃이 되어 있었다. 오대천 건너 두타산이 되거나, 설악산 울산바위 혹은 한계령이 되었고, 하오개를 안고 있는 백석산으로 앉아 있기도 했다. 주름을 따라 맑은 계류가 흘렀고, 여울이 되어 부서졌고, 그곳에서 숭어가 고개를 내밀기도 했다. 그는 아크릴 물감으로 그런 돌의 이야기와 모습을 세상에 드러냈다. 세상 어디에도 없는 그만의 돌그림이 되었다. 이 돌그림들은 2018년 평창동계올림픽 때 평창과 한국을 알리는 홍보대사 구실을 했다.

그림터 주변엔 복숭아나무가 많다. 반그늘이 필요한 산야초를 위해 심은 것인데, 봄철이면 그것이 그림터를 도원으로 꾸며준다. 복사꽃 화사한 어느 날, 진부에서 벗 김종명이 찾아왔다. 이장은 벗에게 홀아비꽃대, 호랑발톱, 백두산할미꽃 등을 일일이 소개한 뒤 꽃그늘에 앉아 술 한 잔 권했다. 벗은 그날의 감회를 이렇게 남겼다. "금강송 솔바람에/ 꽃잎이 날리어 술잔에 앉는다// 지나온 시간도 아름다움이요/ 살아갈 시간도 아름다움이라……." 이장의 푸르고 맑은 눈과 이마는 아마 숱한 이야기를 담고 있는 백석산 청석 같았을 것이다.

유치한 질문 하나 던졌다. "이 산속에서 무섭지 않으세요?" "무서운 건 사람이죠." 이번엔 상투적인 물음 하나 물었다. 바람조차 외로울 법한 그곳에 사는 이유는? 이장은 멋쩍게 웃었고 부인이 대신 답했다. "언젠가 야생초 밭에서 김매다가 갑자기 웃음이 터져나오는 거예요. 아, 이렇게 좋을 수가!"

지정환 신부

왜 사느냐고 물으려거든

"제가 상을 받았습니다." "누구 덕인지 아느냐?" 2002년 호암상(사회봉사 부문) 시상식에서 지정환 신부는 수상 소감을 '하느님과의 대화'로 시작했다.

"40여 년간 죽을 고생을 한 제게 주는 상 아니겠습니까?" "자화자찬이라니, 왜 그리 어리석으냐." "제가 겪었던 고통의 순간들을 잊으셨습니까?" "그러면 너는 그동안 네가 범한 숱한 시행착오와 실수들을 잊었느냐." "(부안에서) 간척 사업을 할 때 둑을 쌓기 위해 피땀 흘렸던 이들은 지금 어디에 있는지 아느냐?" "모르겠습니다."

벨기에 출신의 디디에 세르스테반스Didier t'Serstevens는 예비 신학생 시절 극장 뉴스를 통해 한국전 소식을 들었다. "……일본의 식민지였던 이 나라는 독립한 지 얼마 안 돼 또다시 큰 비극을 겪고 있습니다." 신부가 되어 한국행을 결심한 건 그때였다. 1958년 서품을 받고 한국으로 떠나려 할 때 부모님의 걱정은 태산 같았다. "언제 전쟁이 재발할지 모르는데……." "그러니 할 일이 더 많지 않을까요?" 디디에는 신부 서품 이듬해인 1959년 11월 전주교구로 발령을 받았다.

전주교구 전동성당 보좌신부 시절 김이환 신부의 도움으로 '지정환'이란 한국 이름을 얻었고, 1961년 7월 부안성당 주임신부가 되었다. 부안은 평야지대였지만, 가난한 농부들에게는 작대기 하나 꽂을 땅조차 없었다. 짐을 풀자마자 간척공사에 뛰어들었다. 참가자들에게는 간척지 1정보(3,000평)씩 나눠주기로 하고, 미국으로부터 기증받은 밀가루를 품삯으로 지급했다. 지게와 손수레로 흙과 돌을 날라 쏟아부었다. 왜 그리 태풍은 자주 오는지, 겨우 쌓은 둑이 태풍에 쓸려나가면 다시 날라 쏟아붓기를 3년, 그는 100정보의 땅을 확보했다. 약속대로 함께한 농민들에게 땅을 나눴다.

그는 한국에 도착하던 해부터 설사와 복통이 심했다. '음식과 물이 바뀌어서 그러려니……' 했다. 간척공사를 할 때는 부족한 재정 때문에 식사 도우미까지 내보냈다. 대개는 성당 인근의 중국집에서 하루 두 끼 자장면 등으로 때웠다. 불쌍해 보였는지 주인이 가끔 볶음밥 등을 내줬다. 간척이 끝날 때쯤 그의 담낭(쓸개)은 완전히 망가져 있었다. 담낭을 제거하고 요양차 벨기에로 갔다.

6개월 만에 서둘러 돌아왔다. 농부들과 땅이 궁금했다. 하지만 땅을 받은 농부들은 한 명도 없었다. 땅을 헐값에 팔아버리고 고향을 떠난 것이었다. '쓸개까지 버려가며 모든 걸 다 쏟았는데…….' 배신감과 함께 절망이 밀려왔다. '다시는 한국인의 삶에 깊이 개입하지 않으리라.' 이런 생각까지 하기도 했다. 하지만 그는 몰랐다. 가난은 농부들이 간척지에서 염분이 빠지기까지 4~5년을 기다릴 수 없게 했다. 날씨가 조금이라도 가물면 작물은 타 죽었다. 그 땅이라도 팔아 입에 풀칠을 하거나 살림 밑천을 삼아야 했다.

"그래, 너 혼자서 공장도 세우고, 소젖도 짜고, 치즈도 혼자 만들었느냐. 함께했던 농민들에게 우유값을 제대로 지불하기나 했느냐, 그들의 마음이 얼마나 아팠는지 모르느냐……." "그분들께는 대단히 죄송스럽습니다."

전주교구는 실의에 빠진 그를 '별로 할 일 없는' 임실로 발령을 냈다. 한적한 곳에서 정양이나 하라는 것이었다. 임실은 군청 소재지임에도 고등학교 하나 없는, 전북에서도 가장 낙후된 곳이었다. 소백산맥이 추풍령을 지나면서 남서쪽으로 지맥이 갈라져 무주·진안·임실로 뻗어 내린 노령산맥에 걸터앉은 산악지대여서 농사 지을 만한 땅도 적었고 토질도 척박했다. 농민들은 할 일이 별로 없었고, 가난을 운명으로 알고 살았다. 그의 부임을 축하하는 기관장 모임에서 임실 군수는 이런 부탁을 했다. "이곳을 떠나시기 전까지 신자뿐 아니라 군민 전체에게 뭔가 하나쯤 꼭 남겨 주십시오."

부안에서 가졌던 생각이 조금 바뀌었다. "그래 조금만 개입하자." 마침 부안에서 임실로 이주한 신태근이 마을 청년들과 신용협동조합 설립을 추진 중에 있었다. '내 서랍 속에서 뒹굴면 아무것도 아닌 동전이지만, 모이면 누군가의 인생을 바꿀 수도 있다.' 그는 1호 조합원이 되어 조합 설립에 앞장섰다.

그러나 일이 없는데 돈이 어디 있을 것이며, 설사 돈이 모인들 무엇을 할까? 어느 날 그는 청년들을 산으로 불러 모았다. 어른 키만큼 자란 풀밭을 가리키며 말했다. "여러분의 보물이 저기에 있습니다." 소·돼지도 먹지 못하는 풀이 어떻게 보물일까, 청년들은 의아했다. "소·돼지는 먹지 못하지만 산양은 잘 먹습니다. 산양유는 환자들이 먹는 최고급 영양식입니다. 게다가 여러분은 시간 부자 아닙니까?" 임실에는 없는 것투성이였지만 시간과 풀만큼은 무진장 많았다. 조합원 12명의 산양 협동조합은 그때 탄생했다.

하지만 산양유는 판로가 한정돼 있었다. 약으로나 간주됐으니 일반인은 외면했다. 아무리 산양유를 많이 생산해도 살림을 개선할 수 없었다. "남는 산양유로 치즈나 만들어볼까?" 그는 1966년 치즈 제조에 착수했다. 조합원에게 줄 산양유 대금은 벨기에 가족으로부터 지원받은 돈이나 축의금 등으로 때웠다. 그러나 3년 가까이 되도록 치즈는 나오지 않았다. 산양유 대금은 몇 달치씩 밀렸고, 조합원들은 흔들렸다. 1969년 그는 불쑥 유럽으로 떠났다. 제조기술을 배우고 오겠다는 것이었다. 벨기에·프랑스·이탈리아 공장을 다녔지만 결정적인 기술은 배우지 못했다. 애가 탈 무렵 한 귀인이 나타났다. 하느님도 기겁할 골수 공산주의 청년이었다. 이탈리아 공산당 당수의 비서라는 그 청년은 제조 비법이 담긴 노트를 통째로 건네줬다.

그가 돌아왔을 때 기다리는 건 빈 공장뿐이었다. 조합엔 신태근만 남아 있었다. "나에 대한 믿음이 석 달을 넘기지 못하다니……." 그러나 절망만 하고 있을 순 없었다. 배운 대로 치즈를 만들기 시작했다. 두 번 만에 프랑스 식 포르살뤼치즈가 나왔다. 첫 임실치즈인 '정한치즈'였다. 이어 한국인의 입맛에 맞는 체더치즈도 완성했다. 원산지가 임실 성가리라 하여 '성가치즈'라 명명했다.

다시 판로가 문제였다. 1971년 그는 체더치즈 한 덩이를 들고 무작정 조선호텔 독일인 주방장을 찾아갔다. 귀찮아하던 주방장은 한 조각을 먹어보더니 반색을 하며 70킬로그램 납품을 요청했다. 조선호텔에선 유럽에서 수입한 치즈를 쓰다보니, 유통기간이 길어 신선도가 떨어졌다. 이듬해엔 서울 유네스코빌딩에 한국 최초의 피자 가게가 생겼다. 그는 곧 피자에 들어가는 모차렐라치즈를 생산해 납품했다. 일이 풀리자니, 벨기에 천주교 구제회로부터 치즈 가공기를 기증받았다. 생산과 판로가 안정되면서 그는 한 젊은이에게 기술을 전수하기 시작했다. 이어 임실치즈협동조합을 설립하고, 공장과 생산 시설 일체를 조합에 귀속시켰다.

"무지개가족만 해도 그렇다. 욕창은 누가 치료하고, 누가 목욕시켰느냐. 최근에 화장실 청소라도 한 기억이 있느냐?" "마지막으로 했던 게 언제인지 잘 모르겠습니다……."

지정환 신부는 1970년 초부터 오른발에 마비 증세가 나타났다. 며칠씩 그러다가 사라졌다. 피곤 때문이려니 했다. 1976년엔 한 번 발작하면 걸을 수조차 없었다. 다발성신경경화증이었다. 그해 12월 정밀진단과 치료를 받기 위해 벨기에로 떠났다. '불치' 진단을 받고는 한국으로 돌아왔다.

그는 박정희 군사독재와 가장 적극적으로 맞선 외국인 4명 가운데 한 사람이었다. 정권은 그를 추방하려고 했다. 그가 한국에서 처음으로 치즈를 제조해, 농민들을 돕고 있다는 이야기에 박정희는 마음을 바꿔 먹었다. 박정희 체제가 끝나자 이번엔 광주학살의 원흉이 정권을 잡았다. 장애도 장애지만, 마음의 상처가 깊어졌다. 더 이상 할 일이 없어 보였다. 1981년 한국 생활을 정리하고 벨기에로 돌아갔다. 그러나 2년 만에 돌아왔다. 완전한 장애인이었지만 주저앉아 있을 순 없었다. 전주교구는 그에게 장애인 사목을 권했다.

그가 치료를 받던 이리 성모병원에서 장애인 사목을 시작했다. 그곳에서 절감한 건 오갈 데 없는 장애인들에게 가장 필요한 건 가족이라는 사실이었다. 마침 전주에 28평형 전세 아파트가 생겼다. 그곳에서 생활하는 동안 장애인 가족이 급격히 늘었다. 이번에는 전주교구 사회복지회 건물에 공간이 생겼다. 지금의 '무지개가족'이 탄생한 곳이었다. 그의 활동이 알려지자, 전주교구와 벨기에 전교협조회가 지원해 1989년 11월 완주군 소양면 해월리에 지하 35평, 지상 240평 규모의 무지개가족 보금자리가 생겼다. 2년 뒤엔 건평 305평의 제2무지개가족의 집까지 탄생했으며, 1999년엔 자립관도 들어섰다.

장애인과 생활할 때 그는 자기 전 물을 과음했다. 소변이 마려워 한 번이라도 더 깨어 장애인들을 돌보기 위해서였다. 하지만 장애인들이 할 수 있는 일은 절대로 대신 하지 않는다는 것을 철칙으로 삼았다. 코라도 만질 수 있으면 귀도 머리도 만질 수 있고, 첫발을 내디딜 수 있을 만큼의 희망만 있으면, 스스로 그것을 키워나갈 수 있다! 그는 자신이 장애인이 된 것을 감사했다. "그들의 고통과 기쁨에 진심으로 동참할 수 있었기" 때문이었다.

"어떤 나무든 척박한 땅에선 뿌리를 내리기가 힘들다. 물과 거름이 있어야 뿌리도 내리고 열매도 맺을 수 있지." "……."

때론 슬펐고, 때론 화가 나기도 했다. 부안에서도 그랬고, 임실에서도 그랬다. 가난은 함께 해도 성공은 함께 나누기 힘든 법인가. 1986년 대규모 유가공업체들이 치즈 시장에 뛰어들면서 더 많은 돈 더 좋은 조건을 내걸고 기술자들을 꾀었다. 그가 그렇게 정성을 들여 키운 황철수도 떠나갔다. 1998년엔 임실치즈농협 조합장이 판로 확대에 필요하다고 떼를 써 그의 이름을 피자 체인의 상호에 썼고(지정환임실치즈피자), 후임 조합장은 임실치즈협동조합이 직접 피자 체인을 하겠다며 이름과 초상 사용을 요구했다. 모든 것을 바쳐 임실치즈의 기반을 닦았는데 이번엔 신부를 피자 가게 주인으로 만들겠다니……. 거부하자 '신부가 돈에 눈이 멀었다'느니 '도대체 돈을 얼마나 받았길래……' 따위의 말들이 쏟아져나왔다. 졸지에 파렴치한 인간이 되어버렸다.

하지만 그런 고통은 언제나 새로운 사역의 기회가 되었다. 논란을 없애기 위해 정식으로 로열티 계약을 맺어, '수익금의 5퍼센트'를 장학금으로 내놓도록 했다. 이 로열티와 호암상 상금 1억 원 등을 합쳐 장애인 장학재단을 설립했다. 때론 장애가, 때론 핀잔과 모함이 새로운 길을 열어주었던 것이다. 지금은 자신이 이룬 이 모든 일에서 손을 뗀 그는 초기 한국 천주교 역사 사료집을 정리하고 있다. 한글과 한문, 그리고 프랑스어에 능통한 그만큼 적임자는 없다.

"제 공로는 아무것도 없습니다. 이미 물과 거름이 다 있었습니다."

요정?
우리 친군데요

부산대 부설 어린이집 이숙희 원장이 비밀 하나를 보여 주겠다며 앞장섰다. 그가 자랑스럽게 가리킨 것은 2층 보육실 벽면에 걸려 있는 '대동산책지도'였다. 쥐라기공원, 해울못, 개미공원, 바위공원…….

임재택 명예교수(부산대, 생태유아교육)가 한 말이 떠올랐다. "사람에겐 육안, 심안, 영안이 있어요. 육안은 물체를 보지요. 심안은 마음을 읽습니다. 영안은 영혼과 교감하지요." 사물에 깃든 정령과 소통하는 것이 영안이라는 것이다. 서로를 알아보면 공감이 일고 공감하면 소통한다. 대동산책지도는 부산대학교 부설 어린이집 어린이들이 부산대 구석구석을 다니면서 영안으로 보고 감응한 것들을 그린 것이었다. 그곳은 영혼이 탁해진 이들에게는 보이지 않는 나라이고, 다른 생명과 감응하고 소통할 수 있는 능력자들만이 뛰어노는 비밀 아지트였다.

지도상에서 어린이집은 오른편 아래 귀퉁이에 있다. 중심을 채우고 있는 것은 그런 아지트들이었다. 어른들 세계인 미술관, 박물관, 중앙도서관, 대운동장, 10 · 16기념관 등은 이정표 수준으로 처리됐다. 반면 아지트에는 함께 놀았던 경험과 이야기까지 그려넣었다. 어린이집 왼편의 '넉넉한 터', 그 옆의 '바위공원' 등이 그랬다. 바위공원엔 무지개문이 있고, 새 · 지렁이 · 달팽이가 있고 바위와 나무가 그려져 있는 걸 보면, 동화 속 외계 행성이었다.

쥐라기공원으로 명명된 곳엔 공룡의 모형조차 없다. 그러나 지도엔 육식공룡 두 마리가 마주보고 으르렁거리고, 아이들은 거대한 초식공룡 등에 올라 놀고 있다. 아이들에게 그건 상상이 아니라 실제였다. "어디서 뭐하고 놀았니?" "쥐라기공원에서 공룡이랑요." 어른들이 보기에 아이들이 타고 논 것은 돌과 나무지만, 아이들에겐 공룡이었다.

손톱만 하게 표시된 미술관 오른편의 '해울못'에선 물레방아가 돌고 물고기가 뛰어논다. 아이들도 물고기가 되어 있다. 인근의 박물관은 풀벌레마을이나 장승터와 비교하면 코딱지 수준이다. 실제의 '개미공원'은 손바닥만 하지만, 인근 대운동장보다 곱절은 더 크다. 텃밭의 허수아비가 웅장한 중앙도서관을 내려다본다.

이 어린이집 아이들이 하는 일이란 노는 것. 새와 다람쥐, 물고기와 잠자리가 그렇듯이, 빛과 바람과 물과 나무 그리고 흙 속에서 노상 논다. 사육되는 양계장 닭이 아니라, 멋대로 뛰어노는 토종닭처럼 자라도록 돕는 게 이 어린이집이고 선생님들이다. 그래야 신체 발육을 정상화하고, 사회성을 높이고, 다른 생명과 소통하게 하며, 잠재된 창의성과 문제 해결 능력을 발현할 수 있다나……. 그러나 그런 추상적인 지식은 중요하지 않다. 실제로 노는 게 중요하다.

마침 어울림숲반 아이들이 숲속 교실로 떠나던 참이었다. 네 살에서 여섯 살 아이들이 어울려 숲에서 노는 반이다. 점심까지 숲에서 먹으며 놀다가 어린이집으로 돌아온다. 오늘은 과제가 하나 있다. 지팡이를 만드는 일이다. 제 손목만 한 굵기의 나무가 하나씩 아이들 손에 들려 있다.

"개울 건너 숲으로 가자/ 숲을 지나 산으로 가자/ 개미 풍뎅이 노는 숲으로/ 참새 토끼 노래하는 산으로……." 출발이다. 돌담을 끼고 골목길로 들어선다. 담 너머는 텃밭.

"씨, 씨, 씨를 뿌리고/ 꼭, 꼭 물을 주었죠/ 싹, 싹, 싹이 났어요." 엊그제는 상추, 들깨 씨를 뿌렸다. 토마토, 고추, 가지 모종도 심었다. 지난해 들깻잎을 따던 준서의 하소연에 선생님들이 '빵' 터졌다. "선생님 깻잎이 너무 많아요. 이거 따다가 늙겠어요." 돌담식당 지나 돌계단에 오르면 숲이다. 아이들의 인사가 쏟아진다. "나무야 안녕", "구름아 안녕", "제비야 안녕"……. 상준이는 새파랗게 물오른 플라타너스 잎을 보고는 이렇게 말했다. "선생님, 저기 상추잎 무지 많아요."

아이들 이마에 땀이 맺혔다. 선생님이 응원 한마디했다. "바람이 부니깐 정말 시원하다 그치?" "선생님 천국 가는 길 같아요"(진희). "천국? 우리가 지금 천국으로 가고 있구나." "구름도 움직여요, 우리 보고 인사하는 것 같아요"(태희). "쉬었다 갈까?" 선생님 말이 떨어지기 무섭게 아이들이 흙바닥에 주저앉는다. 벌렁 눕기도 한다. 다른 어린이집 엄마들이 보면 기겁할 일이다. 세탁하는 것도 귀찮지만, 혹시 세균에 감염될까 걱정한다.

그러나 아이들이 가장 좋아하는 건 흙놀이. 흙은 아이들의 우주이고, 흙놀이는 아이들이 우주가 되고, 우주가 아이들이 되는 놀이다. 집도 짓고, 요리도 하고, 친구도 만들고, 장난감도 만든다. 텃밭의 흙은 신비 그 자체다. 상추·배추·고구마 등이 자라고, 지렁이·콩벌레·사마

귀 등이 산다. 그런 흙 속에서 노는 아이들은 집중력이 뛰어난 관찰자가 되고, 발명가가 되고, 예술가가 된다고 하는데…… 아이들은 개의치 않는다.

언젠가 어울림반 시하가 놀다가 얼굴에 상처가 났다. 놀란 엄마는 울먹이며 물었다. "시하야, 괜찮아. 안 아팠어? 안 울었어?" "엄마, 괜찮아. 피가 조금 나긴 했지만 안 울었어." 시하는 대신 엄마에게 나뭇잎을 내밀었다. "나뭇잎이 예뻐서 엄마 주려고 가져왔어. 선물이야." 지원이 엄마에게도 이런 경험이 있었다. "엄마, 오늘 흙산에서 넘어져서 아팠어요. 그런데 엄마, 우리 어린이집에는 정말 재미있는 장난감이 있는데, 그게 뭔지 알아? 바로 흙이야, 흙."

아토피는 아이들이 흙에서 멀어져 갔기 때문에 생긴다고 선생님들은 믿는다. 은채는 아기 때부터 턱에 진물이 마를 날이 없었다. 그런데 어린이집 들어오고 반년 정도 지나자 진물이 사라졌다. 은채가 가장 좋아하는 놀이가 흙장난이었다.

10분쯤 더 올라가자 올챙이강이다. 몇몇 아이는 다짜고짜 개울 속으로 들어간다. 아이들이 찾는 건 도롱뇽 알. 이맘때면 알들이 떠내려와 주변에 많이 걸린다. 아이들이 올챙이강이라 한 것도 그 때문이었다. 올챙이강을 건너면 제법 가파른 벼랑길. 어른들은 마음을 졸이지만, 아이들은 다람쥐처럼 걷는다. 벼랑길을 지나면 밤송이 함정이 있고, 그 위에 숲교실이 있다.

개울이 흐르고 개울 주변은 바위투성이다. 아이들은 가방을 내려놓기 무섭게 제각각 놀이를 찾아 떠난다. 물속에서 나뭇잎으로 뱃놀이를 하는 아이, 선생님과 물장난을 치는 아이, 바위에 넙죽 엎드려 명상하는 아이, 나무 밑에 쪼그리고 앉아 애벌레들을 관찰하는 아이……. 아이가 하소연한다. "먹이를 주려고 했는데, 어디론가 사라졌어요." 아이 얼굴이 슬프다.

배트맨이 나타났다. 점심을 날라 주시는 아저씨다. 오늘 메뉴는 찰수수밥, 콩나물된장국, 한우불고기, 상추, 쌈장, 김치다. 가장 많이 손이 가는 것은 상추와 쌈장, 그리고 불고기. 처음 어린이집에 온 아이들은 그저 소시지와 햄만 찾았고, 피자·햄버거·콜라가 없다고 칭얼댔다. 된장국과 김치는 손도 대지 않았다. 그러나 지금은 입이 미어터지도록 쌈밥을 넣고 우걱우걱 씹는다. 밥알이 떨어지면? 냉큼 주워 먹는다. 목이 메면 된장국을 들이켜고, 김치를 먹는다.

식재료는 생태유아공동체에서 납품한다. 임재택 교수가 생태유아교육의 일환으로 결성해 전국에서 활동하는 단체다. 검증된 유기농 우리 농산물만 쓴다. 아이들이 텃밭에서 씨 뿌리고 모종을 심어 기르고 수확한 것들은 아이들의 요리 놀이에 쓴다. 그러다 보니 아이들 입맛이 어른들보다 섬세하다. "저 상추는 무르고, 이 상추는 아삭아삭 맛있어요."

먹는 것만 아니라 요리도 한다. 상추장떡, 돌나물비빔국수, 딸기우유도 만들고 진달래화전도 부친다. 선생님과 함께 취나물된장무침, 돌나물오이무침도 한다. 완두콩으로 밥을 짓고, 그 위에 볶은김치와 달걀프라이를 얹어, 추억의 도시락도 만든다. 수린이는 식탁 기도를 이렇게 한다. "땅은 우리에게 먹을 것을 주고 해님은 곱게 익혀 주었지요. 좋은 땅 좋은 해님 감사합니다."

언젠가 돌아오는 길에 아이들이 숲속에서 죽은 토끼를 발견했다. "왜 죽었을까." "포수가 쏘고 간 게 아닐까." "어린이집에서 탈출했는데 집을 못 찾아서 그런 거 같은데." "그런데 그냥 두고 가도 돼?" 아이들은 풀로 덮어주고, 토끼 그림을 그려 그 위에 올려놓았다. "그래야 사람들이 밟지 않지." 다른 아이는 꽃 몇 송이를 그 위에 얹어주었다.

세상에……, 요정이 있다고? 아이들과 요정이 논다고? 임재택 교수

말에 속으로 뀌던 콧방귀가 슬그머니 사라졌다. 부산대 부설 어린이집 아이들은 요정과 함께 놀고 있었다. 임재택 교수는 그걸 아는 몇 안 되는 어른이다. 그는 생태유아교육의 정신에 따라 1995년 이 어린이집을 개원했다.

밥상의 평화가
달덩이 같구나

신경림 시인은 남한강변 갈대밭에서 '슬프지 않아도 아름다운' 것들을 노래했고, 가수 김윤아는 '아름다워서 슬픈' 것들을 노래했다. 아름다움이란 그렇게 넓고도 넓다. 그러나 아름다워도 슬프지 않고, 맑고 밝아 더 아름다운 사람이 있다. 세상을 벗어나 산으로 떠난 비구니 학인 스님들…….

새파란 머리가 서럽긴 했다. "여승은 합장을 하고 절을 했다./ 가지취의 내음새가 났다./ 쓸쓸한 낯이 옛날같이 늙었다./ 나는 불경佛經처럼 서러워졌다……"(백석, 「여승」에서). 중년의 비구니에게서도 백석은 쓸쓸하고 서러웠는데, 꽃 같은 나이의 스님 앞에서라면 어떠했을까.

그러나 그건 나의 속된 감상일 뿐, 스님들은 구김 하나 없이 맑고 밝았다. 한겨울 찬바람 속에서도 명랑한 새들 같다고나 할까. 별식으로 나온 만두 두 개에 입꼬리가 반달 형상을 그리며 눈꼬리에 붙어버리는 모습이라니, 가난한 밥상 앞에서의 평화가 달덩이처럼 밝았다.

새벽 4시 도량석이 울리면, 침소마다 눈 내리는 소리가 들린다. 가사 장삼을 받쳐 입는 소리다. 법고가 밤하늘을 흔들 무렵 처소에서 빠져나온 그림자가 하나둘 모여, 기러기 대열을 이루며 법당을 향한다. 법당은 문고리가 손이 쩍쩍 달라붙고 청수가 얼어붙었다. 그 송곳날 같은 한기도 입선에 든 스님들을 비집고 들어가지 못한다. 예불문으로 시작해 천수경, 능엄주에 108배까지 하고 나면 1시간여가 훌쩍 지나간다.

아침은 발우공양. 발우를 내리며 염송하는 하발게를 시작으로 회발게, 전발게, 십념, 봉반게, 오관게, 생반게, 정식게, 삼시게, 절수게에 이어 해탈주로 공양을 마치기까지 1시간여 동안은 식사시간이 아니라 수행이고 고행이다. 음식이 저에게 이르기까지 하늘과 땅과 사람과 수많은 미생물이 쏟은 정성을 하나하나 생각하고, 그 모든 수고에 감사를 드리며, 그들과 함께 한몸 됨을 마음에 새기며, 그 은혜를 갚는 데 신명을 바치겠노라 다짐하는 시간이다. 발우에 담긴 밥 한 덩이와 김치 대여섯 조각, 시래기무침, 두부 두세 조각 그리고 된장무국이 전부지만, 학인 스님들에게 그것은 천지의 생명과 수고와 은혜가 담긴 우주이어야 한다.

그 가난한 밥상을 앞에 두고 과도한 의례 아니냐 타박도 나오고, 저 음식으로 몸이나 지탱할 수 있을까 푸념도 나올 법하다. 그러나 학인 스님들은 무조림 세 조각, 김치 댓 조각도 도업을 이루는 보약이라고 믿는다. 공양을 받는 마음이 지극하다.

사찰음식은 이제 한국을 상징하는 대표적인 브랜드 가운데 하나가 되었다. 음식평론가 장 클로드 르베Jean Claude Lebey는 대안 스님의 음식을 맛보고는 "한번 먹으면 잊을 수 없는 첫사랑 같은 맛"이라고 했다. 이탈리아 토리노에서 열린 슬로푸드세계대회에서는 내로라하는 세계의 미식가들이 연자서리태잡곡밥, 사찰비빔국수, 무맑은능이버섯국, 버섯강정, 연근찜, 뿌리연잎찜, 제철나물무침으로 차린 밥상에서 식사가 아니라 감동을 먹었다. 슬로푸드 운동 창시자 카를로 페트리니Carlo Petrini 회장은 "나눔 비움의 정신"을 맛보았다고 했다. 버락 오바마 미 대통령 시절 그의 저녁상을 책임지던 샘 카스Sam Kass는 2015년 진관사에서 사찰음식을 배워가면서 이렇게 말했다. "오바마 대통령이 한국에서 불고기 만드는 법을 배워오라고 했는데, 돌아가면 불고기뿐 아니라 콩국수도 만들어 상에 올려야겠다."

수원 봉녕사는 사찰음식의 본가 같은 곳이다. 선재, 대안, 우관, 동원 스님 등 나름 일가를 이룬 이들이 손맛을 이곳에서 익혔다. 봉녕사 후원 앞에 서면 첫사랑의 설렘까지는 아니어도 입에 군침이 도는 건 그런 까닭이다. 하지만 대접에 담기는 것은 그 나물에 그 조림 그 김치다. 맛이라고 할 것도 없다. 봉녕사 밥상은 그렇게 세속의 입맛을 가차 없이 배반한다.

학인 스님들이 받는 1식3찬 혹은 4찬의 밥상은 초라하기까지 하다. 어디서나 볼 수 있는 밥이고, 김치에 나물무침에 두부조림 따위가 고작이다. 마늘·파 등 양념을 쓰지 않았으니 맛이라고 할 것도 없다. 기껏해야 '담백하다'는 말밖에 할 게 없다. 하지만 봉녕사를 거쳐간 비구니 스님들은 그곳의 공양을 잊지 못한다.

"일체 만물은 식食으로 말미암아 존재하고, 식食이 아니면 존재하지 않는다"(『증일아함경』增壹阿含經). 생명이 나오는 것도 밥이요, 도업을 이루는 것도 밥이다. 반대로 욕심을 키우는 것도 밥상이요, 죽음에 이르게 하는 것도 밥상이다. 재물욕, 색욕, 식욕, 명예욕, 수면욕 등 오욕락이 그 밥상에서 나온다. 오욕락을 비우는 게 수행자의 길이니, 절집의 밥상은 역설적이게도 비우기 위해 섭취하는 법상法床이다. 탐심으로 찌든 입맛에 맞을 리 없다.

흔히들 사찰음식이라고 하면 육류와 오신채(마늘, 파, 부추, 달래, 홍거)를 쓰지 않는 음식이라고 말하지만, 그건 오신채를 뺀 채식일 뿐이다. 육류와 오신채를 쓰지 않는 건, 부처님의 가르침에 따르다 보니 그리됐을 뿐이다. 육류는 자비심을 없애고, 자극성이 강한 양념류는 음심淫心과 분심憤心을 일어나게 한다. 자연의 이치에 다가서고 따르는 것이 수행이다 보니, 맛을 탐하게 하는 첨가물이나 조미료 따위를 쓰지 않는다. 사찰음식이 자연에 가까운 건강한 음식으로 꼽히게 된 것은 그 결과일 뿐이다. 그렇다고 자연식이 사찰음식이라고도 할 수 없다. 그건 자연식일 뿐이다.

사찰음식에는 요리가 없다. '요리하지 않는 음식'이 사찰음식이라고 하는 이도 있다. 인위적으로 맛과 멋과 영양소를 더하려 하지 않기 때문이다. 양념이라고 해봤자 간장·된장·고추장 등 발효식품과 소금·참기름·들기름이 고작이다. 식재료의 풍미와 영양이 살아나는 것은 자연이 준 양념만 쓴 결과다. 사찰음식의 특별함은 식재료 선택에서 조리와 공양 과정 전체를 관철하는 그만의 정신에서 나오는 것이다. 공양주는 요리하는 게 아니라 자비심을 담는다.

가난했던 시절, 봉녕사 스님들은 학인의 먹거리를 위해 시장을 돌아다니며, 버려진 배춧잎, 무청 따위를 얻었다. 농약 따위에 찌든 것들이니 식초를 탄 물에 하루이틀 푹 담가 독성을 빼낸 뒤 삶아서 말려 썼다. 수원 도심 근처여서 지하수도 믿을 수 없으니 수돗물을 받아 참숯과 맥반석 황토볼을 넣은 항아리에 담아 정제한 뒤 음용하도록 했다. 숯은 절집에서 직접 구웠고, 양잿물에 담가 소독한 뒤 썼다. 소금은 천일염을 사다가 5년간 간수 뺀 것을 한번 볶아 썼다. 가난했지만 정성은 지극했다.

식재료가 풍부하지도 신선하지도 않으니, 장에는 특별한 신경을 썼다. 간장은 겹장을 썼다. 동지 전에 메주를 쑤어 음력 정월 말午일에 소금물에 담가 우린다. 45일쯤 지나면 간장과 된장을 가른다. 꺼낸 메주는 곱게 찧고, 새로 삶아 으깬 메주콩과 섞어 숙성시켰다. 한번 우린 간장에는 이듬해 새로 쑨 메주를 담가 또다시 간장을 우렸다. 다른 절집이나 신도들이 눈독을 들이는 봉녕사표 겹장이다. 작년엔 콩 다섯 가마 분량의 메주를 쒔다.

메주를 쑤기 전엔 고추장을 담갔다. 멥쌀이 많은 메주를 으깨고 고춧가루와 찹쌀죽을 섞은 뒤 숙성시킨다. 여기에 조청을 넣으면 맵싸하면서 달콤하고 짭조름한 봉녕사 고추장이 된다. 시판되는 물엿은 쓰지 않는다. 여러 곡류에 엿기름을 넣어 전분을 당화시킨 뒤 가마솥에서 고아 만든 조청만 쓴다.

보통 사찰음식의 특징으로 청정, 유연, 여법을 꼽지만, 한마디로 말하면 지극정성이다. 봉녕사의 장이 꼭 그렇다. 그래야 마음의 독을 없애고 몸을 살리는 약이 된다. 학인 스님들이 아침 햇살처럼 맑고 곱고 밝은 것은 이와 무관할 수 없다.

하루에도 수십 번 도업을 이루겠노라 다짐하는 학인들이지만, 저녁 공양이 기다려지는 건 어쩔 수 없다. 자유배식으로 이루어지고, 가벼운 수다도 눈감아준다. 반찬도 서너 가지 더 나온다. 새로 한 게 아니라 아침, 점심 공양 때 남은 찬들이다. 감자 샐러드가 나왔다면, 남은 감자된장국에서 건져낸 건더기를 으깨서 만든 것일 게다. 이틀에 한 번씩 별식도 저녁 공양 때 나오고, 일주일에 한 번 삭발할 때면 꼭 나오는 특별식도 저녁 공양 때 나온다. 가끔은 새파란 머리가 서럽기도 하겠지만,

어른 스님이 만들어주는 만두, 비빔국수, 떡볶이, 탕수버섯은 시린 마음을 따듯하게 매만져 준다.

학인이라고 공양을 받기만 하는 건 아니다. 1년 4학기 중 책거리나 사은회 그리고 일종의 축제인 '쑥데이' 때마다 솜씨자랑이 펼쳐진다. 책거리에선 선배들이 후배들에게 음식을 내고, 사은회 때는 반별로 음식을 지어 은사를 대접한다. 참쑥이 마침 알맞게 자랐을 때 학인 스님들이 벌이는 잔치인 '쑥데이'가 다가오면 봉녕사 인근 꽃들이 벌벌 떤다고 한다. 식재료라야 산야초뿐이니 스님들의 손길을 피하기 힘들기 때문이다. 하지만 예쁜 스님들의 도업을 위해 저를 봉헌할 수밖에.

엊그제 저녁 공양엔 김치비짓국이 나왔다. 스님들의 영양식이다. 들기름 넣고 20분쯤 볶은 김치에 무, 표고, 다시마를 끓여 낸 채숫물을 붓고 끓이다가, 미리 준비해 둔 비지를 섞어 마저 끓인다. 비지는 조리하기 전 물에 불린 콩을 맷돌에 갈아 냈다. 간은 김칫국물로 했다. 별식도 떡볶이와 만두가 한꺼번에 나왔다. 후식으로는 키위와 석류에, 먹고 남은 배를 갈아 만든 소스를 얹었다. 공양간 기둥마다 '묵언' 두 자가 붙어 있지만, 후원은 환한 미소의 물결이 찰랑거렸다. 가난한 밥상 앞에서 스님들의 작은 평화와 행복이 맑고 곱다.

봄,
밥상 위에 몸을 풀다

장은 달래장이다. 무·다시마·멸치로 우려낸 육수를 집간장에 섞어 한번 다시 끓여 식힌 맛간장에 파랗게 싹이 오른 달래를 종종 썰어 넣었다. 엊그제 빚어 들기름으로 부친 두부에 찍거나 순두부에 얹어 입에 넣으니, 지난가을의 보람과 새봄의 기대로 입안이 미어진다. 더덕회는 사래 긴 이랑에 심고 남은 종근 가운데 큰 것만 골랐다. 고추장과 매실효소만 얹어 무쳤다. 더덕 본래의 맛과 향기가 알싸하다.

밭에서 갓 솎은 마늘은 뿌리부터 잎까지 성큼성큼 썰어 냈다. 된장을 찍어 아삭 씹으니 겨울을 이겨낸 강인함이 몸에 퍼진다. 월동 배추로는 겉절이를 했다. 액젓과 생강즙, 매실효소, 고춧가루로 버무렸다. 액젓은 변산공동체 출신. 샐러드는 양배추, 브로콜리 등 생야채에 콩마요네즈를 얹었다. 달걀 대신 콩물에 두부, 유자청을 넣어 만든 채식 마요네즈다. 고소함은 그대로이고 담백함은 덤이다. 뽕잎장아찌는 이웃집 해민네가 야생 뽕잎을 간장에 삭혔다. 콩나물은 집에서 길러 무쳤고, 김장김치는 젓갈을 쓰지 않아 담백한 맛이 영락없는 사찰 김치다.

아무리 성찬이어도, 밥상의 기품은 밥이 결정하는 법. 쌀·통밀·보리·수수·흑미가 어울린 오곡밥이다. 작고 실한 알갱이들이 입안에서 저마다 다른 맛과 식감을 자랑한다. 흑미는 향기롭고, 보리는 구수하고, 통밀과 수수는 고소하면서도 단맛이 난다. 화이부동和而不同이다. 송편 속의 콩이나 깨, 시루떡 속의 팥고물처럼 서로 다르지만 하나로 어울려 새 맛을 낸다. 쌀은 직접 재배했고, 보리·수수·통밀은 변산공동체에서 나왔고, 흑미만 시장에서 사왔다.

상이 문턱을 넘을 때부터 코끝에 삼삼했던 게 있었다. 쑥향이다. 된장과 어울리는 것이 깊은 울림의 첼로와 높은 떨림의 바이올린 같다. 밥을 안치고, 무칠 것 무친 뒤 밭두렁에 나가 따온 것들이다. 차진 오곡밥 한 숟가락에, 염치없이 달래만 거른 장을 얹어 오물조물 씹다가 입안에 단맛이 돌 때쯤, 참쑥된장국 두어 숟가락 입에 넣는다. 새봄이 온전히 내 안으로 들어온다.

불쑥 찾은 객에게 밥상을 내온 이현숙 신보현 부부는 귀농 전부터 이런 꿈을 꿨다. 동창을 밝히는 미명과 함께 잠자리를 털고 일어난다. 햇살이 장독대에서 반짝이고 주변의 매화·대추·앵두 나무에 새들이 지저귈 때쯤 우물가에서 찬물 한그릇 마시고 장독대 너머 문전옥답으로 나가는 것이다. 부부는 지난해 봄 변산면 지동리로 이사 왔다. 딸과 아들이 다니는 변산공동체학교 이웃마을이다. 공동체의 도움으로 농가와 밭을 빌려, 동창이 밝으면 일어나고, 문전옥답에서 농사짓고, 남창에 달 뜨면 저절로 잠들었다. 너무 꿈을 빨리 이룬 건가? 걱정되기도 했다.

봄은 이미 부부의 밭에서 몸을 풀었다. 집으로 들어오는 길목엔 매화가 활짝 폈고, 볕 잘 드는 장독대 주변엔 상사화가 이파리를 다 냈고, 수선화는 꽃대를 올렸으며, 튤립 이파리가 꼿꼿하다. 화초들 사이엔 혼자 핀 큰개불알꽃이 융단을 깔았고, 냉이나 광대나물도 깨알 꽃들을 터트렸다. 방풍나물은 파마머리처럼 둥글게 퍼졌고, 포도나무 줄기나 블루베리·블랙베리 가지는 촉촉했다. 장독대는 둘레에 핀 매화 향기로 장이 익겠다. 뒤란엔 50년 된 살구나무에 꽃망울이 다닥다닥 붙었다. 매향이 스러질 때쯤 싱그러운 살구향이 이어질 것이다. 지난여름, 하루에 한 바구니씩 살구를 내준 나무다. 그것으로 만든 잼과 발효음료는 부부에게 한 달 반치 생활비(170만 원)를 가져다줬다. 효자다.

살구나무 밑엔 부추밭. 손바닥만 한데 지난해 봄부터 가을까지 현숙씨네 꾸러미에 담고도 남았다. 둔덕 위 비닐하우스엔 쌈채 모종들이 한창이고, 지난해 심어 한차례 수확한 이탈리아 파슬리, 브로콜리, 양배추가 시퍼렇게 새잎과 꽃을 올렸다. 비닐 온실 아래엔, 아득하게 이랑이 이어진다. 이미 감자 네 이랑, 더덕 한 이랑 심었다. 그 아래엔 벌써 난대성 마늘이 열병하듯 서 있고, 한 뼘쯤 싹을 올린 육쪽마늘 이랑이 나란히 겨룬다. 옆 이랑에선 지난해 뿌린 시금치와 월동 파, 봄동이 신록을 경쟁한다.

지난해 참깨·들깨·콩을 했던 이랑은 갈아만 놓았다. 창고 옆 밭 한쪽엔 작은 동산을 이룬 것이 있다. 농사와 살림에서 나온 갖가지 부산물에 화장실에서 받은 것들을 섞어 숙성시키는 퇴비다. 화장실은 맨땅에 벽돌을 놓고 올라앉을 수 있도록 한 게 고작이다. 볼일 본 뒤 왕겨를 뿌려 고무통에 넣어두도록 되어 있다. 오줌통은 따로 뒀다. 뒷일만큼은 가급적 집에서 본다는 게 이 가족의 드문 규칙.

창고 뒤는 함께 꾸러미를 하는 신혜경 씨가 일구는 밭이다. 아래쪽 두 이랑을 현숙씨네가 짓는데, 달래가 바글거린다. 혜경 씨는 지난해 옥수수도 심고 콩도 심고 잎채소도 심었다는 데, 올해는 옥수수 사이에 동부를 심을까 한다. 옥수숫대를 타고 동부가 다닥다닥 피울 보라색 꽃으로 단장한 옥수수라니……, 수줍음 많은 혜경 씨가 살짝 웃는다.

밥상은 남편 보연 씨가 차렸다. 현숙 씨와 변산공동체로 마실 갔다 오는 사이 마련한 봄의 성찬이었다. 그러나 그건 맛보기였다. 현숙·보연 부부, 전명숙·정경식 부부, 양창인·김금란 부부, 신혜경 씨 그리고 변산공동체는 4월부터 변산유기농꾸러미(연락처 010-○○○○-○○○○)를 시작했다. 꾸러미엔 보연 씨 밥상보다 훨씬 더 많은 계절의 성찬이 담긴다. 제각각 색깔과 맛이 다른 다섯 농가의 삶과 이력, 변산의 해와 비와 바람이 가꾼 것들이다.

양념류, 쌈채류, 과일류, 장류, 기름류, 콩 가공품, 곡류, 액젓과 젓갈류, 잡곡과 밀가루, 묵나물류, 산야초와 각종 발효음료, 달걀, 케첩 등 어림잡아 200종은 된다고 한다. 계절별로 적으면 20여 종, 많으면 30여 종까지 담긴다. 4월 첫 꾸러미는 쑥, 광대나물, 큰개불알꽃, 꽃다지, 달래, 냉이가 포함될 것이니, 새봄의 화관이 될 것이다.

변산공동체는 유기농 농사를 윤구병尹九炳이 1995년 충북대 교수(철학)직을 그만두고 시작한 것이니 올해로 20년이 훌쩍 넘었다. 열댓 명의 공동체 식구들이 논과 밭 1만 8,000여 평을 함께 경작하고 함께 나눈다. 곡류, 발효식품, 효소, 조청, 달걀 등을 생산하고 판매한다. 그것으로 공동체 경비로도 쓰고, 스무 명 가까운 중고등생을 먹이고 재우고 가르치는 공동체학교까지 운영한다. '꾸러미'에 내는 젓갈과 액젓은 앞바다에서 나는 생선을 항아리에 담아 3년 꼬박 숙성시킨다. 1~2년 만에 숙성시키는 여느 것과 달리 인공조미료를 쓰지 않아도 단맛이 깊다.

'꾸러미'에는 젓갈 이외에 달걀, 곡류, 장류 등을 낸다.

풀무원공동체에서 만난 전명숙·정경식 부부는 대한민국 유기농 1세대다. 윤구병보다 10년 일찍 변산에 터를 잡았다. 경식 씨가 농가를 조직하고, 전주의 소비자와 연결해 직거래를 트고, 농민운동에도 앞장서는 동안 명숙 씨는 밭 2,000평을 일구며 아이들을 길렀다. 변산의 유기농 생산자 모임인 한울공동체를 결성하고, 전주 한울생활협동조합 결성의 촉매가 됐다. 부부는 미나리, 토마토, 단호박, 참죽나무순, 콩나물과 뽕, 매실, 백야초 발효음료를 낸다.

변산공동체에서 만나 결혼한 양창인·김금란 가족은 산야초 전문가. 온갖 산야초를 생으로 내거나 장아찌로 가공해 제공한다. 둘은 지리산에 들어가 3년 가까이 산야초 속에서 살다가 다시 돌아왔다. 대학 졸업 후 바로 변산공동체에서 살다가 7~8년 전 독립한 신혜경 씨는 쌈채류를 재배하고 제공한다. 같은 대학에서 철학을 전공한 이현숙·신보연 부부는 노동운동 중 반려가 되었다. 1998년 파주로 귀농했다가 2014년 변산으로 왔다. 이곳에서 10개월 가까이 혼자서 꾸러미를 해왔다.

100만 원으로 살 수 있다고 자신하는 이들의 꿈은 소박하다. 부부라면 50만 원으로 되지만, 아이들 때문에 100만 원이라고 한다. 이들은 한 농가가 도시 소비자 열 가구의 먹거리를 책임지면 사람도 사회도 세상도 바뀌리라고 믿는다. 가난하다. 그러나 부러울 게 하나도 없는 가난이다. 아니 부럽기만 한 가난이다.

땅보면 심으리, 맹추네 농장 김장기

고양시 선유동 산기슭 어디쯤이지만, 엉터'里'인지 신나'里'인지는 일정하지 않다. 혹자는 땅보面 심으里라고도 한다. 다만 주말마다 여남은 중년들이 밭에 코를 박다시피 열심히 파고 심고 덮고 뿌리고 잡고 했다지만, 작물의 개갈 나지 않는 행색으로 보면 엉터리일 터이고, 또 그걸 농사라고 짓고는 푼수 없이 헤벌쭉 웃는 걸 보면 '신나리'이고, 그래도 코 박는 걸 보면 '심으리'다.

싸리나무 이장님 이하 맹추네 가족들이 그곳에 코를 박기 시작한 건 3월부터였다. 도시농부학교 졸업 후 산 너머 우보농장에서 이태 동안 보림을 한 동기생과 후배가 모였다. 올봄에야, 묵정밭 돌부리 캐고, 복토하고, 뒤집고, 밑거름하느라 넉넉한 소출은 기대도 하지 않았다. 그렇다고 가을 김장만은 자급하리라는 기대까지 포기한 것은 아니었다.

다들 열심히 부산을 떨었지만, 11월 다 가도록 무·배추 꼴이 말이 아니었다. 어디 가서 텃밭 하네 소리 하기가 민망할 정도였다. 남들은 요강만 한 배추도 뽑지 않는다는데, 속이 든 배추는 찾아보기 힘들고, 무는 알타리만 하고, 김장속으로 쓸 갓은 아예 땅에 깔려 있다.

지난봄 작물이 자랄까 걱정하며 밭을 만들 때를 생각하며 아쉬움을 달랬지만, 허전한 속이 어찌 드러나지 않을까. 11월이 지났지만, 누구도 거둘 생각도 하지 않았다. 외면하고 싶었던 것이다. 하긴 뽑아서 가져가 본들 누가 한 해의 수고를 치하할 것인가. 일거리만 가져왔느니 놀다 왔느니, 타박만 걱정할 뿐이었다.

남들은 미리 익혀 먹을 김치를 식탁에 올릴 때쯤에야 비로소 맹추네는 부산했다. 배추·무 손질하랴, 쪽파·대파·갓 다듬으랴, 다듬은 양념류 무채·고춧가루·젓갈 등속 버무려 김치속 만들랴. 추수할 생각도 않던 것들로 김장을 하는 것이었다. 물론 격식을 갖췄을 리 없다. 절이는 과정 생략하고, 적당한 크기로 썬 배추와 무를 김치속과 함께 버무리는 것이었다. 그래도 맹추네 탄생 이후 첫 김장이었으니, 흐뭇한 표정은 감출 수 없었다.

하긴 100일 가까이 자란 채소들을 버려두는 게 쉬운 일은 아니었다. 명색이 '나도 농부'를 자처한 이들인데, 어찌 애써 자란 먹거리를 버릴 수 있을까. 집안의 타박도 무섭지만 하늘의 진노를 감당 못할 것 같아 일단 추수하기로 한 게 이달 초였다. 내심 '닭이라도 줘뿔자'라는 요량이었지만, 하고 나니 생각이 달라진 것이다.

김장을 제안한 건 로즈 님이었다. 집에선 양쪽 어머니의 시다에 불과했지만, 맹추네에선 막강 고수. 여름 김치 하듯 하자는 것이었다. 일단 말이 나오자, 김장이 주는 무게에 눌려 기가 죽었던 이들이 다들 반색했다. 진행은 총무인 늘보 님이 맡았다. 콩밭 님이 생새우 가져오고, 고고 님이 3년 묵었다는 소금을, 싸리나무 님이 고춧가루, 까만콩 님이 마늘·생강 등속을 가져왔다. 고고 님이 산 너머 우보농장에서 기른 배추까지 가져오니, 규모도 제법 됐다.

하지만 김장 덕 보자 기대했던 이는 없을 것이다. 주말이면 습관적으로 버스·지하철, 그리고 마을버스까지 갈아타고 찾아오는, 오갈 데 없는 영혼이고 보면 하루 더 모여서 놀자는 심산이 컸을 것이다. 그 속셈이야 당일 만물박사 맹갑 님이 수육용 돼지고기 준비하고, 싸리나무 님이 통영굴 두 박스나 가져온 것을 보면 명확하다. 엉터리면 어떠냐 신나면 될 일! 그러했으니 남정네들은 일찌감치 솥 구하고, 나무 해오고, 불 피우랴 분주했다. 물론 잿밥에 눈이 어두워 구해 왔다는 솥엔 뚜껑이 없고, 해온 나무들은 썩었거나 물 젖은 물박달 따위였으니, 배춧국이라도 끓일 수 있을까, 그 모진 연기에 119 아저씨들만 달려와 불조심을 당부하게 했다. 구들 님이 혀를 차며, "화덕 높이를 낮추고, 뒤쪽은 트고, 마른 가지만 골라 쓰시고, 솥은 우리 집에서 가져다 쓰시고……" 하시는 말씀을 따르니, 그제야 솥 안에 김이 서리고, 물방울이 오른다.

구들 님 부부는 맹추농장의 산파. 부군은 도시농부학교 교장이시니 맹추네 큰 스승이고, 땅도 그 덕택에 마련했다. 농사공동체를 꿈꾸던 마음씨 좋은 한 독지가(나무꾼)가 선유동에 묵정밭을 구입해 공동체 영농을 꿈꾸는 이들에게 제공하도록 맡겼고, 그것이 맹추들에게 돌아온 것이었다. 그러니 구들 님 지청구는 한 귀로 흘려버릴 간단한 것이 아니었다.

사실 그날 맹추네는 몹시 우울해야 마땅한 날이었다. 닭장 짓고 닭 열다섯 마리를 옮겨온 게 엊그제였다. 그런데 이사 첫날 닭장 안에서 일대 학살이 벌어졌던 것이다. 우보농장 시절부터 농막 한쪽에 비닐하우스를 짓고, 여주 바보숲농장 홍일선洪一善 시인이 방목해 기른 중닭을 분양받아, 1년 넘게 금지옥엽으로 기른 닭들이었다. 순번을 정해 일주일에 한두 번씩 물과 모이를 주러 농장을 들러야 했다. 올봄 드디어 닭들이 알을 품기 시작해 병아리 열두어 마리를 부화했을 때의 기분이란 늦둥이 봤을 때의 기쁨이 그럴까.

맹추네는 10월 말 밭농사가 얼추 마무리되면서 닭과의 이중살림을 끝내기로 했다. 콩밭 님이 닭장을 설계했다. 연극영화를 전공했다지만 무대 위보다는 무대 아래서 소품 제작에 열심이었다는 콩밭 님. 공학도 산지기와 고고 님이 시공하고, 준소목장 싸리나무 님이 감리를 맡았다. 그렇게 대한민국 최초의 원목 치킨텔이 탄생하자, 다들 닭들의 신세를 부러워하며 축복을 아끼지 않았다.

그랬던 것인데, 불과 하루 만에 여섯 마리는 닭장 안에서 주검으로 발견됐고, 한 마리는 실종됐으며, 중상을 입은 한 마리는 하루 뒤 사망했다. 솔방울 님이 아이들에게 닭과 농장 자랑하려고 왔다가 발견했기에 망정이지, 치킨텔은 모든 닭의 무덤이 될 뻔했다. 달개비(닭 애비) 고고 님, 콩밭 님, 솔방울 님이 반쯤 정신이 나가 있어, 산지기 님과 싸리나무 님이 닭장 보수에 매달린 것은 그 때문이었다.

김장팀이 배추를 버무리기 시작할 때쯤에야 배춧국은 끓기 시작했다. 그러나 양파와 생강을 넣고 진간장으로 간을 한 맹갑 스타일의 수육은 여전히 불 위에서 낮잠 중이다. 불은 약하고 솥은 컸다. 굴은 아직 개봉도 못했으니 남정네들 마음은 급하다. 김장팀 로즈 님과 까만콩 님이 힘든지, 뒷짐 지고 허리 펴는 일이 잦아졌다. 대형 대야에다 배추·무·김치속을 한꺼번에 넣고 뒤섞는 일은 쉬운 일이 아니었다. 어슬렁거리던 남정네 하나가 고무장갑을 대신 꼈다. "버무려야지 빨래 빨듯하면 어째요." 미란 님의 핀잔이 떨어지지만, 아랑곳하지 않고 비빈다.

그의 심산이 두 여성에 대한 배려보다는 속히 한잔 마시기 위해 일정을 재촉하려는 것임을 알기에 미란 님도 핀잔을 거둔다. 어이그 저 욕심 많은 미숙아…….

드디어 배급. 아무래도 속도전엔 기술보다는 힘이다. 김치통이 줄지어 있다. 들이대는 통마다 가득가득 채운다. "언닌 혼자면서 통이 너무 큰 거 아니야" 혹은 "통이 너무 작아요" 따위의 핀잔과 격려가 오가는 중에 들이댄 통과 비닐봉투에 김치가 모두 찼다. 로즈 님은 김치통을 농장 냉장고에 넣고 겨우내 먹기로 했다. 석박지 열심히 얻어먹던 남편이 불만스러운지 볼이 나왔다.

누군가는 모든 건 꿈에서 시작한다고 했지만, 농사는 먹는 것부터 시작해야 한다. 그리고 거둔 것은 먹는 것으로 마무리해야 한다. '파종보다 갈무리가 기본'이라는 구들 님의 핀잔을 다들 그렇게 새겨들었다. 상에 배춧국이 오르고, 이어 수육도 오르고, 제법 취흥이 오르자 굴도 올라왔다.

총회가 예정됐지만, 배 든든하고 등 따신데 무슨 회의가. 그저 구들 님의 교훈 한마디만 새기면 될 일이었다. 씨 뿌리고 키우는 것도 중요하지만 갈무리 시기 놓치면 죽 쒀서 개 주는 꼴! 게으른 맹추농장의 갈무리는 그날로 끝나지 않았다. 늙은 호박 네댓 개와 비닐하우스에 쌓아둔 콩대가 그대로 남아 있었다. 호박 즙 내고, 콩 까는 건 다음 주로 미뤘다. 도리깨질은커녕, 쪼그리고 앉아 콩꼬투리 하나씩 잡고 씨름하는 꼴을 상상하니, 하품만 난다. 하지만 달리 엉터'리' 맹추농장인가. 그렇게 맹추네 한 해는 간다. 소출이 개갈나지 않는다 하여 아쉬워하는 이 없다. 상처에 새살 돋듯 거친 흙에서 온갖 씨앗이 싹을 틔운 것만도, 저마다 삶의 상처를 이겨내는 은총으로 여긴다. '안녕하신가'라고 묻는 젊은이들의 물음이 가슴에 상처를 내며 지나가지만, 어찌하겠는가. 스스로 갈아엎지 않으면, 아무도 대신해 주지 않는 게 농사일이요 세상일.